## 1．正誤・適文選択問題

　各論点の基本的事項についての問題が幅広く出題されている。財務諸表の構造、有価証券、棚卸資産、減価償却、リース会計、退職給付会計、外貨換算会計、税効果会計、企業結合会計といった論点は頻出であり、必ず整理しておきたい。ミスを誘発するような表現はあまり見受けられず、正しいもの１つ、正しくないもの１つを選択することから、比較的解答しやすいものとなっている。反面、数問は、難易度のかなり高いものも出題され、本試験では消去法により、解答を絞り込むことも想定される。この出題形式では、瑣末な内容に固執せず、１点１分のペースを守りたい。

## 2．計算問題

　大問の出題のうち、第２問及び第３問が計算問題という傾向が続いている。第２問が１論点につき１つの設問、第３問が１論点につき複数（概ね３つ）の設問が出題される形式となっている。有価証券、棚卸資産、減価償却、リース会計、退職給付会計、企業結合会計といった論点が繰り返し出題されている。

　第２問は、５問の出題と多めだが、各問とも問題文がコンパクトにまとめられており、比較的短時間で解答可能となっている。上記論点に絡む計算式については、ぜひとも整理しておきたい。

　第３問は、比較的難易度が高いものが出題されている。１論点につき問１～問３の形式が多く、各問が独立していることも多い。本試験では、問１が難問であっても、問２や問３が単独で解答できる場合もあり、視野を広くして冷静に臨みたい。

## 3．財務諸表分析の総合問題

　例年、第４問に出題され、高得点を目指したい。2024年（春）試験は、従来どおり24点（１点×24問）の配点であった。

　演習段階では、まず、問題文を通読し、ある程度標準化された構成であることを把握したい。この出題形式における"全体量への慣れ"は、時間の短縮化とともにケアレスミスを回避するうえでも非常に重要である。次に、財務指標につい

ては、計算式を図式化する等、丸暗記の負担を軽減できるよう工夫して整理しておきたい。

　具体的な解答手順については、語群選択や財務指標の計算そのものは全体的に容易であるため、問題冒頭よりスムーズに解答できるはずである。計算の指示や検算用の数値、さらには、指標の単位といったヒントが随所に設定されており、解答の手助けになる。他の出題形式同様、難問奇問の類に執着せず、確実に得点を積上げることが肝心である。

　総合問題であるがゆえに、時間を要するのはやむを得ない。本試験では、他の問題との兼合いもあるが、配点（24点なら24分）＋15分程度が解答時間の上限であろう。解答時間にゆとりを持つべく、試験時間の早期の段階で取り組みたい。

## ４．コーポレート・ファイナンス

　2022年（春）試験以降は、第５問として独立した形式で出題されている。さらに、「Ⅰ」と「Ⅱ」の２つに区分され、2024年（春）試験では、「Ⅰ」が８問、「Ⅱ」が６問の小問が出題された。「Ⅰ」は、コーポレート・ファイナンス全体から幅広く出題され、「Ⅱ」は、投資の意思決定について一連の内容が出題された。

　企業価値評価や投資の意思決定といった論点については、比較的まとまりのある内容となっており、学習効果の表れやすい領域といえる。資本コスト、フリー・キャッシュフロー、企業価値、NPV は、得点を積み重ねるうえで必須の項目である。コーポレートガバナンスをはじめとするその他の論点は、範囲が広く、散発的な内容が多い。本書掲載の代表的な論点を中心に整理しておくことが、効率的な学習であり、得点に結びつくはずである。

# ●本書の使用方法

本書は、「財務分析」（第1章〜第7章）と「コーポレート・ファイナンス」（第8章）の2つから構成されている。また、「財務分析」については、第1章から第6章において「財務会計」、第7章において「財務諸表分析」を扱っている。「財務会計」では、基本的な論点である有価証券、棚卸資産、有形固定資産等から、やや難解な論点である企業結合まで幅広く取り上げている。「財務諸表分析」では、総合問題に必要となる財務指標について図表を踏まえて整理している。そして、第8章の「コーポレート・ファイナンス」では、ファイナンス理論の典型的なテーマである企業価値評価や投資決定の手法に加え、リスク管理、経営戦略、コーポレートガバナンスについて取り上げている。

さらに、各章は「1. 傾向と対策」、「2. ポイント整理と実戦力の養成」に分かれており、「2. 実戦力の養成」では、本試験で出題が予想される論点を扱っているので、ポイント整理と併せて、十分に学習しておくことが必要である。なお、ポイント整理と実戦力の養成における構成は、次のようになっている。

| Point | 例題 | 解答 及び 解説 |

前述の出題傾向と対策に鑑み、各論点の核心部分が理解できるようにまとめている。

### Point

その章の基本的な論点や公式などをほぼ万遍なく網羅している。ここでは、わかっている事項について✓点をつけるなり、わからない事項にマーカーで印をつけるなり、知識を整理していただきたい。基本的には結論のみを列挙し、説明などは省いているが、必要に応じて解説を加えている。

### 例題

その章の重要・頻出論点について、ほぼカバーできるように配慮して出題している。よくわからない問題や難しいと感じる問題であれば、まず Point の該当箇所を再確認するか、あるいは、 解答 及び 解説 を参照しながら解き直すことが必要である。

### 解答 及び 解説

解答に至るまでの計算プロセスや考え方などをなるべく詳細に解説している。間違えたところやわからなかったところは Point のところと重複するが、基本に立ち返って知識の整理を再確認していただきたい。

## ●過去の出題一覧及び重要度

| 論点 | 重要度 | 2022年（秋） | 2023年（春） | 2023年（秋） | 2024年（春） |
|---|---|---|---|---|---|
| **第1章　財務会計総論** | | | | | |
| 企業会計原則 | C | | | | |
| 貸借対照表 | B | | ● | | ● |
| 損益計算書 | B | | | ● | |
| その他の計算書類等 | B | ● | | | |
| 日本の会計制度 | A | ● | ● | | ● |
| 財務諸表の監査 | B | | ● | ● | |
| 国際財務報告基準（IFRS） | A | ● | ● | | ● |
| **第2章　資産会計** | | | | | |
| 金融資産 | C | | | | |
| 債権の評価 | B | | | | ● |
| 有価証券 | A | ● | | ● | ● |
| 棚卸資産 | A | ● | ● | ● | ● |
| 固定資産 | A | ● | ● | ● | ● |
| 減価償却 | A | ● | ● | ● | ● |
| リース会計 | B | ● | | ● | |
| 減損会計 | A | ● | ● | ● | |
| 繰延資産 | C | | | | |
| 経過勘定 | C | | | | |
| **第3章　負債会計** | | | | | |
| 金融負債 | C | | | | |
| 社債の評価 | C | | | | |
| 引当金 | C | | | | |
| 退職給付会計 | A | ● | ● | ● | ● |

【重要度】
高　A＞B＞C　低

| 論点 | 重要度 | 2022年（秋） | 2023年（春） | 2023年（秋） | 2024年（春） |
|---|---|---|---|---|---|
| **第4章　純資産会計** | | | | | |
| 株主資本 | A | ● | | ● | ● |
| 計数の変動 | C | | | | |
| 剰余金の配当 | B | ● | | ● | ● |
| 評価・換算差額等 | B | | ● | | ● |
| 新株予約権・株式引受権 | B | | ● | | ● |
| 包括利益 | A | ● | ● | | |
| **第5章　損益会計** | | | | | |
| 収益・費用の認識と測定 | B | ● | | | |
| 収益認識基準 | A | ● | ● | ● | ● |
| 外貨建取引の換算 | A | ● | | ● | ● |
| 外貨建財務諸表の換算 | B | | | | ● |
| **第6章　企業結合会計** | | | | | |
| 企業結合 | A | ● | ● | ● | |
| 合併会計 | B | ● | ● | | |
| 連結財務諸表 | A | ● | | ● | ● |
| 連結の範囲 | B | | | ● | ● |
| 資本連結 | A | | | ● | ● |
| 成果連結 | B | | | ● | |
| 持分法 | C | | | | |
| 税効果会計 | A | ● | ● | ● | ● |
| 連結キャッシュ・フロー計算書 | A | ● | | ● | ● |
| **第7章　財務諸表分析** | | | | | |
| 分析の方法 | C | | | | |
| 資本と利益の概念 | C | | | | |
| 収益性分析 | A | ● | ● | ● | ● |
| 生産性分析 | B | ● | | | ● |
| 安全性分析 | A | ● | ● | ● | |
| 不確実性分析 | A | ● | ● | ● | |
| 成長性分析 | B | | ● | | ● |

| 論点 | 重要度 | 2022年(秋) | 2023年(春) | 2023年(秋) | 2024年(春) |
|---|---|---|---|---|---|
| **第8章　コーポレート・ファイナンス** | | | | | |
| 株式価値評価 | B | | | ● | |
| 企業価値評価 | A | ● | ● | ● | ● |
| 投資決定 | A | ● | ● | ● | ● |
| リスク管理 | A | ● | ● | ● | ● |
| 経営戦略 | A | ● | ● | ● | ● |
| コーポレートガバナンス | A | ● | ● | ● | ● |

## ●重要論点チェックリスト

| 論　　　点 | チェック欄 | | |
|---|---|---|---|
| **第1章　財務会計総論** | | | |
| 1　企業会計原則 | | | |
| 2　貸借対照表 | | | |
| 3　損益計算書 | | | |
| 4　その他の計算書類等 | | | |
| 5　日本の会計制度 | | | |
| 6　財務諸表の監査 | | | |
| 7　国際財務報告基準（IFRS） | | | |
| **第2章　資産会計** | | | |
| 1　金融資産 | | | |
| 2　債権の評価 | | | |
| 3　有価証券 | | | |
| 4　棚卸資産 | | | |
| 5　固定資産 | | | |
| 6　減価償却 | | | |
| 7　リース会計 | | | |
| 8　減損会計 | | | |
| 9　繰延資産 | | | |
| 10　経過勘定 | | | |
| **第3章　負債会計** | | | |
| 1　金融負債 | | | |
| 2　社債の評価 | | | |
| 3　引当金 | | | |
| 4　退職給付会計 | | | |
| **第4章　純資産会計** | | | |
| 1　株主資本 | | | |
| 2　計数の変動 | | | |
| 3　剰余金の配当 | | | |
| 4　評価・換算差額等 | | | |
| 5　新株予約権・株式引受権 | | | |
| 6　包括利益 | | | |

| 論 点 | チェック欄 | |
|---|---|---|
| **第5章　損益会計** | | |
| 　1　収益・費用の認識と測定 | | |
| 　2　収益認識基準 | | |
| 　3　外貨建取引の換算 | | |
| 　4　外貨建財務諸表の換算 | | |
| **第6章　企業結合会計** | | |
| 　1　企業結合 | | |
| 　2　合併会計 | | |
| 　3　連結財務諸表 | | |
| 　4　連結の範囲 | | |
| 　5　資本連結 | | |
| 　6　成果連結 | | |
| 　7　持分法 | | |
| 　8　税効果会計 | | |
| 　9　連結キャッシュ・フロー計算書 | | |
| **第7章　財務諸表分析** | | |
| 　1　分析の方法 | | |
| 　2　資本と利益の概念 | | |
| 　3　収益性分析 | | |
| 　4　生産性分析 | | |
| 　5　安全性分析 | | |
| 　6　不確実性分析 | | |
| 　7　成長性分析 | | |
| **第8章　コーポレート・ファイナンス** | | |
| 　1　株式価値評価 | | |
| 　2　企業価値評価 | | |
| 　3　投資決定 | | |
| 　4　リスク管理 | | |
| 　5　経営戦略 | | |
| 　6　コーポレートガバナンス | | |

第1章

# 財務会計総論

1．傾向と対策……………………………………… 2
2．ポイント整理と実戦力の養成……………… 4
　　1　企業会計原則／4
　　2　貸借対照表／5
　　3　損益計算書／10
　　4　その他の計算書類等／13
　　5　日本の会計制度／18
　　6　財務諸表の監査／24
　　7　国際財務報告基準（IFRS）／27

# 1. 傾向と対策

　この章で扱う項目は、いずれも正誤選択問題としての出題が主であり、計算問題としてはあまり出題されていない。出題の中心は、財務諸表の基本的表示ルールをはじめ、会計制度、ディスクロージャー制度などである。なお、近年は、会計・利益情報の特徴や国際財務報告基準（IFRS）の出題も増えている。

| 項　　　目 | 過　去　の　出　題 | 重要度 |
|---|---|---|
| 企業会計原則 | | C |
| 貸借対照表 | 2022年（春）・第1問・問5　（正誤）<br>2023年（春）・第1問・問5　（正誤）<br>2024年（春）・第1問・問3　（正誤） | B |
| 損益計算書 | 2022年（春）・第1問・問5　（正誤）<br>2023年（秋）・第1問・問4　（正誤） | B |
| その他の計算書類等 | 2022年（春）・第1問・問4　（正誤）<br>2023年（春）・第1問・問3　（正誤） | B |
| 日本の会計制度 | 2022年（春）・第1問・問2　（正誤）<br>2022年（秋）・第1問・問1　（正誤）<br>2022年（秋）・第1問・問3　（正誤）<br>2023年（春）・第1問・問1　（正誤）<br>2024年（春）・第1問・問1　（正誤） | A |
| 財務諸表の監査 | 2023年（春）・第1問・問2　（正誤）<br>2023年（秋）・第1問・問2　（正誤） | B |

| 国際財務報告基準（IFRS） | 2022年(春)・第 1 問・問 3 （正誤） | A |
| | 2022年(秋)・第 1 問・問 2 （正誤） | |
| | 2023年(春)・第 1 問・問 9 （正誤） | |
| | 2024年(春)・第 1 問・問 2 （正誤） | |
| | 2024年(春)・第 1 問・問 8 （正誤） | |
| 総合その他 | 2022年(春)・第 1 問・問 7 （正誤） | B |
| | 2023年(春)・第 1 問・問 6 （正誤） | |
| | 2023年(春)・第 1 問・問 8 （正誤） | |
| | 2023年(秋)・第 1 問・問 1 （正誤） | |
| | 2023年(秋)・第 1 問・問 7 （正誤） | |
| | 2023年(秋)・第 1 問・問 8 （正誤） | |
| | 2024年(春)・第 1 問・問 3 （正誤） | |

# 2. ポイント整理と実戦力の養成

## 1 企業会計原則

## Point ① 「企業会計原則」における一般原則

一般原則は、企業会計全般に関する基本原則である。会計処理を行うに当たって準拠すべき一般的な指針を示したものであり、次の7つの原則を定めている。

① 真実性の原則

② 正規の簿記の原則

③ 資本・利益の区別の原則

④ 明瞭性の原則

⑤ 継続性の原則

⑥ 保守主義の原則

⑦ 単一性の原則

## Point ② 継続性の原則

① 内容

継続性の原則は、1つの会計事実について、2つ以上の会計処理の原則または手続の選択適用が認められている場合、企業がいったん採用した会計処理の原則または手続を、毎期継続して適用することを要請する原則である。

② 必要性

ａ．利益操作の排除

ｂ．財務諸表の期間比較性の確保

③ 継続性の原則が問題とされる場合

1つの会計事実について、2つ以上の会計処理の原則または手続の選択適用が認められている場合には、継続性の原則が問題となる。

1つの会計処理の原則または手続しか存在しない場合には、継続性の問題は生じない。なぜなら、1つの会計処理の原則または手続しか採用することができず、他の会計処理の原則または手続に変更することができないからである。

## Point ③　保守主義の原則

① 内容

　　保守主義の原則は、将来ある事象が企業の財政に不利な影響を及ぼすと予測される場合、会計原則の他の規定に反しない限り、慎重な判断に基づく会計処理を行うことを要請する原則である。

② 必要性

　　財務的な健全性を確保し、将来のリスクに備えるために要請される原則である。ただし、過度な保守主義は、真実な報告を歪めるものとして認められない。

## 2　貸借対照表

## Point ①　構造

　　貸借対照表とは、株主・債権者その他の利害関係者に企業の財政状態を明らかにするため、貸借対照表日（決算日）におけるすべての資産・負債及び純資産を一覧表示したものである。この貸借対照表に表示される一時点の数値のことをストックの数値と呼ぶことがある。

貸借対照表

| （資産の部） | | （負債の部） | |
|---|---|---|---|
| Ⅰ　流動資産 | ×××　 | Ⅰ　流動負債 | ×××　 |
| Ⅱ　固定資産 | | Ⅱ　固定負債 | ×××　 |
| （1）有形固定資産 | | 負債合計 | ×××　 |
| （2）無形固定資産 | | （純資産の部） | |
| （3）投資その他の資産 | ×××　 | Ⅰ　株主資本 | ×××　 |
| Ⅲ　繰延資産 | ×××　 | Ⅱ　評価・換算差額等 | ×××　 |
| | | Ⅲ　株式引受権 | ×××　 |
| | | Ⅳ　新株予約権 | ×××　 |
| | | 純資産合計 | ×××　 |
| 資産合計 | ×××　 | 負債及び純資産合計 | ×××　 |

<資金の運用形態>　　　　　　　<資金の調達源泉>

## Point ② 資産及び負債の配列方法

① **流動性配列法**…資産・負債について流動項目・固定項目の順番に配列する方法（財務流動性の程度をみるのに有用）。企業会計原則における原則的な方法である。

② **固定性配列法**…資産・負債について固定項目・流動項目の順番に配列する方法（財務安全性の程度をみるのに有用）。

## Point ③ 資産及び負債の流動・固定の分類基準

① **正常営業循環基準**

期間の長短にかかわらず、企業の正常な営業循環過程内にあるものを流動項目とする基準。

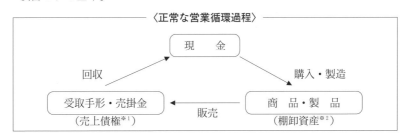

〈正常な営業循環過程〉

※1 主目的たる営業取引により発生した債権のうち、破産債権・更生債権は、正常な営業循環過程から外れるので一年基準が適用される。

※2 棚卸資産のうち、恒常在庫品として保有するものまたは余剰品として長期間にわたって所有するものも流動資産である。

② 一年基準（ワン・イヤー・ルール）

　　貸借対照表日の翌日から起算して、一年以内に、入金または支払の期限が

到来するものを流動項目とし、一年を超えて到来するものを固定項目とする

基準。

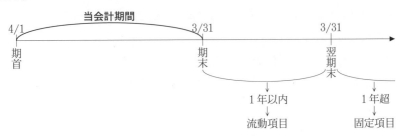

③ 現行制度の分類基準の原則

　　まず正常営業循環基準を適用し、正常な営業循環過程内にあるものを流動

項目とし、それ以外のものには、一年基準を適用する。

④ その他

　a．有価証券→保有目的基準

　b．未収収益、前受収益、未払費用→すべて流動項目、ただし、前払費用は

　　一年基準

　c．固定資産→残存耐用年数が1年以下となったものも固定資産

| 例題 1 | 資産・負債の流動・固定の分類基準に関する次の記述のうち、正しいものはどれですか。 |

A 現金と同様預金についても、その性質上、常に流動資産として計上される。

B 余剰品として長期間にわたって保有する棚卸資産は、一年基準により固定資産に分類される。

C 主目的たる営業取引以外により発生した借入金等の債務については、一年基準の適用により、流動負債または固定負債に分類される。

D 経過勘定項目については、すべて流動資産もしくは流動負債として計上される。

解答 ▶ C

### 解 説

A 正しくない。預金については、一年基準により流動資産もしくは固定資産の投資その他の資産に計上される。

B 正しくない。棚卸資産は、正常営業循環基準により、すべて流動資産に属する。したがって、棚卸資産は恒常在庫品として保有するもの、または余剰品として長期間にわたって所有するものも流動資産に属する。

C 正しい。主目的たる営業取引以外の取引により発生した借入金等の債務については、一年基準が適用される。例えば、借入金について、決算日の翌日から起算して1年以内に返済期限を迎える場合には流動負債に、1年を超えて返済期限を迎える場合には固定負債に分類される。ちなみに、当初3年の返済期限で長期借入金として固定負債に分類されていた場合でも、決算日の翌日から起算して1年以内に返済期限を迎えるようになると、1年以内に返済予定の長期借入金等の項目で流動負債に振り替えられる。

D 正しくない。前払費用については、一年基準により流動資産もしくは固定資産の投資その他の資産に計上される。他の経過勘定項目については、流動資産もしくは流動負債として計上される。

例題2

貸借対照表に関する次の記述のうち、正しいものはどれですか。

A　貸借対照表の資産の部は、流動資産と固定資産に分類される。

B　貸借対照表の負債の部は、流動負債、固定負債及び引当金に分類される。

C　資産及び負債の配列方法には流動性配列法と固定性配列法があり、わが国では流動性配列法が原則となっている。

D　資産及び負債の分類基準には正常営業循環基準と一年基準があり、一年基準により分類できない項目について、正常営業循環基準が適用される。

解答  C

解　説

A　正しくない。貸借対照表の資産の部は、流動資産、固定資産及び繰延資産の3つに分類される。

B　正しくない。貸借対照表の負債の部は、流動負債と固定負債の2つに分類される。

C　正しい。資産及び負債については、流動資産（負債）、固定資産（負債）の順に配列する流動性配列法が企業会計原則での原則的方法となっている。例外的に、電力会社、ガス会社等のような特定の業種については、固定性配列法が認められる場合がある。

D　正しくない。資産及び負債の流動・固定の分類については、まず正常営業循環基準が適用され、次に正常営業循環基準で分類できない項目について、一年基準が適用される。

# 3 損益計算書

## Point ① 構造

　損益計算書とは、株主・債権者その他の利害関係者に企業の経営成績を明らかにするため、一会計期間におけるすべての収益及び費用を一覧表示したものである。この損益計算書に表示される一会計期間の数値のことをフローの数値と呼ぶことがある。

　なお、損益計算書については、以下の点に注意が必要である。

① 取引の対応関係や同質性に着目して収益・費用を対応させた区分表示と段階別利益が表示される。

② 売上高については、総売上高から売上値引・戻りや割戻しを控除した純売上高が表示される。

③ 特別損益に属する項目であっても、金額の僅少なものまたは毎期経常的に発生するものは、経常損益計算に含めることができる。

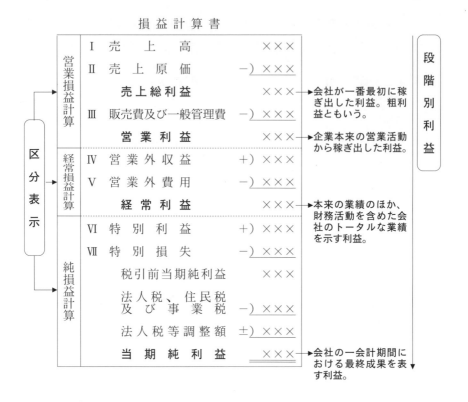

損 益 計 算 書

## Point ② 製造原価明細書

　自社で財の製造加工を行う企業では、材料費、労務費、経費といった製造原価の内訳明細書である製造原価明細書を開示しなければならない。製造原価明細書は、損益計算書の売上原価の注記として開示される。材料費のほか製造加工のためにかかった人件費や減価償却費は、労務費や経費として製造原価を構成するため、損益計算書の販売費及び一般管理費とは区別される。

　また、以下のように、製造原価明細書は製造から完成まで、損益計算書は完成から販売までの原価の流れを示しているといえる。

なお、連結財務諸表において、セグメント情報を注記により開示している場合には、製造原価明細書の開示は不要となっている。

| 製造原価明細書 | | 損益計算書 | | |
|---|---|---|---|---|
| 材料費 | 30 | 売上高 | | 150 |
| 労務費 | 20 | 売上原価 | | |
| 経 費 | 10 | 期首製品棚卸高 | 45 | |
| 当期総製造費用 | 60 | → 当期製品製造原価 | 70 | |
| 期首仕掛品棚卸高 | 40 | 合 計 | 115 | |
| 合 計 | 100 | 期末製品棚卸高 | 25 | 90 |
| 期末仕掛品棚卸高 | 30 | 売上総利益 | | 60 |
| 当期製品製造原価 | 70 | | | |

例題3

**損益計算書に関する次の記述のうち、正しいものはどれですか。**

A　製品を製造するために利用した機械装置にかかる減価償却費は、販売費及び一般管理費に含まれる。

B　特別損益項目であっても、一定の場合には営業外損益に含めることができる。

C　販売促進のために行った売上値引や売上割戻は、販売費及び一般管理費もしくは営業外費用に含まれる。

D　損益計算書は、営業損益計算、経常損益計算、特別損益計算の3つに大きく分けられる。

解答　▶　B

解 説

A　正しくない。製品を製造するためにかかった人件費、設備費（減価償却費、賃借料など）、諸経費等のコストは、製造原価として処理する。

- **B**　正しい。特別損益項目であっても、金額が僅少なものや毎期経常的に発生するものは営業外損益に含めることができる。
- **C**　正しくない。販売促進のために行った売上値引や売上割戻は、売上高から控除する。
- **D**　正しくない。損益計算における区分表示は、営業損益計算、経常損益計算、純損益計算の3つに大きく分けられる。

## 4　その他の計算書類等

### Point ① 株主資本等変動計算書

　株主資本等変動計算書は、貸借対照表の純資産の部の一会計期間の変動額のうち、主として、株主に帰属する部分である株主資本の各項目の変動事由を報告するために作成するものである。

　そのため、当期変動額について、株主資本の各項目は変動事由ごとにその金額を総額で表示し、株主資本以外の各項目は純額で表示することとされている。ただし、株主資本以外の各項目についても主な変動事由ごとにその金額を総額で表示することができる。

| | 株主資本 | | | | | | | | | | 評価・換算差額等 | 株式引受権 | 新株予約権 | 純資産合計 |
| | 資本金 | 資本剰余金 | | | 利益剰余金 | | | | 自己株式 | 株主資本合計 | | | | |
| | | 資本準備金 | その他資本剰余金 | 資本剰余金合計 | 利益準備金 | その他利益剰余金 | | 利益剰余金合計 | | | | | | |
| | | | | | | 任意積立金 | 繰越利益剰余金 | | | | | | | |
| 当期首残高 | ××× | ××× | ××× | ××× | ××× | ××× | ××× | ××× | △×× | ××× | ××× | ××× | ××× | ××× |
| 当期変動額 | | | | | | | | | | | | | | |
| 剰余金の配当 | | | | | | | △×× | △×× | | △×× | | | | △×× |
| 剰余金の配当による利益準備金積立 | | | | | ××× | | △×× | ××× | | ××× | | | | |
| 当期純利益 | | | | | | | ××× | ××× | | ××× | | | | ××× |
| 株主資本以外の項目の当期変動額 | | | | | | | | | | | ××× | ××× | ××× | ××× |
| 当期変動額合計 | ××× | ××× | ××× | ××× | ××× | ××× | ××× | ××× | ××× | ××× | ××× | ××× | ××× | ××× |
| 当期末残高 | ××× | ××× | ××× | ××× | ××× | ××× | ××× | ××× | △×× | ××× | ××× | ××× | ××× | ××× |

# Point ② キャッシュ・フロー計算書

　キャッシュ・フロー計算書とは、一会計期間における企業のキャッシュ・フローの状況を一定の活動区分別に表示した一覧表である。

① 直接法

## キャッシュ・フロー計算書

| | |
|---|---:|
| I　**営業活動によるキャッシュ・フロー** | |
| 　営業収入 | ××× |
| 　原材料及び商品の仕入による支出 | △××× |
| 　人件費の支出 | △××× |
| 　その他の営業支出 | △××× |
| 　小計 | ××× |
| 　利息及び配当金の受取額 | ××× |
| 　利息の支払額 | △××× |
| 　法人税等の支払額 | △××× |
| 　営業活動によるキャッシュ・フロー | ××× |
| II　**投資活動によるキャッシュ・フロー** | |
| 　有形固定資産の取得による支出 | △××× |
| 　有形固定資産の売却による収入 | ××× |
| 　投資有価証券の取得による支出 | △××× |
| 　投資有価証券の売却による収入 | ××× |
| 　投資活動によるキャッシュ・フロー | ××× |
| III　**財務活動によるキャッシュ・フロー** | |
| 　短期借入れによる収入 | ××× |
| 　短期借入金の返済による支出 | △××× |
| 　社債の発行による収入 | ××× |
| 　社債の償還による支出 | △××× |
| 　自己株式の取得による支出 | △××× |
| 　配当金の支払額 | △××× |
| 　財務活動によるキャッシュ・フロー | ××× |
| IV　現金及び現金同等物に係る換算差額 | ××× |
| V　現金及び現金同等物の増加額（または減少額） | ××× |
| VI　現金及び現金同等物の期首残高 | ××× |
| VII　現金及び現金同等物の期末残高 | ××× |

② 間接法

### キャッシュ・フロー計算書

| | |
|---|---|
| Ⅰ 営業活動によるキャッシュ・フロー | |
| 　税引前当期純利益（または税引前当期純損失） | ×××  |
| 　減価償却費 | ×××  |
| 　受取利息及び受取配当金 | △××× |
| 　支払利息 | ×××  |
| 　売上債権の増加額 | △××× |
| 　たな卸資産の減少額 | ×××  |
| 　仕入債務の減少額 | △××× |
| 　…………… | ×××  |
| 　小計 | ×××  |
| 　利息及び配当金の受取額 | ×××  |
| 　利息の支払額 | △××× |
| 　法人税等の支払額 | △××× |
| 　営業活動によるキャッシュ・フロー | ×××  |

　Ⅱ投資活動によるキャッシュ・フローならびにⅢ財務活動によるキャッシュ・フローは直接法と同じである。

## Point ③　注記事項

　注記とは、財務諸表本体の記載内容に関する重要事項を、財務諸表本体と別の箇所に言葉などを用いて記載したものである。主な注記事項は、以下のとおりである。

① 継続企業の前提に関する注記

　現行の会計基準は、継続企業の前提のもとに制定され、すべての企業に等しく適用されている。ただし、貸借対照表日において、継続企業の前提に重要な疑義を生じさせるような事象または状況が存在する場合であって、当該事象または状況を解消し、あるいは改善するための対応をしてもなお継続企業の前提に関する重要な不確実性が認められるときは、そのような事象や状況が存在する旨とその内容など一定の事項を注記しなければならない。

② 重要な会計方針

　ａ．有価証券の評価基準及び評価方法

　ｂ．棚卸資産の評価基準及び評価方法

c．固定資産の減価償却方法

d．繰延資産の処理方法

e．外貨建資産及び負債の本邦通貨への換算基準

f．引当金の計上基準

g．収益及び費用の計上基準

h．ヘッジ会計の方法

i．キャッシュ・フロー計算書における資金の範囲

j．その他財務諸表作成のための基本となる重要な事項

③　重要な後発事象

　　注記の対象となる重要な後発事象とは、貸借対照表日後に生じた当期の財務諸表の修正は伴わないが、次期以後の財政状態・経営成績に重要な影響を及ぼす事象をいう。重要な後発事象は、次のとおりである。

a．火災、出水等による重大な損害の発生

b．多額の増資または減資及び多額の社債の発行または繰上償還

c．会社の合併、重要な営業譲渡または譲受

d．重要な係争事件の発生または解決

e．主要な取引先の倒産

f．株式併合及び株式分割

# Point ④　会計上の変更および誤謬の訂正

　　企業が選択した会計処理の原則及び手続並びに表示方法は、継続性の原則により、毎期継続して適用しなければならないが、正当な理由があれば変更することができる。この場合の取扱いについては、企業会計基準第24号「会計方針の開示、会計上の変更及び誤謬の訂正に関する会計基準」において次のように定められている。

　　なお、同基準では、会計上の変更として、会計方針の変更、表示方法の変更、会計上の見積りの変更に区別し、会計上の変更ではないものの財務諸表に影響を与えるものとして誤謬の訂正を挙げている。

① 会計上の変更（原則的な取扱い）

　a．会計方針の変更

　　　会計方針の変更とは、従来採用していた一般に公正妥当と認められた会計方針から他の一般に公正妥当と認められた会計方針に変更することをいう。この変更については、財務諸表の期間的な比較可能性や企業間の比較可能性を高めるために、新たな会計方針を過去の財務諸表に遡って適用していたかのように会計処理をする遡及適用が求められる。

　b．表示方法の変更

　　　表示方法の変更とは、従来採用していた一般に公正妥当と認められた表示方法から他の一般に公正妥当と認められた表示方法に変更することをいう。この変更については、財務諸表の期間的な比較可能性を確保するために、新たな表示方法を過去の財務諸表に遡って適用したかのように表示を変更する財務諸表の組替えが求められる。

　c．会計上の見積りの変更

　　　会計上の見積りの変更とは、新たに入手可能となった情報に基づいて、過去に財務諸表を作成する際に行った会計上の見積りを変更することをいう。この変更については、過去に遡ることはせず、その変更が変更期間のみに影響する場合には、当該変更期間に会計処理を行い、その変更が将来の期間にも影響する場合には、将来にわたり会計処理を行う。

② 区別が困難な場合

　　有形固定資産の減価償却方法のように、会計方針に該当するものの、その変更が会計上の見積りの変更と区別することが困難な場合には、会計方針の変更を会計上の見積りの変更と同様に取り扱い、遡及適用は行わない。

③ 誤謬の訂正

　　誤謬とは、原因となる行為が意図的であるか否かにかかわらず、財務諸表作成時に入手可能な情報を使用しなかったことによる、又はこれを誤用したことによる誤りのことである。誤謬が発見された場合には、過去の財務諸表における誤謬の訂正を財務諸表に反映する修正再表示が求められる。

# 5　日本の会計制度

　制度会計とは、法律の規制を受ける会計のことである。わが国における制度会計としては、金融商品取引法に基づく会計及び会社法に基づく会計ならびに法人税法に基づく会計がある。３つの法律に基づくことから、トライアングル体制と呼ばれることがある。証券アナリスト試験では、特に、金融商品取引法と会社法の比較は重要である。

## Point ① 制度会計の比較

|  | 金融商品取引法 | 会　社　法 |
|---|---|---|
| 立法趣旨 | 国民経済の健全な発展及び投資者保護 | 主に株主と債権者の間の利害関係の調整 |
| 規制 | 開示規制 | 開示規制及び配当規制(剰余金の分配に関する規制) |
| 対象会社 | 上場会社等 | すべての会社 |
| 作成が求められる書類 | ①貸借対照表（連結貸借対照表） | ①貸借対照表（連結貸借対照表） |
|  | ②損益計算書（連結損益計算書） | ②損益計算書（連結損益計算書） |
|  | ③株主資本等変動計算書（連結株主資本等変動計算書） | ③その他株式会社の財産及び損益の状況を示すために必要かつ適当なものとして法務省令で定めるもの、株主資本等変動計算書（連結株主資本等変動計算書）及び個別注記表（連結注記表） |
|  | ④キャッシュ・フロー計算書（連結キャッシュ・フロー計算書） | ④事業報告 |
|  | ⑤附属明細表（連結附属明細表） | ⑤附属明細書（連結附属明細書） |

## Point ② 一般に公正妥当と認められる企業会計の基準

　会計基準とは、財務諸表の作成と公表に際して準拠されるべき社会的な規範として形成されたものであり、これらの基準は公正妥当なものとして社会的な承認を得ているという意味で、「**一般に公正妥当と認められる企業会計の基準**」と呼ばれている。

　金融商品取引法は、立法趣旨を達成するために利益情報の開示を求めているが、その具体的な内容は指示していない。形式面については、「財務諸表等規則」や「連結財務諸表規則」において規定しているが、規定の詳細は「一般に公正妥当と認められる企業会計の基準」に委ねられている。また、会社法についても、金融商品取引法と同様に、利益の具体的な計算方法について詳細かつ包括的な規定を持っていない。具体的な計算規定については、「会社計算規則」に委ねられているが、網羅しきれない部分については、金融商品取引法と同様に一般に公正妥当と認められる企業会計の慣行に従うものとされている。

　なお、企業会計審議会や企業会計基準委員会が設定し公表した会計基準は、「一般に公正妥当と認められる企業会計の基準」を構成すると考えられている。

## Point ③ ディスクロージャー制度

① 　金融商品取引法上のディスクロージャー制度（法定開示）

　　金融商品取引法に基づき情報が開示されるといっても、財務諸表だけが単独で開示されるのではなく、実際には、**発行市場**（新規の株式発行や起債を行う場合の投資家保護）と、**流通市場**（公開後の株式等を売買する場合の投資家保護）に向けて、次のような名称の書類が開示される。これらの届出書や報告書は、会計以外の情報も含まれるが、財務諸表は、その中の重要な一部として組み込まれ、その内容は、**公認会計士**または**監査法人**によって**監査**される。

・発行市場における発行開示書類……有価証券届出書、目論見書など
・流通市場における継続開示書類……有価証券報告書、半期報告書、臨時報告書など

a．開示資料

　イ．有価証券報告書

　　　営業や経理の状況等の情報を記載した報告書で、各事業年度経過後3ヶ月以内に財務局長等へ提出する必要がある。

　　　有価証券報告書では、財務諸表による財務情報のほか、財務諸表で開示される情報以外の**非財務情報**も開示されている。この非財務情報については、経営戦略、MD&A（Management Discussion &Analysis：経営者による財政状態および経営成績の検討と分析）、リスク情報などが挙げられる。さらに、非財務情報として、2023年より、「サステナビリティに関する考え方及び取組」（サステナビリティ情報）の開示が義務付けられた。サステナビリティ情報のうち、「ガバナンス」と「リスク管理」については、すべての企業が開示するものとされ、「戦略」と「指標及び目標」については各企業が重要性を踏まえて開示の可否を判断するものとされている。なお、この非財務情報は、監査の対象外である。

　ロ．半期報告書

　　　従来、金融商品取引法においては、一事業年度を3ヶ月に区分した報告書として四半期報告書の作成開示が求められていた。しかし、2024年4月以降は、企業のコスト負担軽減や開示の効率化のために、四半期報告書（第1および第3四半期）は廃止され、証券取引所規則に基づく四半期決算短信に一本化された。また、開示義務の残る第2四半期報告書は、半期報告書として作成開示が必要となっている。

　ハ．臨時報告書

　　　臨時的に発生した事実のうち、企業内容に重要な影響を与える可能性のあるものに関する報告書で、当該事実の発生により遅滞なく提出する必要がある。

b．代表的な閲覧場所

　イ．紙媒体

　　　有価証券報告書総覧

ロ．電子媒体

　　インターネットを利用した電子情報開示システム**EDINET**（Electronic Disclosure for Investors' NETwork）

② 金融商品取引所（証券取引所）の規則によるタイムリーディスクロージャー（適時開示）

　　会社法や金融商品取引法による制度開示とは別に、**タイムリーなディスクロージャーを一層充実させる**ため、証券取引所は、上場会社に次のような情報の開示を義務付けている。

・決定事実に関する情報……株式の発行、資本の減少、自己株式の取得、会社分割等
・発生事実に関する情報……主要株主の異動、災害の発生、破産等の申立て等
・決算に関する情報…………決算内容、業績予想の修正等、配当予想の修正等

a．決算短信

　　適時開示が義務付けられている情報のうち定期的に開示されるのが「決算に関する情報」である。決算発表は、取引所が定める共通の様式である決算短信によって行われ、有価証券報告書の開示に先立って開示される。

　　決算短信で特徴的なのは、売上や利益といった当期の業績数字のみならず、**次期の業績予測が開示される点**であり、決算短信の有用性を高めている。また、前述のとおり、四半期開示については、2024年4月以降、金融商品取引法上の四半期報告書（第1および第3四半期）は廃止され、証券取引所規則に基づく四半期決算短信に一本化された。

b．代表的な閲覧場所

　　適時開示の一連のプロセスである取引所への事前説明、報道機関への公開、ファイリング、公衆縦覧は、原則として、インターネットを利用した適時開示情報伝達システム**TDnet**（Timely Disclosure network）により行う。

③　企業個有の開示（自主開示）

　　自主的に開示される情報としては、**統合報告書、CSR 報告書**（Corporate Social Responsibility Report）やアニュアル・レポートなどの IR 情報がある。これらは各社のウェブサイト等で提供されている。この中でも、財務情報と非財務情報を有機的に結びつけた統合報告書は、国際統合報告評議会（IIRC：International Integrated Reporting Council）による国際統合報告フレームワークの公表を契機に、近年開示する企業が増加している。

　　なお、IIRC は、2021年6月にサステナビリティ会計基準審議会（SASB：Sustainability Accounting Standards Board）と統合して価値報告財団（VRF：Value Reporting Foundation）となり、VRF と気候変動開示基準委員会（CDSB：Climate Disclosure Standards Board）は、2022年6月に国際サステナビリティ基準審議会（ISSB：International Sustainability Standards Board）に統合されている。

---

**例題 4**　　会計制度に関する次の記述のうち、正しいものはどれですか。

A　会社法にしたがって作成される計算書類には、貸借対照表、損益計算書、株主資本等変動計算書、キャッシュ・フロー計算書が挙げられる。

B　金融商品取引法と会社法において、利益の計算方法の詳細を規定していないものについては、いずれも一般に公正妥当と認められる企業会計の基準にしたがって計算される。

C　法定開示書類である有価証券報告書については、電子開示が認められていない。

D　決算短信は、金融商品取引所（証券取引所）の様式にしたがった法定開示である。

解答　▶　B

解　説

A　正しくない。会社法にしたがって作成される計算書類には、キャッシュ・フロー計算書は含まれない。

B　正しい。金融商品取引法及び会社法は、利益の具体的な計算方法について詳細かつ包括的な規定を持っていない。金融商品取引法では、「財務諸表等規則」に定めのない事項については、一般に公正妥当と認められる企業会計の基準にしたがうものとしている。また、会社法では、具体的な計算規定について「会社計算規則」に委ねているが、網羅しきれない部分については、金融商品取引法と同様に、一般に公正妥当と認められる企業会計の慣行にしたがうものとしている。

C　正しくない。法定開示である有価証券報告書の開示は、従来の紙ベースでの情報開示に加え、金融商品取引法に基づく有価証券報告書等の開示書類に関する電子開示システムであるEDINETにより行うことが認められている。

D　正しくない。決算短信とは、株主総会の承認を受けて最終的に確定する前に開示される決算情報をいい、金融商品取引所（証券取引所）が定める様式にしたがって上場各社により作成・開示が行われている。決算短信は、法律による強制ではないものの、取引所の自主規制という形で開示が義務付けられている。

# 6　財務諸表の監査

## Point ① 財務諸表監査の意義

　企業が公表する財務諸表が企業の財政状態、経営成績及びキャッシュ・フローの状況を適正に表示しているのかを、企業から独立した第三者によって確かめ、その結果を報告する行為のことである。監査によって信頼性が担保された財務諸表は、投資家の利用を促し、証券取引の円滑化に結び付く。なお、財務諸表が会計基準に準拠して作成されているかどうかをチェックする際、公認会計士が行うべき標準的な手続は、企業会計審議会が公表した**「監査基準」**に記載されている。

## Point ② 金融商品取引法監査

　金融商品取引法では、上場企業が有価証券報告書等で開示する財務諸表につき、公認会計士または監査法人の監査を義務付けている。監査報告書には、監査の対象、実施した監査の概要及び財務諸表に対する意見が記載される。財務諸表の適正性に関する公認会計士の意見は監査意見と呼ばれ、監査基準では監査意見を**①無限定適正意見、②限定付適正意見、③不適正意見**の３つに**分類**し、責任ある意見を表明できない場合は、**④意見不表明**とする。

　なお、上記の意見に加えて、監査の過程で、企業が倒産のリスクを抱える等、継続企業（ゴーイング・コンサーン）としての重要な疑義を抱いた場合には、その旨を追記することとされている。

① 無限定適正意見

　公表された財務諸表が、一般に公正妥当と認められる企業会計の基準に準拠して、企業の財政状態、経営成績及びキャッシュ・フローの状況をすべての重要な点において適正に表示していると認められるときに表明される。重要な監査手続が実施され、かつ、その重要な監査手続で重大な不正や誤謬が認められなかった場合の意見表明である。

② 限定付適正意見

　会計方針の選択及びその適用方法、財務諸表の表示方法に関して不適切な

ものがあり、無限定適正意見を表明できない場合において、その影響が財務諸表を全体として虚偽の表示に当たるとするほどには重要でないときに表明される。また、重要な監査手続きを実施できなかったことにより、無限定適正意見を表明することができない場合において、その影響が財務諸表全体に対する意見表明ができないほどではないと判断したときに表明される。

③　不適正意見

公表された財務諸表が会計方針の選択及びその適用方法、財務諸表の表示方法に関して著しく不適切なものがあり、財務諸表全体として虚偽の表示に当たる場合の意見表明である。

④　意見不表明

重要な監査手続きが実施できなかったことにより、財務諸表全体に対する意見表明のための基礎を得ることができなかったときには、意見を表明しない。

## Point ③　監査上の主要な検討事項（KAM：Key Audit Matters）

監査上の主要な検討事項とは、当年度の財務諸表の監査の過程で監査役等と協議した事項のうち、職業的専門家として当該監査に特に重要であると判断した事項である。

この記載によって、従来不十分とされていた監査人が監査意見を表明するに至ったプロセスに関する情報が提供され、監査の透明性や信頼性の向上につながると期待されている。

なお、この事項は、監査人が実施した監査の内容に関する情報を提供するものであり、監査意見とは区別される。

| 例題5 | 財務諸表監査に関する次の記述のうち、正しいものはどれですか。 |

A 公認会計士が、財務諸表監査を実施する際の手続は、「会計基準」に記載されている。

B 財務諸表監査においては、公認会計士による財務諸表の適正性に関する監査意見が常に表明される。

C 無限定適正意見が表明された監査報告書に、継続企業（ゴーイング・コンサーン）の前提に重要な疑義があるという追記情報が記載される場合がある。

D 経営者が採用した会計方針の選択等に関して不適切なものがあり、その影響が無限定適正意見を表明することができない程度に重要ではあるものの、財務諸表全体として虚偽の表示に当たるとするほどではない場合に、不適正意見を表明する。

解答 ▶ C

## 解 説

A 正しくない。公認会計士が、財務諸表監査を実施する際の手続は、企業会計審議会が公表した「監査基準」に記載されている。

B 正しくない。何らかの事情により重要な監査手続が実施できず、財務諸表全体に対する意見表明のための基礎を得ることができなかったときには、監査意見は表明されない。

C 正しい。監査の過程で、企業が倒産のリスクを抱える等、継続企業（ゴーイング・コンサーン）としての重要な疑義を抱いた場合には、無限定適正意見に加えて、その旨を追記することとされている。

D 正しくない。問題文の状況で表明されるのは限定付適正意見である。不適正意見は、不適切な内容が財務諸表全体として虚偽の表示に当たるとするほどに重要であると判断した場合に表明される。

## 7　国際財務報告基準（IFRS）

### Point ① 国際財務報告基準（IFRS）

　国際財務報告基準（IFRS：International Financial Reporting Standards）とは、国際会計基準審議会（IASB：International Accounting Standards Board）が公表する一連の会計基準である。これは、投資家をはじめとする財務諸表の利用者が、国際的な共通ルールに基づいて比較可能性を確保し、有用な意思決定を行うことを目的としている。企業にとっても、利用者に受け入れられることは資金調達等の面で有益に働くことから、IFRS の適用は国際的に増加の傾向にあり、特に、EU 加盟国内の上場企業では、IFRS に準拠した連結財務諸表の作成が強制されている。

### Point ② 適用要件

　従来、日本の企業が IFRS を適用するためには、下記①～③の要件を満たす必要があった。

　　①　上場していること

　　②　IFRS による連結財務諸表の適正性確保への取組・体制整備をしていること

　　③　国際的な財務活動又は事業活動を行っていること

　しかし、現在では、すべての要件を満たさなくても海外からの投資を幅広く受け入れている場合や IPO 企業の適用による負担軽減等の側面を考慮して、上記②のみの要件を満たすことで国際財務報告基準の適用が可能となっている。

　また、IFRS と日本基準で著しく異なる部分については、日本企業が採用しやすいように部分修正した修正国際基準（JMIS：Japan's Modified International Standards）が制定され、2016年3月期から適用が開始されている。現在の日本では、国際会計基準について、IFRS と修正国際基準が選択可能となっている。

## Point ③ 日本基準と IFRS の差異

日本基準と IFRS の主な差異は以下のとおりである。

| | 日本基準 | IFRS |
|---|---|---|
| 会計基準の前提 | 細則主義（的） | 原則主義（的） |
| 重視する利益 | 当期純利益 | 包括利益 |
| リサイクリング | 必ず行う。 | 一部行わない場合がある。 |
| のれんの処理 | 20年以内に規則的な償却を行う。 | 非償却 |
| | 減損処理 | 減損処理 |
| 資産と負債の差額 | 純資産 | 資本 |
| 非支配(株主)持分 | 純資産の部に株主資本とは区別して表示する。 | 資本の部に親会社株主帰属持分とは区別して表示する。 |

---

**参考　会計及び利益情報の特徴**

　企業活動のデータは、企業が作成し利用するだけでなく、利害関係者の意思決定においても重要な判断材料といえる。そこで、単なるデータを、一定のルールに当てはめて信頼性や比較可能性を付与するとともに、修正加工することによって有用性の高い情報として活用することが期待されている。

　このような会計及び利益情報について、以下の特徴が挙げられる。

・経営者と投資家の情報の格差（情報の非対称性）の緩和・解消に役立つ。
・必要に応じて、修正、加工する場合がある。
　　→修正加工の段階で、一部情報が脱落することがある。
・主要な機能は情報提供機能、意思決定支援機能であり、副次的な機能として利害調整機能を有している。
・企業の取引を集計、要約した定量的情報である。
　　→ファンダメンタル分析に用いる際には、数値化されない定性的情報

　　　も含めて判断する。

・利益は、将来見通しや会計方針の多様性により、唯一絶対的なものではなく、相対的なものである。したがって、事実に忠実な利益は 1 つではなく、複数存在する。

　　　→経営者の恣意性が介入する余地がある。

・利益は、会社法による分配可能額、法人税法による課税所得の計算においても基礎となる。

---

**参考　概念フレームワーク**

　概念フレームワークとは、企業会計の基礎にある前提や概念を体系化したものである。これには、以下の役割が期待されている。

　　① 　財務諸表利用者にとって、会計基準の解釈の際の負担を軽減する。

　　② 　会計基準の設定主体にとって、将来の基準開発の指針となる。

　　③ 　国際的な基準設定の場において、日本の概念的な基礎を提供する。

　また、先行して公表されている海外の概念フレームワークにならい、以下の構成となっている。

　第 1 章　財務報告の目的

　第 2 章　会計情報の質的特性

　第 3 章　財務諸表の構成要素

　第 4 章　財務諸表における認識と測定

# MEMO

# 第 ② 章

## 資産会計

1．傾向と対策……………………………………32
2．ポイント整理と実戦力の養成………………35

　　1　金融資産／35

　　2　債権の評価／35

　　3　有価証券／40

　　4　棚卸資産／53

　　5　固定資産／66

　　6　減価償却／67

　　7　リース会計／82

　　8　減損会計／95

　　9　繰延資産／101

　　10　経過勘定／105

# 1. 傾向と対策

　資産会計は、財務会計を学ぶうえで中核をなす論点である。以下の各資産項目からは毎回のように出題されている。

　金融資産については、有価証券及び債権の評価に関する問題を中心に、正誤選択問題ならびに計算問題が出題されている。特に、有価証券の分類、評価及び会計処理方法といった論点が多く出題され、今後も出題される可能性は非常に高く、十分な対策が必要である。

　棚卸資産については、原価配分方法及び評価基準に関しての正誤選択問題や計算問題が出題されている。単に原価配分方法を覚えるだけでなく、収益性の低下や減耗が生じた場合の期末評価の会計処理についても理解しておくことが重要である。

　固定資産については減価償却、減損会計、リース会計を中心に出題されている。減価償却については、定額法や定率法といった計算処理だけでなく、減価償却方法の相違による利益への影響及びプロスペクティブ方式についても理解しておくことが重要である。減損会計については、減損の兆候や減損損失の認識・測定といったプロセスを踏まえた問題が出題されている。リース会計については、リースの種類とその会計処理の相違やリース費用・リース資産・リース債務の計算が出題されている。

　以上のような項目については、十分に学習をしておくことが必要である。

| 項　　　目 | 過　去　の　出　題 | 重要度 |
|---|---|---|
| 金融資産 | | C |
| 債権の評価 | 2022年(春)・第 3 問・Ⅱ（計算）<br>2024年(春)・第 2 問・問 4 （計算） | B |
| 有価証券 | 2022年(春)・第 1 問・問 9 （正誤）<br>2022年(春)・第 3 問・Ⅱ（計算）<br>2022年(秋)・第 2 問・問 3 （計算）<br>2023年(秋)・第 1 問・問10（正誤）<br>2024年(春)・第 3 問・Ⅰ（計算） | A |
| 棚卸資産 | 2022年(秋)・第 2 問・問 2 （計算）<br>2023年(春)・第 1 問・問10（正誤）<br>2023年(春)・第 2 問・問 3 （計算）<br>2023年(秋)・第 1 問・問11（正誤）<br>2024年(春)・第 1 問・問12（正誤） | A |
| 固定資産 | 2022年(秋)・第 1 問・問10（正誤）<br>2023年(春)・第 1 問・問11（正誤）<br>2023年(秋)・第 1 問・問12（正誤）<br>2024年(春)・第 1 問・問11（正誤） | A |
| 減価償却 | 2022年(春)・第 1 問・問11（正誤）<br>2022年(秋)・第 3 問・Ⅰ（計算）<br>2023年(春)・第 1 問・問11（正誤）<br>2023年(秋)・第 2 問・問 2 （計算）<br>2024年(春)・第 2 問・問 2 （計算） | A |

| | | |
|---|---|---|
| リース会計 | 2022年(春)・第1問・問12（正誤）<br>2022年(秋)・第3問・Ⅰ（計算）<br>2023年(秋)・第3問・Ⅰ（計算） | B |
| 減損会計 | 2022年(春)・第3問・Ⅱ（計算）<br>2022年(秋)・第1問・問11（正誤）<br>2023年(春)・第2問・問4（計算）<br>2023年(秋)・第2問・問4（計算） | A |
| 繰延資産 | | C |
| 経過勘定 | | C |
| 総合その他 | 2022年(春)・第1問・問6（正誤）<br>2022年(春)・第1問・問10（正誤）<br>2022年(秋)・第1問・問5（正誤） | B |

# 2. ポイント整理と実戦力の養成

## 1　金融資産

### Point ① 金融資産の意義

　現金預金、受取手形、売掛金及び貸付金等の金銭債権、株式その他の出資証券及び公社債等の有価証券ならびにデリバティブ取引（先物取引、先渡取引、オプション取引、スワップ取引及びこれらに類似する取引）により生じる正味の債権等をいう。

### Point ② 金融資産の評価基準の基本的考え方

　時価評価を基本としつつ、保有目的に応じた処理を定める。

　「金融商品に関する会計基準」における時価とは、算定日において市場参加者間で秩序ある取引が行われると想定した場合の、当該取引における資産の売却によって受け取る価格又は負債の移転のために支払う価格をいう。

## 2　債権の評価

### Point ① 基本的な考え方

　債権の評価については、その貸借対照表価額は取得価額から貸倒見積高に基づいて算定された貸倒引当金を控除した金額でなければならない。

　ここでいう貸倒引当金とは、売上債権や貸付金について、次期以降回収不能（将来の損失）となる可能性が見込まれる場合、これに備えて設定される引当金をいう。

# Point ② 貸倒見積高の算定

「金融商品に関する会計基準」では、原則として、債務者の財政状態及び経営成績等に応じて債権を3つに分類し、各区分に応じた貸倒見積高の算定方法により貸倒見積高を算定する。

| 分　類 | 定　義 | 貸倒見積高の算定方法 |
|---|---|---|
| 一　般　債　権 | 経営状態に重大な問題が生じていない債務者に対する債権 | 過去の貸倒実績率等合理的な基準による貸倒見積高を算定する（**貸倒実績率法**）。 |
| 貸倒懸念債権 | 経営破綻には至っていないが、債務の弁済に重大な問題が生じているかまたは生じる可能性の高い債務者に対する債権 | 次のいずれかの方法によって算定する。<br>・債権額から担保の処分見込額等を減額し、その残額について合理的な見積もりによる貸倒見積高を算定する（**財務内容評価法**）。<br>・将来キャッシュ・フローを合理的に見積もり、当初の約定利子率で割引いた現在価値と帳簿価額との差額を貸倒見積高とする（**キャッシュ・フロー見積法**）。 |
| 破産更生債権等 | 経営破綻または実質的に経営破綻に陥っている債務者に対する債権 | 債権額から担保の処分見込額等を減額し、その残額を貸倒見積高とする（**財務内容評価法**）。 |

| | | 例題1 |

A社では、一般債権（平均回収期間は1年未満）について、過去3期の貸倒実績率の平均により当期末に適用する貸倒実績率を決定している。以下の資料により求められるA社のX4年度の貸倒引当金計上額はいくらですか。

【資料】

| | X1年度 | X2年度 | X3年度 | X4年度 |
|---|---|---|---|---|
| 期末残高 | 1,800千円 | 2,000千円 | 1,900千円 | 2,100千円 |
| 貸倒実績 | − | 36千円 | 50千円 | 57千円 |

A　28.0千円

B　38.0千円

C　40.4千円

D　48.8千円

E　52.5千円

解答　▶　E

## 解　説

　一般債権については、債権全体または同種・同類の債権ごとに、債権の状況に応じて求めた過去の貸倒実績率等合理的な基準により、貸倒見積高を算定する。具体的には、X4年度の期末債権残高に、貸倒実績率を乗じて貸倒見積高を算定する。なお、貸倒実績率は、期首債権残高に対する貸倒損失の発生割合とし、当期に適用する貸倒実績率は、過去3期の貸倒実績率の平均とする。貸倒実績率は、次の計算式に基づいて算定する。

　　X1年度の期末残高に対する貸倒実績率＝36千円÷1,800千円＝2.00%

　　X2年度の期末残高に対する貸倒実績率＝50千円÷2,000千円＝2.50%

　　X3年度の期末残高に対する貸倒実績率＝57千円÷1,900千円＝3.00%

過去3期の貸倒実績率の平均＝（2.00％＋2.50％＋3.00％）÷3＝2.50％

最終的に、X4年度の期末債権残高に、上記で算出した貸倒実績率を乗じて貸倒引当金計上額を算定する。計算式で示すと次のとおりである。

X4年度の期末残高2,100千円×貸倒実績率2.50％＝52.5千円

|  | X1年度 | X2年度 | X3年度 | X4年度 | X5年度 |
|---|---|---|---|---|---|
| 期末残高 | 1,800千円 | 2,000千円 | 1,900千円 | 2,100千円 | |
| 貸倒実績 | － | 36千円 | 50千円 | 57千円 | ？ |

貸倒実績率

過去3年の平均貸倒実績率2.50％により予想

**例題 2**

B社では、当期末において、貸倒懸念債権（債権金額1,000千円、約定利子率10％、残存期間2年）について、約定利子率を5％に引き下げる支払条件の緩和を行った。この場合の貸倒見積高はいくらですか。なお、利払は年一回毎期末に行われ、返済期限時に元本と最終の利子を一括して返済する契約である。

A　　0千円

B　　87千円

C　　92千円

D　128千円

E　174千円

解答 ▶ B

## 解　説

　貸倒懸念債権の貸倒見積高の算定方法は、財務内容評価法とキャッシュ・フロー見積法の2つの評価方法があり、本問ではキャッシュ・フロー見積法を適用した場合の貸倒見積高が問われている。キャッシュ・フロー見積法は、債権の元本及び利息について、元本の回収及び利息の受け取りが見込まれるときから当期末までの期間にわたり、当初の約定利子率で割り引いた金額の総額と、債権の帳簿価額との差額を貸倒見積高とする方法である。計算式を示すと以下のとおりである。

　将来キャッシュ・フローの割引現在価値合計

$$=\frac{50}{(1+0.1)}+\frac{50+1,000}{(1+0.1)^2}≒913.22千円$$

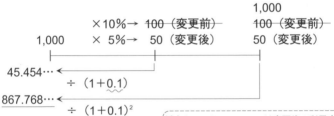

　貸倒見積高

　　＝債権金額1,000千円

　　　－将来キャッシュ・フローの割引現在価値合計913千円

　　＝87千円

# 3 有価証券

## Point ① 有価証券の分類（保有目的別分類）

| 分　類 | 定　義 |
|---|---|
| 売買目的有価証券 | 時価の変動により利益を得ることを目的として保有する有価証券 |
| 満期保有目的の債券 | 満期まで所有する意図をもって保有する社債その他の債券 |
| 子会社株式及び関連会社株式 | 支配力の行使を目的として保有する株式（子会社株式）と影響力の行使を目的として保有する株式（関連会社株式） |
| その他有価証券 | 売買目的有価証券、満期保有目的の債券、子会社株式及び関連会社株式以外の有価証券 |

## Point ② 有価証券の表示

① 有価証券の貸借対照表上の表示区分

| 有価証券の種類 | | 貸借対照表上の表示区分 | 表示科目 |
|---|---|---|---|
| 売買目的有価証券 | | 流動資産 | 有価証券 |
| 満期保有目的の債券 | 1年内償還予定 | | |
| | 1年超償還予定 | 固定資産（投資その他の資産） | 投資有価証券 |
| 子会社株式及び関連会社株式 | | | 関係会社株式 |
| その他有価証券 | | | 投資有価証券 |

40

② 売買損益の損益計算書上の表示区分

| 有価証券の種類 | | 損益計算書上の表示区分 | 表示科目 |
|---|---|---|---|
| 売買目的有価証券 | | 営業外損益 | 有価証券売却損（益） |
| 満期保有目的の債券 | 1 年内償還 | | |
| | 1 年超償還 | 特別損益 | 投資有価証券売却損（益） |
| 子会社株式及び関連会社株式 | | | 関係会社株式売却損（益） |
| その他有価証券 | | | 投資有価証券売却損（益） |

## Point ③　有価証券の評価

| 分　類 | 貸借対照表価額 | 評価差額 |
|---|---|---|
| 売買目的有価証券 | 時価 | 当期の損益<br>（営業外収益または営業外費用） |
| 満期保有目的の債券 | 取得原価 | － |
| | 償却原価 | 当期の損益<br>（営業外収益または営業外費用） |
| 子会社・関連会社株式 | 取得原価 | － |
| その他有価証券 | 時価 | 評価益：純資産の部<br>評価損：純資産の部または営業外費用 |

① 売買目的有価証券

　　**時価により評価**し、評価差額を損益計算書に当期の損益（有価証券評価損益もしくは有価証券運用損益）として計上する。売買目的の有価証券の評価差額は、売却が予定されており、また企業が保有している期間の財務活動の成果を表すため、実現損益に準ずる性格のものとして、当期の損益に含めるものとする。

② 満期保有目的の債券

　　**取得原価により評価**する。ただし、債券を債券金額より低い価額または高い価額で取得した場合において、その差額が金利調整と認められる場合には**償却原価法を適用**しなければならない。

なお、債券金額より低い価額で取得し、以後債券金額まで増額させる場合をアキュムレーションと呼び、債券金額よりも高い価額で取得し、以後債券金額まで減額させる場合をアモチゼーションと呼ぶことがある。

③　子会社株式及び関連会社株式

　　**取得原価により評価**する。子会社株式及び関連会社株式は、事業に対する投資と同様の性格と考えられ、時価の変動が財務活動の成果を表すものではないため、取得原価により評価する。

④　その他有価証券

　　**時価により評価**する。その他有価証券は、その性格上ただちに売却や換金を行うものではないため、評価差額を当期の損益に反映されることは適切ではない。したがって、原則的には純資産の部に計上する。

　　評価差額については洗替法に基づき、次のどちらかを選択適用できる。

ａ．評価差額（評価益及び評価損）の合計額を純資産の部に計上する。（**全部純資産直入法**）

ｂ．時価が取得原価を上回る銘柄に係る評価差額（評価益）は純資産の部に計上し、時価が取得原価を下回る銘柄に係る評価差額（評価損）は当期の損失として処理する。（**部分純資産直入法**）

　　原則として、全部純資産直入法を適用するが、継続適用を条件として部分純資産直入法を適用することもできる。なお、純資産の部に計上されるその他有価証券の評価差額については、税効果会計を適用しなければならない。

⑤　時価

　　有価証券に係る時価とは、「時価の算定に関する会計基準」に従い、算定日において市場参加者間で秩序ある取引が行われると想定した場合の、当該取引における資産の売却によって受け取る価格である。

⑥　市場価格のない株式等の取扱い

　　市場価格のない株式は、取得原価をもって貸借対照表価額とする。市場価格のない株式とは、市場において取引されていない株式とする。また、出資金など株式と同様に持分の請求権を生じさせるものは、同様の取扱いとする。これらを合わせて「市場価格のない株式等」という。

⑦　減損処理

満期保有目的の債券、子会社株式及び関連会社株式ならびにその他有価証券のうち、市場価格のない株式等以外のものについては、**時価が著しく下落したときは回復する見込みがある場合を除き**、時価により評価し、評価差額を当期の損失（特別損失）として処理しなければならない（強制評価減）。

また、市場価格のない株式等については、発行会社の財政状態の悪化により、実質価額が著しく低下したときは、相当の減額をなし、評価差額を当期の損失（特別損失）として処理しなければならない（実価法）。

なお、これらの場合には、当該時価及び実質価額を翌期首の取得原価とする（切放法の適用）。

## Point ④　評価差額のその後の会計処理方法

評価差額のその後の会計処理方法は、**売買目的有価証券については洗替法と切放法の選択適用**が認められており、**その他有価証券については洗替法のみ**認められている。

①　洗替法

洗替法とは、期末に時価評価した金額を翌期首に元の金額、すなわち帳簿価額（取得原価）に戻す会計処理方法である。したがって、当期末において時価と比較される金額は、帳簿価額（取得原価）となる。

②　切放法

切放法とは、期末に時価評価した金額を翌期首に帳簿価額（取得原価）に戻さず、時価評価した金額をそのまま翌期の帳簿価額として会計処理する方法である。したがって、当期末において時価と比較される金額は、前期末の時価となる。

取得原価500、前期末時価600、当期末時価700とした場合、両方法を比較すると下記のようになる。

| 例題3 | 金融商品の会計処理に関する次の記述のうち、正しいものはどれですか。 |

A　売買目的有価証券は時価で貸借対照表に計上されるが、評価差額は未実現利益のため、期間損益には反映されない。

B　子会社株式は原則として時価評価され、その評価差額は純資産の部に計上される。

C　その他有価証券の会計処理に全部純資産直入法を適用した場合、その評価差額は当期純損益計算に影響を与えない。

D　原価法や償却原価法が適用される有価証券が時価で評価されることはない。

解答　▶　　C

解　説

A　正しくない。売買目的有価証券は、時価の変動により利益を得ることを目的として保有する有価証券で、貸借対照表には時価で評価した金額を計上し、その評価差額は、損益計算書に当期の損益として計上される。

B　正しくない。子会社株式は、取得原価によって貸借対照表に計上される。したがって、評価損益は原則として発生しない。

C　正しい。全部純資産直入法では、評価差額の合計額を純資産の部のその他有価証券評価差額金に計上するため、純資産の金額に影響を与えるが、当期純損益計算には影響を与えない。

D　正しくない。満期保有目的の債券ならびに子会社株式及び関連会社株式については、時価または実質価額が著しく下落したときは、回復する見込があると認められる場合を除き、時価または実質価額をもって貸借対照表価額とし、評価差額は当期の損失として処理しなければならない。

例題4　当期末の有価証券に関する資料を参照して、次の各問に答えなさい。その他有価証券については、全部純資産直入法によることとし、税効果会計は適用しない。

【資料】

| 銘　　柄 | 保有目的 | 取得価額 | 期末時価 |
|---|---|---|---|
| A社株式 | 売　買 | 10,000千円 | 12,000千円 |
| B社株式 | 支　配※1 | 10,000千円 | 9,000千円 |
| C社株式 | その他 | 10,000千円 | 11,000千円 |
| D社株式 | その他 | 10,000千円 | 4,000千円※2 |

※1　B社は当社の子会社である。

※2　D社株式については、著しい時価の下落であり、時価が回復する見込みは不明である。

問1　貸借対照表の流動資産の部に計上される有価証券はいくらですか。

A　10,000千円

B　12,000千円

C　16,000千円

D　21,000千円

E　25,000千円


問2　貸借対照表の純資産の部に計上されるその他有価証券評価差額金はいくらですか。

A　△5,000千円

B　△4,000千円

C　　　0千円

D　1,000千円

E　3,000千円

問3　当期の損益の合計はいくらですか。

A　△6,000千円

B　△5,000千円

C　△4,000千円

D　　1,000千円

E　　2,000千円

解答  　問1　B
　　　　　　　問2　D
　　　　　　　問3　C

解　説

問1　各有価証券の評価と表示は以下のとおりである。

| 銘　　柄 | 表　　　示 | 評価 | 取得価額 | 期末時価 |
|---|---|---|---|---|
| Ａ社株式 | 有 価 証 券（流動資産） | 時価 | 10,000千円 | 12,000千円 |
| Ｂ社株式 | 関係会社株式（固定資産） | 原価 | 10,000千円 | 9,000千円 |
| Ｃ社株式 | 投資有価証券（固定資産） | 時価 | 10,000千円 | 11,000千円 |
| Ｄ社株式 | 投資有価証券（固定資産） | 時価 | 10,000千円 | 4,000千円 |

　　　上記より、貸借対照表の流動資産の部には、Ａ社株式が12,000千円で計上される。

問2　各有価証券の評価差額の取扱いは以下のとおりである。

| 銘　　柄 | 評価 | 取得価額 | 期末時価 | 評価差額の取扱い |
|---|---|---|---|---|
| Ａ社株式 | 時価 | 10,000千円 | 12,000千円 | 有価証券評価益<br>2,000千円 |
| Ｂ社株式 | 原価 | 10,000千円 | 9,000千円 | 評価差額なし |
| Ｃ社株式 | 時価 | 10,000千円 | 11,000千円 | その他有価証券評価差額金<br>1,000千円 |
| Ｄ社株式 | 時価 | 10,000千円 | 4,000千円 | 投資有価証券評価損<br>6,000千円 |

　　　上記より、貸借対照表の純資産の部に計上される時価評価差額は、Ｃ社株式に係るその他有価証券評価差額金1,000千円のみである。Ｄ社株式に係る評価差額は、減損処理が適用され、純資産の部には計上されない。

問3　問2の評価差額の取扱いをみると、当期の損益として計上されるのは、Ａ社株式とＤ社株式の評価差額である。Ｄ社株式は、時価が著しく下落し、回復する見込みが不明のため、減損処理を適用し、評価差額は当期

の損失として計上する。

当期の損益＝Ａ社株式評価益2,000千円

＋Ｄ社株式評価損（△6,000千円）＝△4,000千円

例題5 当社の当期における保有状況は、下表のとおりである。よって、次の各問に答えなさい。

（単位：千円）

| 銘　　　柄 | 取得原価 | 前期末時価 | 当期購入額 | 当期末時価 | 備　　考 |
|---|---|---|---|---|---|
| Ａ社株式 | 1,500 | 2,000 | － | 1,800 | 売　買 |
| Ｂ社株式 | 800 | （注1） | 800 | 1,100 | 売　買 |
| Ｃ社株式 | 2,000 | 2,200 | － | 2,300 | その他 |
| Ｄ社株式 | 1,600 | 1,800 | － | 1,700 | その他 |

（注1） Ｂ社株式は当期購入のため、前期末は保有していない。

（注2） 税効果会計は適用しない。

（注3） 売買目的有価証券については切放法、その他有価証券については洗替法で処理する。

問1 当期末の当期純利益に算入される時価評価差額の合計はいくらですか。

A　　100千円

B　　300千円

C　　600千円

D　　800千円

E　1,000千円

48

問2　当期末の貸借対照表の純資産の部に計上するその他有価証券評価差額金の合計はいくらですか。なお、その他有価証券については、全部純資産直入法を採用している。

A　0千円

B　100千円

C　400千円

D　600千円

E　900千円

解答　▶　　問1　A

　　　　　　問2　C

## 解　説

　本問では、当期末時価と比較する金額が問題となる。つまり、前期末以前に取得した場合、売買目的有価証券（A社株式及びB社株式）、その他有価証券（C社株式及びD社株式）ともに時価評価の対象となることから、取得原価と前期末時価が比較の候補となり得る。

　この場合、当期末時価と比較する金額は、会計処理として切放法か洗替法かにより決定される。

> 切放法：前期末に時価評価した金額をベースに考える。
>
> 　　　　前期末時価⇔当期末時価
>
> 洗替法：前期末に時価評価した金額を当期首に元に戻し、取得原価をベースに考える。
>
> 　　　　取得原価⇔当期末時価

　なお、問1では当期純利益に算入される時価評価差額が問われていることから、売買目的有価証券が対象となる。また、問2では純資産に計上される

その他有価証券評価差額金が問われていることから、その他有価証券が対象となる。各有価証券の評価差額は、以下のように求められる。

問1〔売買目的有価証券：切放法〕

※　売買目的有価証券の評価差額は、有価証券評価損益として、当期純利益に算入される。

問2〔その他有価証券：洗替法〕

|  | 取得原価 | 前期末時価 | 当期末時価 | 評価差額 |
|---|---|---|---|---|
| C社<br>（その他） | 2,000 | 2,200 | 2,300 | ＋300 ←2,300と2,000の差 |
|  | ＋200 |  | △200（洗替法） |  |
| D社<br>（その他） | 1,600 | 1,800 | 1,700 | ＋100 ←1,700と1,600の差 |
|  | ＋200 |  | △200（洗替法） | ＋400…問2：C |

※　全部純資産直入法を採用している場合、その他有価証券の評価差額は、その他有価証券評価差額金として、純資産の部に計上される。

**例題6**　当社（決算日12月31日）は、20ˣ1年1月1日にA社社債を97,000円（額面100,000円、満期日20ˣ3年12月31日、券面利子率（クーポン・レート）2％、利払いは年1回；12月末日）で取得した。

当社は満期まで当該社債を保有する予定である。なお、取得原価と額面価額との差額は金利の調整と認められ、実効利子率は3.062％、利息法で処理するものとする。20ˣ2年度末のA社社債の貸借対照表価額を求めなさい。

A　97,000円

B　97,970円

C　98,970円

D　100,000円

E　100,970円

解答 ▶ C

　償却原価法における利息法とは、帳簿価額に毎期実効利子率を乗じた金額から、クーポン受取額（額面×券面利子率）を差し引いた金額をその年度の金利調整差額として帳簿価額に加算または減算する方法である。

　なお、求めるべき金額は、20X2年度末の金額であることに注意する。

　以上より、各年度の金額を算定した結果は下記のとおりである。

| | 利息配分額※1 | クーポン収入※2 | 金利調整差額の償却額※3 | 帳簿価額※4 |
|---|---|---|---|---|
| 20X1年1月1日 | － | － | － | 97,000 |
| 20X1年12月31日 | 2,970 | 2,000 | 970 | 97,970 |
| 20X2年12月31日 | 3,000 | 2,000 | 1,000 | 98,970 |
| 20X3年12月31日 | 3,030 | 2,000 | 1,030 | 100,000 |

　　※1　利息配分額＝期首（前期末）帳簿価額×実効利子率3.062％

　　※2　クーポン収入＝額面金額100,000円×券面利率2％

　　※3　金利調整差額の償却額＝利息配分額－クーポン収入

　　※4　期末帳簿価額＝期首（前期末）帳簿価額＋金利調整差額の償却額

　ちなみに、利息法ではなく、定額法により処理すると下記のようになる。定額法は、金利調整差額を期間により配分する方法である。

　　　金利調整差額の償却額＝（100,000円－97,000円）÷3年＝1,000円

　　　期末帳簿価額＝期首（前期末）帳簿価額＋金利調整差額の償却額

　　　20X1年12月31日の帳簿価額＝97,000円＋1,000円＝98,000円

　　　20X2年12月31日の帳簿価額＝98,000円＋1,000円＝99,000円

　　　20X3年12月31日の帳簿価額＝99,000円＋1,000円＝100,000円

## 4　棚卸資産

### Point ① 棚卸資産の種類

棚卸資産とは、生産・販売そして管理活動を通じて、収益を得る目的で消費される資産であり、次の 4 つのグループに分類される。

| ① | 通常の営業過程において販売するために保有する財貨または用役 | → | 商品・製品 |
|---|---|---|---|
| ② | 販売を目的として現に製造中の財貨または用役 | → | 仕掛品・半製品 |
| ③ | 販売目的の財貨または用役を生産するために短期間に消費されるべき財貨 | → | 原材料など |
| ④ | 販売活動及び一般管理活動において短期間に消費されるべき財貨 | → | 事務用消耗品などの貯蔵品 |

※ 棚卸資産（完成品と未完成品）の区別

| 完成品 | 商　品：他社から仕入れた財 |
|---|---|
| | 製　品：自社で生産した財 |
| 未完成品 | 仕掛品：製造途中にあるもので、その状態では販売不可能な財 |
| | 半製品：製造途中にあるもので、その状態で販売可能な財 |

### Point ② 棚卸資産の取得原価

① 購入による場合

購入代価に付随費用の一部または全部を加算することにより算定される。

> 取得原価＝購入代価＋付随費用

② 製造による場合

適正な原価計算基準にしたがって算定しなければならない。

### Point ③ 棚卸資産の原価配分

適正な期間損益計算を行うためには、売上高に棚卸資産の取得原価を合理的

に対応させることが必要である。そのためには、販売によって払い出された金額（売上原価）と未だ払い出されていない金額（在庫）に配分しなければならない。販売された部分と期末の在庫になる部分とに分割するためには、期中において払い出された数量と単価を把握する必要がある。

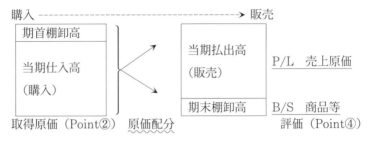

① 数量の計算

  a．継続記録法

　　棚卸資産の種類別に帳簿を設け、受払いの都度これに記録する方法。帳簿上、常に残高が示され、在庫数量を管理することができる。

　　ただし、記録ミスや紛失、盗難その他の理由で棚卸資産の帳簿数量（記録上の数量）と実際数量が一致しないことも生じるため、実地棚卸を行わないと、実際数量を把握できない。

> （前期繰越数量＋当期受入数量）－当期払出数量＝次期繰越数量

  b．定期棚卸法

　　前期繰越数量と当期受入数量だけを記録しておき、残高を実地調査して、前期繰越数量と当期受入数量の合計から期末の実地棚卸数量を差し引いたものを払出数量とみなす方法。

　　この方法は、期中の払出数量の継続的な記録を必要としないため事務手続きが簡便だが、紛失や盗難による減少も払出数量に算入されるため、棚卸減耗の有無が把握できない。したがって、定期棚卸法は、一部の貯蔵品などの重要性の乏しい棚卸資産に限定すべきとされている。

> （前期繰越数量＋当期受入数量）－次期繰越実地棚卸数量＝当期払出数量

② 単価の計算

a．個別法

　　取得原価の異なる個々の棚卸資産を区別して記録し、払出時にはその個々の実際原価を払出単価とする方法である。

b．先入先出法（First-In, First-Out Method：FIFO）

　　先に受け入れた棚卸資産から先に払い出していくという仮定のもとで記録する方法である。

| 長　所 | 棚卸資産の貸借対照表価額は、その資産の期末の時価に近い価額で評価されることになる。 |
|---|---|
| 短　所 | 保有損益が売上総利益の中に算入されることになる。 |

c．後入先出法（Last-In, First-Out Method：LIFO）

　　先入先出法とは反対に、最近受け入れた棚卸資産を先に払い出すという仮定のもとで記録する方法である。なお、現行制度では廃止されている。

| 長　所 | 保有損益を売上総利益から排除するのに役立つ。 |
|---|---|
| 短　所 | 物価変動時には棚卸資産の貸借対照表価額は、その資産の期末の時価とかけ離れたものになってしまう。 |

d．平均原価法

　　受け入れた棚卸資産の取得原価を平均して払出単価を求める方法である。この方法には移動平均法と総平均法がある。

　イ．移動平均法

　　　新たな棚卸資産を受け入れる度に、平均単価を算出し直し、その平均単価によって次の払い出しを記録する方法である。

| 長　所 | 期末にならなくても平均単価を把握することができる。 |
|---|---|
| 短　所 | 払出の都度、平均単価を算出しなければならないという計算手続上の不便さがある。 |

　ロ．総平均法

　　　一定期間に受け入れた棚卸資産の合計金額を、その数量の合計で除し

て平均単価を求める方法である。

| 長　所 | 一定期間の平均単価の計算が1回で済み、払出単価を均一にするという効果をもつ。 |
| --- | --- |
| 短　所 | 払出単価が一定期間後でなければ確定しないという不便さがある。 |

e．売価還元法

　期末に売価によって実地棚卸高を求め、これに原価率を乗じて期末の棚卸高を逆算する方法である。取扱い品種の多い小売業などで用いられる方法である。

f．最終仕入原価法

　期末に最も近い最終の購入価額をもって、期末棚卸品のすべてを評価する方法である。

※　「棚卸資産の評価に関する会計基準」の改正により、企業が選択可能な棚卸資産の評価方法の範囲は、個別法、先入先出法、平均原価法（移動平均法、総平均法）及び売価還元法に限定され、後入先出法の採用が認められないことになっている。

③　先入先出法と後入先出法の比較

| | 先入先出法 | 後入先出法 |
| --- | --- | --- |
| 物の流れと原価の流れ | 多くの場合一致する | 多くの場合一致しない |
| 収益と費用との関係 | 古い単価が費用となり、新しい収益に対応 | 新しい単価が費用となり、新しい収益に対応 |
| 保有損益の取り扱い | 利益計算に混入 | 利益計算から排除 |
| 棚卸資産価額 | 新しい単価で評価 | 古い単価で評価 |

# Point ④　棚卸資産の評価

①　棚卸資産の評価基準

　通常の販売目的（販売するための製造目的含む）で保有する棚卸資産は、

取得原価をもって貸借対照表価額とし、期末における正味売却価額が取得原価よりも下落している場合には、当該正味売却価額をもって貸借対照表価額とする。これは、収益性の低下による簿価の切下げという考え方に基づくものであり、実質的には期末棚卸資産の評価基準に低価基準を適用したものといえる。なお、取得原価と当該正味売却価額との差額は当期の費用として処理される。

a．棚卸資産の評価基準における時価

棚卸資産の時価には、正味売却価額と再調達原価がある。なお、収益性の低下に基づく簿価切下げの判断に当たり原価と比較される時価は、**正味売却価額**である。ただし、製造業における原材料等のように、再調達原価の方が把握しやすく、それが正味売却価額と歩調を合わせて動くと想定される場合には、継続適用を条件として再調達原価によることができる。

b．簿価切下げにより時価で評価した場合のその後の会計処理

切放法と洗替法のうち、継続適用を条件に棚卸資産の種類ごとに選択適用することができる。また売価の下落要因を区分把握できる場合には、簿価切り下げの要因ごとに選択適用できる。

② 棚卸資産の減耗

棚卸資産の減耗とは、帳簿上の数量よりも実際の数量が少ない場合の差異のことであり、現実には、紛失や盗難によって生じる。棚卸資産の減耗のうち、原価性があると考えられる場合、売上高に対応させることが合理的なので、売上原価あるいは販売費に計上する。

一方、臨時的あるいは異常な数量の減耗が生じた場合には、原価性が認められないため、特別損失として計上する。ただし、金額が僅少な場合には、重要性の判断により、営業外費用として計上することもできる。

③ 評価損・減耗損の表示

評価損及び減耗損の損益計算書上の表示区分と表示科目は以下のとおりである。

|  |  | 表示区分 | 表示科目（例：商品） |
|---|---|---|---|
| 評価損 | 下記以外 | 売上原価※ | 商品評価損 |
|  | 臨時的事象かつ多額 | 特別損失 |  |
| 減耗損 | 原価性あり | 売上原価※または販管費 | 商品減耗損 |
|  | 原価性なし | 営業外費用または特別損失 |  |

※　棚卸資産の製造に関連する原材料等の評価損や減耗損は、製造原価として処理される。

**例題7**　棚卸資産の原価配分方法に関する次の記述のうち、<u>正しくないも</u>のはどれですか。

A　先入先出法を採用すると、棚卸資産の貸借対照表価額は、その棚卸資産の期末時価に近いものとなる。

B　売価還元法は、期末棚卸高の売価に原価率を適用して期末棚卸高を逆算する方法であり、売上原価は原価総額から期末棚卸高を控除して求める。

C　モノの流れと原価の流れが完全に一致する原価配分方法は、個別法である。

D　総平均法を採用すると、払い出しの都度平均単価を計算しなければならない。

解答　▶　D

**解　説**

A　正しい。先入先出法を採用すると、最も新しく取得したものが期末棚卸品となるので、棚卸資産の貸借対照表価額は、期末の時価に近いものとなる。

B　正しい。売価還元法は、問題文のとおり期末棚卸高を計算し、売上原価は差額で把握する方法である。取扱い品種の多い、小売業や卸売業で適用

される方法である。

C　正しい。個別法とは、個々の棚卸資産ごとに取得原価を記録し、その個々の実際原価をもって期末棚卸品の価額を算定する方法である。

D　正しくない。総平均法を採用すると、一定期間ごとに平均単価を計算する必要はあるが、払出しの都度平均単価を計算する必要はない。

**例題 8**　棚卸資産の評価に関する次の記述のうち、<u>正しくない</u>ものはどれですか。

A　棚卸資産の取得原価が期末の正味売却価額を下回る場合、当該棚卸資産に関する評価損を計上する契機となる。

B　収益性の低下により簿価を切下げた場合、その後の会計処理として、洗替法もしくは切放法が選択適用できる。

C　取得原価と比較する期末の時価として、正味売却価額に代えて再調達原価を用いることができる。

D　収益性の低下による棚卸資産の評価損は、原則として売上原価として表示される。

解答　▶　　A

**解　説**

A　正しくない。通常の販売目的で保有する棚卸資産については、取得原価をもって貸借対照表価額とし、期末における正味売却価額が取得原価よりも下回っている場合には、当該正味売却価額をもって貸借対照表価額としなければならない。また、切下額は評価損として処理される。

B　正しい。収益性の低下により簿価を切下げた場合、その後の会計処理として、当該切下額を戻入れる洗替法と戻入れない切放法が認められている。

企業は、原則として継続適用を条件に、棚卸資産の種類ごとに選択適用できる。

C　正しい。取得原価と比較する時価については、製造業のおける原材料等のように再調達原価の方が把握しやすく、正味売却価額が当該再調達原価に歩調を合わせて動くと想定される場合には、継続適用を条件として、再調達原価によることができる。

D　正しい。収益性の低下による簿価切下げにより生じた棚卸資産の評価損は、原則として売上原価として表示される。なお、収益性の低下による簿価切下げが臨時の事象に起因し、かつ多額であるときは、その評価損は特別損失に計上される。

**例題9**　S社のX1年1月中の商品に関する記録は下記のとおりである。以下の各問に答えなさい。

| 1月 1日 | 前 月 繰 越 | 50個 | 取 得 原 価 | @200円 |
| 1月10日 | 仕　　　入 | 150個 | 取 得 原 価 | @240円 |
| 1月15日 | 売　　　上 | 150個 | 売　　価 | @280円 |
| 1月20日 | 仕　　　入 | 200個 | 取 得 原 価 | @250円 |
| 1月25日 | 売　　　上 | 150個 | 売　　価 | @300円 |

問1　先入先出法を用いた場合、当月中の売上原価はいくらですか。

A　71,000円

B　71,500円

C　72,000円

D　73,500円

E　74,000円

問2　総平均法を用いた場合、当月中の売上原価はいくらですか。

A　60,000円

B　69,000円

C　72,000円

D　75,000円

E　86,000円

問3　移動平均法を用いた場合、当月中の売上原価はいくらですか。

A　71,000円

B　71,400円

C　71,500円

D　72,000円

E　74,000円

解答 ▶ 　　問1　A　　　問2　C　　　問3　B

**解　説**

問1　先入先出法を用いた場合

商　　品

| 前月在庫 | 販売（売上原価） |
|---|---|
| 1/1　50個　@200　10,000円 | 1/15 ⎰ 50個　@200　10,000円（1/1分）<br>⎱ 100個　@240　24,000円（1/10分） |
| 当月購入 | |
| 1/10　150個　@240　36,000円<br>1/20　200個　@250　50,000円 | 1/25 ⎰ 50個　@240　12,000円（1/10分）<br>⎱ 100個　@250　25,000円（1/20分） |
| | 当月在庫 |
| | 100個　@250　25,000円（1/20分） |

先入先出法は、先に仕入れた商品から順に販売すると仮定して計算するため、売上原価は次のように計算される。

売上原価＝10,000円＋24,000円＋12,000円＋25,000円＝71,000円

なお、前月在庫と当月購入の合計額96,000円（＝10,000円＋36,000円＋50,000円）を求めておけば、当月在庫を25,000円と計算することで、差額を売上原価として求めることもできる。

売上原価＝96,000円－25,000円＝71,000円

問2　総平均法を用いた場合

商　　品

| 前月在庫 | | | 販売（売上原価） | | |
|---|---|---|---|---|---|
| 1/1 　　50個　@200　10,000円 | | | 1/15　150個　@240　36,000円 | | |
| 当月購入 | | | 1/25　150個　@240　36,000円 | | |
| 1/10　150個　@240　36,000円 | | | 当月在庫 | | |
| 1/20　200個　@250　50,000円 | | | 　　　100個　@240　24,000円 | | |
| 前月在庫＋当月購入 ← 平均単価算定 | | | | | |
| 　　400個　@？　　96,000円 | | | | | |

総平均法は、一定期間に仕入れた商品の合計金額を、その数量の合計で除して平均単価を求める方法である。

平均単価は、以下のように求められる。

$$平均単価＝\frac{50個×@200円＋150個×@240円＋200個×@250円}{50個＋150個＋200個}$$

$$＝\frac{96,000円}{400個}＝@240円$$

上記の平均単価を用いて、売上原価は以下のように求められる。

売上原価＝（150個＋150個）×@240円＝72,000円

問 3　移動平均法を用いた場合

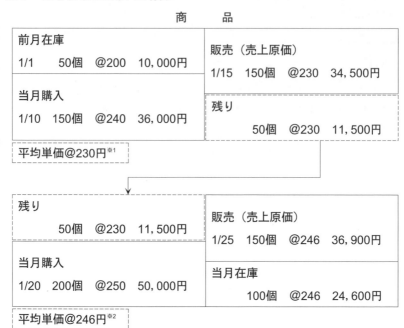

　移動平均法は、異なる単価の商品を取得する度に平均単価を計算する方法である。本問では、平均単価の計算が 2 回必要になる。

※ 1　平均単価 $= \dfrac{50個 \times @200円 + 150個 \times @240円}{50個 + 150個} = @230円$

上記の平均単価を用いて、1/15 分の売上原価は以下のように求められる。

　売上原価 $= 150個 \times @230円 = 34,500円$

※ 2　平均単価 $= \dfrac{50個 \times @230円 + 200個 \times @250円}{50個 + 200個} = @246円$

上記の平均単価を用いて、1/25 分の売上原価は以下のように求められる。

　売上原価 $= 150個 \times @246円 = 36,900円$

当月中の売上原価は、1/15 と 1/25 の合計となる。

　売上原価 $= 34,500円 + 36,900円 = 71,400円$

次の資料に基づいた場合、商品評価損及び商品減耗損はいくらですか。

**【資料】**

| | | | |
|---|---|---|---|
| 期末商品帳簿棚卸高 | 1,200個 | 取 得 原 価 | @500円 |
| 期末商品実地棚卸高 | 1,150個 | 正味売却価額 | @480円 |

| | | | | | |
|---|---|---|---|---|---|
| A | 商品評価損 | 23,000円 | 商品減耗損 | 24,000円 |
| B | 商品評価損 | 23,000円 | 商品減耗損 | 25,000円 |
| C | 商品評価損 | 24,000円 | 商品減耗損 | 24,000円 |
| D | 商品評価損 | 24,000円 | 商品減耗損 | 25,000円 |
| E | 商品評価損 | 25,000円 | 商品減耗損 | 24,000円 |

解答 ▶ B

解　説

商品評価損・商品減耗損は、次のように求められる。

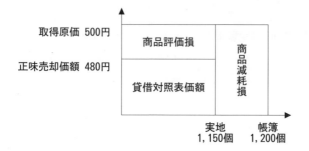

①商品評価損＝（500円－480円）×1,150個＝23,000円

　※　評価損については、現存する商品（実地数量）に対して把握するた

　め、価格の低下に対して実地数量を乗じて計算する。

②商品減耗損＝（1,200個－1,150個）×500円＝25,000円

　※　減耗損については、減耗した時期やその時点の価格を把握すること

　が困難な場合が多いため、減耗量に取得原価を乗じて計算する。

## 5 固定資産

固定資産は、有形固定資産、無形固定資産及び投資その他の資産に区分しなければならない。

## Point ① 有形固定資産

① 意義

有形固定資産とは、原則として、1年以上使用することを目的として所有する一定価額以上の資産のうち、具体的な形態をもった固定資産をいう。具体的には、建物・構築物・船舶・土地・建設仮勘定等が該当する。

② 取得原価の決定

a．購入による場合

> 取得原価＝購入代価＋付随費用

b．自家建設による場合

> 取得原価＝適正な原価計算基準にしたがって算定された製造原価

※ 自家建設に要する借入金の利子は、原則として取得原価に算入しないが、次の3つの要件をすべて充たせば、取得原価への算入が認められる。

① 有形固定資産を自家建設した場合であること

② 借入資金が当該建設工事にだけ利用されたことが明らかであること

③ 稼働前の期間に対応するものであること

c．現物出資による場合

> 取得原価＝出資者に交付した株式の発行金額の総額

※ 企業会計基準第8号では、取得した財貨またはサービスの取得価額について、対価として用いられた自社の株式の契約日における公正な評価額もしくは取得した財貨またはサービスの公正な評価額のうち、いずれかより高い信頼性をもって測定可能な評価額で算定することとしている。

d．交換による場合

> ア．自己所有の固定資産と交換→交換に供された自己資産の適正な簿価
> イ．自己所有の株式ないし社債等と交換→当該有価証券の時価または適正な簿価

e．贈与による場合

> 取得原価＝時価等を基準とした公正な評価額

## Point ② 無形固定資産

　無形固定資産とは、長期にわたり経営に利用され、利益を獲得する上で他企業との競争に当たって有用なもので、具体的な形態をもたない資産をいう。のれん、法律上の権利（地上権、特許権、商標権等）、ソフトウェアがこれに含まれる。

## Point ③ 投資その他の資産

　投資その他の資産とは、①子会社株式及び関連会社株式やその他有価証券等の有価証券、一年以内に期限の到来しない預金・貸付金、投資目的で所有する不動産などの投資資産と、②破産更生債権、長期前払費用、繰延税金資産などの有形・無形固定資産及び投資資産以外の長期資産とに区分される。

# 6　減価償却

## Point ① 減価償却の意義

　減価償却とは、費用配分の原則に基づき、有形固定資産の取得原価をその耐用期間にわたる各事業年度に配分して費用化する手続をいう。

## Point ② 減価償却の目的

　有形固定資産は、その全体的な用役の費消をもって営業活動に貢献しているため、棚卸資産のように具体的な費消を直接把握することができない。このため、有形固定資産の費用配分は実際の費消に即していないため、一定の仮定に基づく費用配分がなされる。

このことから、減価償却の目的は、費用収益対応の原則及び費用配分の原則に基づいて、適正な期間損益計算を行うことにある。

# Point ③ 減価償却方法

## ① 定額法

定額法とは、有形固定資産の耐用年数にわたり、毎期均等額の減価償却費を計上する方法である。

> 減価償却費＝（取得原価－残存価額*）÷耐用年数

※ 残存価額は、ゼロもしくは取得原価の10％といった指示がある。

## ② 定率法

定率法とは、有形固定資産の期首の未償却残高（簿価）に償却率を乗じて減価償却費を計上する方法である。この方法によると、初期に多額の減価償却費が計上され、以降の期間においてその金額が逓減する。

> 減価償却費＝（取得原価－減価償却累計額）×償却率*

※ 償却率は、法定償却率が指示されるか、定額法償却率（1÷耐用年数）に200％もしくは250％を乗じて計算する。

## ③ 級数法

級数法とは、耐用年数に基づく算術級数を用いて減価償却費を計上する方法である。この方法は、定率法の簡便法と位置付けられる。

> 減価償却費＝（取得原価－残存価額*）× $\dfrac{N-n+1}{N(N+1)\div 2}$

※ 残存価額は、ゼロもしくは取得原価の10％といった指示がある。
Nは固定資産の耐用年数、nは減価償却費を計算する年度である。

## ④ 生産高比例法

生産高比例法とは、利用高あるいは生産高に基づいて減価償却費を計上す

る方法である。

$$減価償却費＝（取得原価－残存価額^*）×\frac{当期実際利用量}{見積総利用可能量}$$

※　残存価額は、ゼロもしくは取得原価の10％といった指示がある。

生産高比例法は、次の要件を充たすものに適用される。

a．減価が主として固定資産の利用に比例して発生すること。

b．当該固定資産の総利用可能量を物理的に確定できること。

なお、定額法・定率法・級数法は耐用年数を償却基準としているが、生産高比例法は利用度を償却基準としている。

# Point ④　減価償却の計算例

各減価償却方法に基づいて、初年度の減価償却費を計算すると以下のようになる。なお、下記は、各計算方法を比較するために仮定したものである。

＜ケース1＞

車両の取得原価：500,000円　残存価額：取得原価の10％　耐用年数：5年

定率法償却率：0.369　当期走行距離：2万km　見積総走行距離：10万km

① 定額法：減価償却費＝$\dfrac{500,000円－500,000円×10\%}{5年}$＝90,000円

② 定率法：減価償却費＝500,000円×0.369＝184,500円

③ 級数法：減価償却費＝（500,000円－500,000円×10\%）×$\dfrac{初年度級数5}{級数の総和15^*}$＝150,000円

※　耐用年数5年の場合の級数

| 年度 | 1年度 | 2年度 | 3年度 | 4年度 | 5年度 | 級数の総和 |
|---|---|---|---|---|---|---|
| 級数 | 5 | 4 | 3 | 2 | 1 | 15 |

④ 生産高比例法：減価償却費＝（500,000円－500,000円×10\%）×$\dfrac{2万\,km}{10万\,km}$＝90,000円

＜ケース２＞

車両の取得原価：500,000円　残存価額：ゼロ（残存簿価１円）

耐用年数：５年　定率法償却率：定額法償却率の200％

当期走行距離：２万km　見積総走行距離：10万km

① 定額法：減価償却費 $= \dfrac{500,000円}{5年} = 100,000円$

② 定率法：減価償却費 $= 500,000円 \times 0.4^{*} = 200,000円$

※　200％定率法償却率＝定額法償却率$(\dfrac{1年}{5年}) \times 200\% = 0.4$

③ 級数法：減価償却費 $= 500,000円 \times \dfrac{初年度級数5}{級数の総和15^{*}} \fallingdotseq 166,667円$

※　耐用年数５年の場合の級数

| 年度 | 1年度 | 2年度 | 3年度 | 4年度 | 5年度 | 級数の総和 |
|---|---|---|---|---|---|---|
| 級数 | 5 | 4 | 3 | 2 | 1 | 15 |

④ 生産高比例法：減価償却費 $= 500,000円 \times \dfrac{2万km}{10万km} = 100,000円$

# Point ⑤　減価償却制度の改正

　2007年度の税制改正により、2007年４月１日以降に取得する減価償却資産の償却計算の方法が大きく変更されている。具体的には以下のとおりである。

① 主な改正点

　a．2007年４月１日以後に取得した新規取得資産

　　償却可能限度額（改正前は取得価額の95％）と残存価額（改正前は取得価額の10％）が廃止され、耐用年数経過時に**残存簿価１円まで償却できる**ように改正。また、定率法の計算方法が変更。

　b．2007年３月31日以前に取得した既存資産

　　従来どおりの方法により、償却可能限度額（取得価額の95％）まで償却した後、残存簿価１円まで５年間で均等償却することができるように改正。

70

②　新定額法

残存価額をゼロとし、残存簿価 1 円まで償却するため、取得価額に定額法の償却率を乗じて計算した額（または耐用年数で除した額）を各事業年度の減価償却費とし、耐用年数経過時点において残存簿価が 1 円になるまで償却を行う。

a ．定額法償却率を使った計算

　イ）定額法償却率＝ 1 ÷耐用年数

　ロ）減価償却費＝取得価額×定額法償却率

b ．定額法償却率を使わない計算

　　減価償却費＝取得価額÷耐用年数

＜例 1 ＞2020年 4 月 1 日（期首）に取得価額1,000,000円の機械装置を取得した。耐用年数 5 年、残存価額ゼロ（残存簿価 1 円）。

（単位：円）

|  | 1 年目 | 2 年目 | 3 年目 | 4 年目 | 5 年目 |
|---|---|---|---|---|---|
| 期 首 簿 価 | 1,000,000 | 800,000 | 600,000 | 400,000 | 200,000 |
| 減 価 償 却 費 | 200,000 | 200,000 | 200,000 | 200,000 | 199,999 |
| 期 末 簿 価 | 800,000 | 600,000 | 400,000 | 200,000 | 1 |

　※ 1 　　1 年目～ 4 年目

　　　　　1 ÷ 5 年＝0.2（定額法償却率）

　　　　　1,000,000円×0.2＝200,000円（各年度の減価償却費）

　　　　　もしくは、

　　　　　1,000,000円÷ 5 年＝200,000円（各年度の減価償却費）

　※ 2 　　5 年目（耐用年数が到来した事業年度）

　　　　　200,000円－ 1 円＝199,999円（ 5 年目の減価償却費）

③　新定率法

a ．定率法償却率と減価償却費の計算

　　　新定率法では、**定額法償却率（ 1 ÷耐用年数）に所定倍数を乗じた率を定率法償却率**として減価償却費の計算を行う。なお、所定倍数は、2007年

4月以降は**2.5倍（250%）**とされているが、2012年4月以降に取得し使用する資産については**2.0倍（200%）**とされている。

イ）定率法償却率＝1÷耐用年数×所定倍数（2.0or2.5）

＝定額法償却率×所定倍率（2.0or2.5）

ロ）調整前償却額＝期首帳簿価額×定率法償却率

償却保証額＝取得価額×保証率

（調整前償却額≧償却保証額）の場合

償却限度額＝期首帳簿価額×定率法償却率

（調整前償却額＜償却保証額）の場合

償却限度額＝改定取得価額※×改定償却率

※ 各事業年度の調整前償却額が、最初に償却保証額に満たないこととなる事業年度の期首帳簿価額。

b．改定償却率による減価償却費の計算

200%定率法を採用した場合、「1÷耐用年数×2.0」の定率法償却率で計算していくと、耐用年数経過時の帳簿価額を1円まで引き下げることができない。そこで早期償却を促進する観点から、定率法で計算した償却額が償却保証額を下回る時点から、改定償却率に切り替えて、残存簿価1円になるまで償却する。

＜例2＞2020年4月1日（期首）に取得価額1,000,000円の機械装置を取得した。耐用年数5年、残存価額ゼロ（残存簿価1円）、改訂償却率0.500、保証率0.108。

（単位：円）

| | 1年目 | 2年目 | 3年目 | 4年目 | 5年目 |
|---|---|---|---|---|---|
| 期 首 簿 価 | 1,000,000 | 600,000 | 360,000 | 216,000 | 108,000 |
| 調整前償却額 | 400,000 | 240,000 | 144,000 | 86,400 | 43,200 |
| 償却保証額 | 108,000 | 108,000 | 108,000 | 108,000 | 108,000 |
| 減価償却費 | 400,000 | 240,000 | 144,000 | 108,000 | 107,999 |
| 期 末 簿 価 | 600,000 | 360,000 | 216,000 | 108,000 | 1 |

※ 1　　1 年目〜 3 年目（調整前償却額≧償却保証額）

　　　　1 ÷ 5 年× 2.0 ＝ 0.4（定率法償却率）

　　　　各年度の期首簿価× 0.4 ＝各年度の減価償却費

※ 2　　4 年目（調整前償却額＜償却保証額）

　　　　216,000 円× 0.4 ＝ 86,400 円（調整前償却額）

　　　　1,000,000 円× 0.108（保証率）＝ 108,000 円（償却保証額）

　　　　∴償却限度額＝改訂取得価額216,000 円×改訂償却率0.500 ＝ 108,000 円

　　　　→この金額が 4 年目以降の減価償却費となる。なお、 5 年目の減価
　　　　　償却費は残存簿価 1 円とするため、107,999 円となる。

---

**参考 1　その他の費用配分方法**

①　減耗償却

　　鉱山業における埋蔵資産あるいは林業における山林のように、採取
されるにつれて漸次減耗し枯渇する天然資源を表す資産である減耗性
資産に適用される費用配分の方法である。

　　減耗償却は減価償却とは異なる別個の費用配分の方法であるが、手
続的には生産高比例法と同じ方法で減耗償却を計算する。

②　取替法

　　同種の物品が多数集まって 1 つの全体を構成し、老朽品の部分的取
替を繰り返すことにより全体が維持されるような資産、つまり取替資
産（鉄道のレール、枕木、工具器具など）に適用される費用配分方法
である。

　　取替法とは、最初の取得原価を固定資産の帳簿価額として処理し、
それ以後はその減価を無視して償却を行わず、取得原価をそのまま帳
簿価額としておき、実際に破損その他の理由で取替えを行ったときに、
新資産を取得するために支出した額をその期の費用として処理する方
法である。したがって、取替法は減価償却と異なり、部分的取替に要
する取替費用を収益的支出として処理する方法である。

## Point ⑥ 固定資産に関する追加支出

　会計上、固定資産に関する追加支出は**資本的支出**と**収益的支出**に分けられる。前者の支出額は当該固定資産の簿価に加えられ、その後耐用期間を通じて減価償却によって費用化される。また、後者の支出額は修繕費として固定資産の機能を維持・管理するためのものであり、支出時にすべて費用として処理される。

　　資本的支出：耐用年数の延長や資産価値の増加（改良に該当）

　　　⇒　有形固定資産の簿価に加算

　　収益的支出：現状維持のための定期的な補修や修理（修繕に該当）

　　　⇒　支出年度に費用処理

## Point ⑦ 減価償却に関する見積もりの変更

　減価償却に関する耐用年数や残存価額について、当初の見積もりが変更される場合、変更に伴う影響を①変更された期間のみで修正する方法（キャッチ・アップ方式）と②変更された期間以降の将来にわたり修正する方法（**プロスペクティブ方式**）の2つが考えられる。なお、現行制度上は、②のプロスペクティブ方式のみが認められている。以下では、2つの方式の計算例をみておく。

　1年目の期首に取得した取得原価1,000,000円、耐用年数10年、残存価額10％の機械装置について、定額法により減価償却を行っている。4年目の期首に耐用年数は残り5年、残存価額はゼロと見積もりを変更した。4年目の減価償却費はいくらになるか。

1年目期首　2年目期首　3年目期首　4年目期首

　　　　　　　　　　　　　当初：残り7年、残存価額10％
　　　　　　　　　　　　　変更：残り5年、残存価額ゼロ

当初の見積もりによる減価償却費

$$減価償却費＝\frac{(1,000,000円－1,000,000円×10\%)}{10年}＝90,000円$$

　以上の計算より、3年目までの減価償却費は合計270,000円（＝90,000円×3年分）、4年目期首の帳簿価額（未償却残高）は730,000円（＝1,000,000円－

270,000円）である。

① キャッチ・アップ方式（過去に遡って修正）

　1年目に見積もりの変更を反映させ、耐用年数8年、残存価額ゼロとすると以下のように減価償却費が計算される。

$$減価償却費＝\frac{(1,000,000円－0)}{8年}＝125,000円$$

　以上の計算より、3年目までの減価償却費は合計375,000円（＝125,000円×3年分）、4年目期首の帳簿価額（未償却残高）は625,000円（＝1,000,000円－375,000円）である。

　よって、4年目の減価償却費とともに、見積もりの変更により過年度に不足した105,000円（＝375,000円－270,000円）を計上することになる。

　　4年目の減価償却費：125,000円

　　過年度に不足した減価償却費（臨時償却費）：105,000円

② プロスペクティブ方式（当期以降で修正、現行制度）

　3年目期末の帳簿価額（未償却残高）730,000円、残存耐用年数5年、残存価額ゼロをベースに、見積もりの変更を反映させると以下のように減価償却費が計算される。

$$減価償却費＝\frac{(730,000円－0)}{5年}＝146,000円$$

　よって、過去の修正は行わず、4年目以降について修正を行う。

　　4年目の減価償却費：146,000円

＜減価償却費の比較＞

（単位：円）

| | 1年目 | 2年目 | 3年目 | 4年目 | 5年目 | 6年目 | 7年目 | 8年目 | 9年目 | 10年目 | 合計 |
|---|---|---|---|---|---|---|---|---|---|---|---|
| 当初見積もり | 90,000 | 90,000 | 90,000 | 90,000 | 90,000 | 90,000 | 90,000 | 90,000 | 90,000 | 90,000 | 900,000 |
| キャッチ・アップ方式 | 90,000 | 90,000 | 90,000 | 125,000 | 125,000 | 125,000 | 125,000 | 124,999 | － | － | 894,999 |
| | | | | 105,000 | | | | | | | 105,000 |
| プロスペクティブ方式 | 90,000 | 90,000 | 90,000 | 146,000 | 146,000 | 146,000 | 146,000 | 145,999 | － | － | 999,999 |

**例題11** 有形固定資産に関する次の記述のうち、正しいものはどれですか。

A　現物出資として上場会社が有形固定資産を受け入れた場合、出資者に交付し
た自社の株式の公正な評価額をもって取得原価としなければならない。

B　有形固定資産を外部より購入した場合、購入対価をもって取得原価としなけ
ればならない。

C　有形固定資産の定期的な補修や修理など、現状を維持するための支出は資本
的支出と呼ばれ、資産計上される。

D　有形固定資産を自家建設する場合に生じた借入金に対する利子は、一定の条
件を満たせば取得原価に算入することができる。

**解答**  　D

**解　説**

　A　正しくない。現物出資として上場会社が有形固定資産を受け入れた場合、
対価として交付した自社の株式の公正な評価額と受け入れた有形固定資産
の公正な評価額のうち、いずれかより高い信頼性をもって測定可能な金額

76

が取得原価となる。

B　正しくない。外部から購入した有形固定資産の取得原価は、購入対価に付随費用を加算する。ただし、重要性の乏しい付随費用については、取得原価に含めないことができる。

C　正しくない。有形固定資産に対する定期的な補修や修理のための支出は、収益的支出と呼ばれ、当該期間において費用処理される。

D　正しい。借入金の利子は、通常、期間費用とされ取得原価（製造原価）に算入されない。しかし、自家建設と借入金に明確な対応関係がある場合等の条件を満たせば、当該借入金の利子は取得原価に算入できる。

---

**例題12**

減価償却に関する次の記述のうち、正しいものはどれですか。

A　定率法による減価償却費は、取得原価から減価償却累計額を控除した額に償却率を乗じて計算される。

B　減価償却方法としては、期間を配分基準とする方法として、定額法と定率法が、生産高または利用高を配分基準とする方法として、級数法と生産高比例法がある。

C　定額法、定率法、級数法のうち、初年度の減価償却費が最も大きくなるのは定額法である。

D　耐用年数や残存価額の当初の見積りに変更が必要となった場合、その年度において過年度の償却計算を修正するキャッチ・アップ方式によって処理される。

---

**解答** ▶　A

---

**解 説**

A　正しい。定率法は、期首未償却残高（簿価）に償却率を乗じて減価償却

費を計算する方法である。なお、期首未償却残高は、取得原価から減価償却累計額を控除した額のことである。

B　正しくない。級数法は、期間を配分基準とする減価償却方法である。

C　正しくない。定率法、級数法による減価償却費は耐用年数を通じて逓減していくため、初年度が大きく、徐々に小さくなる。一方、定額法は、毎期均等額の減価償却費が計上される。各方法による減価償却費の総額が同額になることを考慮すれば、初年度において、定額法による減価償却費が最も小さくなる。

D　正しくない。耐用年数や残存価額の当初の見積りに変更が必要となった場合、その年度において過年度の償却計算を修正することなく、変更された会計期間以降の償却計算に反映させるプロスペクティブ方式によって処理される。

**例題13**　以下の問題について、各問に対する答えを、それぞれA～Eの中から１つ選びなさい。なお、各有形固定資産の取得は、１年目期首であり、残存価額はゼロとする。

【資料】

（単位：千円）

| 種　類 | 取得原価 | 償却方法 | 耐用年数 |
|---|---|---|---|
| 建　物 | 500,000 | 定　額　法 | 30年 |
| 機　械 | 120,000 | 定　率　法※1 | 10年 |
| 備　品 | 30,000 | 級　数　法 | 5年 |
| 車　両 | 10,000 | 生産高比例法※2 | 6年 |

※1　200％定率法による。

※2　見積総走行距離10万km、４年目の走行距離1.5万km

問1　建物における２年目の減価償却費はいくらですか。

A　12,345千円

B　13,500千円

C　15,000千円

D　16,667千円

E　17,600千円

問 2　機械における 2 年目の減価償却費はいくらですか。

A　10,800千円

B　12,000千円

C　15,360千円

D　19,200千円

E　24,000千円

問 3　備品における 4 年目の減価償却費はいくらですか。

A　2,000千円

B　4,000千円

C　6,000千円

D　8,000千円

E　10,000千円

問 4　車両における 4 年目の減価償却費はいくらですか。

A　1,286千円

B　1,350千円

C　1,500千円

D　1,800千円

E　2,000千円

解答　▶　　問 1　D　　　問 2　D　　　問 3　B　　　問 4　C

問1　資料から、建物は定額法によって減価償却を行う。

$$減価償却費＝\frac{取得原価}{耐用年数}$$

$$減価償却費＝\frac{500,000千円}{30年}≒16,667千円$$

問2　資料から、機械は200％定率法によって減価償却を行う。

減価償却費＝期首未償却残高（＝取得原価－減価償却累計額）×償却率

ただし、1年目は、過去の減価償却累計額がないため、取得原価に償却率を乗じて求め、2年目は、上記の計算式に基づいて算定する。なお、償却率は、下記のように計算する。

償却率＝1÷耐用年数×2.0（200％）

　　　＝1÷10×2.0

　　　＝0.2

1年目の減価償却費＝120,000千円×0.2＝24,000千円

2年目の減価償却費＝（120,000千円－24,000千円）×0.2＝19,200千円

問3　資料から、備品は級数法によって減価償却を行う。

$$減価償却費＝取得原価×\frac{当該年度の級数}{級数の総和}$$

$$4年目の減価償却費＝30,000千円×\frac{2^{※}}{15^{※}}$$

$$＝4,000千円$$

※　級数については、下記のとおりである。

| 年度 | 1年目 | 2年目 | 3年目 | 4年目 | 5年目 | 級数の総和 |
|------|------|------|------|------|------|----------|
| 級数 | 5 | 4 | 3 | 2 | 1 | 15 |

問 4　資料から、車両は生産高比例法によって減価償却を行う。

$$減価償却費＝取得原価\times\frac{当期実際利用高}{予定総利用高}$$

$$4\,年目の減価償却費＝10,000千円\times\frac{1.5万km}{10万km}＝1,500千円$$

# 7 リース会計

## Point ① リース取引とは

　リース取引とは、特定の物件の所有者である貸手（レッサー）が、その物件の借手（レッシー）に対し、合意された期間（以下、「リース期間」という）にわたり当該物件を使用する権利を与え、借手は、合意された使用料（以下、「リース料」という）を貸手に支払う取引をいう。リース取引には、**ファイナンス・リース取引**と**オペレーティング・リース取引**がある。なお、本書では、借手は当社、貸手はリース会社を前提とする。

## Point ② ファイナンス・リース取引

① ファイナンス・リース取引の要件

　ファイナンス・リース取引とは、a.リース契約に基づくリース期間の中途において当該契約を解除することができないリース取引またはこれに準ずるリース取引で、b.借手が当該契約に基づき使用する物件（以下、リース物件という）からもたらされる経済的利益を実質的に享受することができ、かつ、c.当該リース物件の使用に伴って生じるコストを実質的に負担することになるリース取引をいう。

　上記のa.を**ノンキャンセラブル**といい、b.とc.を**フルペイアウト**という。リース取引がファイナンス・リース取引に該当するかどうかは、上記の要件を十分に考慮して判定する。

② ファイナンス・リース取引の判定基準

　次のaまたはbのいずれかに該当する場合、ファイナンス・リース取引と判定される。

a．現在価値基準

　解約不能のリース期間中のリース料総額の現在価値が、当該リース物件を借手が現金で購入するものと仮定した場合の合理的見積金額（これを見積現金購入価額という）の**概ね90％以上**であること。

$$\frac{リース料総額の現在価値}{見積現金購入価額} \geqq 概ね90\%$$

ｂ．経済的耐用年数基準

　　解約不能のリース期間が、当該リース物件の経済的耐用年数の**概ね75%以上**であること。

$$\frac{リース期間}{経済的耐用年数} \geqq 概ね75\%$$

　上記のａまたはｂのいずれかに該当した場合、ファイナンス・リース取引と判定され、ファイナンス・リース取引以外のリース取引はオペレーティング・リース取引とされる。

　また、ファイナンス・リース取引と判定されたもののうち、次のⅰ～ⅲのいずれかに該当する場合、所有権が借り手に移転すると認められるものとして、所有権移転ファイナンス・リース取引に該当するものとし、いずれにも該当しない場合、所有権移転外ファイナンス・リース取引に該当するものとする。

　ⅰ．**所有権移転条項**付リース取引

　ⅱ．**割安購入選択権**付リース取引

　ⅲ．**特別仕様物件**のリース取引

③　ファイナンス・リース取引の会計処理

ａ．リース資産及びリース債務の計上

　　リース取引開始日に、通常の売買取引に係る方法に準じた会計処理により、リース物件とこれに係る債務をリース資産及びリース債務として計上する。

| | 貸手の購入価額等が明らかな場合 | 貸手の購入価額等が明らかでない場合 |
|---|---|---|
| 所有権移転 | 貸手の購入価額等 | ａ．リース料総額の割引現在価値<br>ｂ．見積現金購入価額 |
| 所有権移転外 | ａ．リース料総額の割引現在価値<br>ｂ．貸手の購入価額等<br>ａとｂのいずれか低い価額 | ａとｂのいずれか低い価額 |

※　リース料総額の割引計算には貸手の計算利子率を使用し、貸手の計算利子率が不明の場合、借手の追加利子率を使用する。

　b．支払リース料

　　　リース料総額は、原則として、利息相当額部分とリース債務の元本返済額部分とに区分し、前者は支払利息として処理し、後者はリース債務の元本返済として処理する。

　　　支払リース料総額＝リース債務＋利息相当額

　c．利息相当額の各期への配分

　　　利息相当額の総額をリース期間中の各期に配分する方法は、原則として、利息法による。当該利率は、リース料総額の現在価値が、リース取引開始日におけるリース資産（リース債務）の計上価額と等しくなる利率として求められる。なお、割安購入選択権がある場合には、リース料総額にその行使価額を含める。

　d．維持管理費相当額の処理

　　　維持管理費相当額は、原則として、リース料総額から控除するが、その金額がリース料に占める割合に重要性が乏しい場合は、これをリース料総額から控除しないことができる。

　e．リース資産の償却

| 所 有 権 | 残存価額 | 償却期間 | 償却方法 |
|---|---|---|---|
| 所有権移転 | 自己所有と同一[※1] | 経済的耐用年数 | 自己所有と同一[※1] |
| 所有権移転外 | ゼロ | リース期間 | 企業の実態に対応[※2] |

※1　本試験では、例えば「取得原価の10％」「定額法」というように具体的に指示される。

※2　定額法等の中から、企業の実態に応じたものを選択する。本試験では指示される。

④　ファイナンス・リース取引の注記

　　　リース資産について、その内容（主な資産の種類等）及び減価償却の方法を注記する。ただし、重要性が乏しい場合には、当該注記を要しない。

# Point ③　オペレーティング・リース取引

　オペレーティング・リース取引とは、ファイナンス・リース取引以外のリース取引をいう。オペレーティング・リース取引は通常の賃貸借取引と同様に会計処理を行う。

　なお、オペレーティング・リース取引のうち解約不能のものに係る未経過リース料は、貸借対照表日後１年以内のリース期間に係るものと、貸借対照表日後１年を超えるリース期間に係るものとに区分して注記する。ただし、重要性が乏しい場合には、当該注記は要しない。

**例題14**

**リース会計に関する次の記述のうち、正しいものはどれですか。**

A　所有権移転ファイナンス・リース取引において、割安購入選択権がある場合、リース資産及びリース債務の計上価額の決定に当たり、リース料総額にその行使価額を含めて計算する。

B　リース資産及びリース債務の計上価額をリース料総額の割引計算によって求める場合、割引率に使用する利子率が小さいほど、リース債務として計上される金額は小さくなる。

C　ファイナンス・リース取引に該当するか否かを判断する指針として、解約不能のリース期間中のリース料総額の現在価値が、見積現金購入価額の概ね75％以上であるという要件が存在する。

D　所有権移転外ファイナンス・リース取引において、貸借対照表に計上されたリース資産及びリース債務の償却額は、リース期間にわたり同じ金額である。

解答　▶　A

A　正しい。リース資産の貸手の購入価額が明らかでない場合、リース資産及びリース債務の計上価額は、見積現金購入価額とリース料総額の割引現在価値のいずれか低い価額とされる。なお、リース料総額の割引計算において、割安購入選択権がある場合には、リース料総額にその行使価額を含めて計算する。

B　正しくない。リース開始時におけるリース料総額とリース債務（リース資産）の計上額との差額は、利息相当額の総額となる。割引率が小さいほど、利息相当額の部分が小さくなり、貸借対照表に計上されるリース債務の金額は大きくなる。

C　正しくない。ファイナンス・リース取引に該当するか否かを判断する現在価値基準では、解約不能のリース期間中のリース料総額の現在価値が、見積現金購入価額の概ね90％以上であることを要件としている。

D　正しくない。所有権移転外ファイナンス・リース取引において、支払リース料から利息相当額を差し引いた金額が、リース債務の元本の返済部分（償却額）となる。一方、リース資産は、一定の減価償却方法により償却が行われる。したがって、それぞれが別の会計処理により行われるため、償却額は同じ金額にはならない。

**例題15**　以下の問題について、各問に対する答えを、それぞれA～Eの中から１つ選びなさい。

問1　下記の資料に基づいた場合、借手が計上するリース契約時点のリース資産の金額と初年度の減価償却費はいくらですか。

【資料】

①　a）所有権移転条項：なし、b）割安購入選択権：なし、c）特別仕様：なし

②　解約不能リース期間　３年

③　リース物件（資本設備）の経済的耐用年数 5 年

④　借手の見積現金購入価額30,000千円（借手において当該リース物件の貸手の購入価額は不明）

⑤　リース料　年間12,000千円　支払いは年単位の後払い

⑥　借手の追加利子率　年 8 ％（貸手の計算利子率は不明）

⑦　減価償却方法　定額法

A　リース資産　　　　　0千円　　減価償却費　　　　　0千円
B　リース資産　30,000千円　　減価償却費　　6,000千円
C　リース資産　30,000千円　　減価償却費　10,000千円
D　リース資産　30,925千円　　減価償却費　　6,185千円
E　リース資産　30,925千円　　減価償却費　10,308千円

問 2　下記の資料に基づいた場合、借手が計上するリース契約時点のリース資産の金額と初年度の減価償却費はいくらですか。

【資料】

①　当該リース契約は、リース期間終了時に借手がリース物件（資本設備）を割安価額1,000千円で購入できる選択権が付与されており、借手はこの選択権の行使を予定している。

②　解約不能リース期間　3 年

③　リース物件（資本設備）の経済的耐用年数5年

④　借手の見積現金購入価額30,000千円（借手において当該リース物件の貸手の購入価額は不明）

⑤　リース料　12,000千円　支払いは年単位の後払い

⑥　借手の追加利子率　年12％（貸手の計算利子率は不明）

⑦　減価償却方法　定額法（残存価額：ゼロ）

| A | リース資産 | 29,534千円 | 減価償却費 | 5,907千円 |
|---|---|---|---|---|
| B | リース資産 | 29,534千円 | 減価償却費 | 9,845千円 |
| C | リース資産 | 30,000千円 | 減価償却費 | 6,000千円 |
| D | リース資産 | 30,000千円 | 減価償却費 | 10,000千円 |
| E | リース資産 | 36,500千円 | 減価償却費 | 7,300千円 |

解答 ▶ 問1　C　　問2　A

解　説

問1

（1）ファイナンス・リース取引の判定

　① 現在価値基準による判定（90%以上）

　　⇒リース料総額の割引現在価値を見積現金購入価額で除して判定

$$\frac{\text{現在価値30,925千円}^{※}}{\text{見積現金購入価額30,000千円}} \times 100 ≒ 103\% \qquad →103\% > 90\%$$

　　※ 割引現在価値 $= \dfrac{12,000千円}{1.08} + \dfrac{12,000千円}{1.08^2} + \dfrac{12,000千円}{1.08^3}$

　　　≒30,925千円

　② 経済的耐用年数基準による判定（75%以上）

　　⇒リース期間を経済的耐用年数で除して判定

$$\frac{\text{リース期間3年}}{\text{経済的耐用年数5年}} \times 100 = 60\% \qquad →60\% < 75\%$$

以上より、②では判定基準を満たさないが、①では判定基準を満たすため、ファイナンス・リース取引に該当する。

（2）リース資産の計上額

　リース料総額の割引現在価値30,925千円と、見積現金購入価額30,000千円のいずれか低い価額とするため、貸借対照表に計上するリース資産の金額は、30,000千円となる。

（3）　初年度の減価償却費

①　所有権移転の有無

資料①より、所有権移転条項、割安購入選択権、特別仕様ともに該当しないため、所有権移転外ファイナンス・リース取引となる。

したがって、残存価額ゼロ、耐用年数はリース期間を用いる。

②　減価償却費の計算

減価償却に必要な計算要素は、次のとおりである。

| 取 得 原 価 | 30,000千円：（2）より判明。 |
|---|---|
| 残 存 価 額 | ゼロ：（3）①より判明。 |
| 耐 用 年 数 | リース期間3年：（3）①より判明。 |
| 減価償却方法 | 定額法：資料⑦より判明。 |

以上より、初年度の減価償却費は、以下のように計算できる。

$$減価償却費 = \frac{30,000千円}{3年} = 10,000千円$$

問2

（1）ファイナンス・リース取引の判定

①　現在価値基準による判定（90%以上）

⇒リース料総額の割引現在価値を見積現金購入価額で除して判定

$$\frac{現在価値29,534千円^{※1}}{見積現金購入価額30,000千円} \times 100 ≒ 98\% \qquad →98\% > 90\%$$

※1　割引現在価値 $= \dfrac{12,000千円}{1.12} + \dfrac{12,000千円}{1.12^2} + \dfrac{12,000千円 + 1,000千円^{※2}}{1.12^3}$

$$≒ 29,534千円$$

※2　割安購入選択権の価額

②　経済的耐用年数基準による判定（75%以上）

⇒リース期間を経済的耐用年数で除して判定

$$\frac{リース期間3年}{経済的耐用年数5年} \times 100 = 60\% \qquad →60\% < 75\%$$

以上より、②では判定基準を満たさないが、①では判定基準を満たすため、ファイナンス・リース取引に該当する。

（2） リース資産の計上額

　　リース料総額の割引現在価値29,534千円と、見積現金購入価額30,000千円のいずれか低い価額とするため、貸借対照表に計上するリース資産の金額は、29,534千円となる。

（3） 初年度の減価償却費

　① 所有権移転の有無

　　資料①より、割安購入選択権があり、行使も予定されていることから、所有権移転ファイナンス・リース取引となる。

　　したがって、残存価額はゼロ、耐用年数は経済的耐用年数を用いる。

　② 減価償却費の計算

　　減価償却に必要な計算要素は、次のとおりである。

| 取 得 原 価 | 29,534千円：（2）より判明。 |
| 残 存 価 額 | ゼロ：（3）①及び資料⑦より判明。 |
| 耐 用 年 数 | 経済的耐用年数5年：（3）①より判明。 |
| 減価償却方法 | 定額法：資料⑦より判明。 |

以上より、初年度の減価償却費は、以下のように計算できる。

$$減価償却費＝\frac{29,534千円}{5年}≒5,907千円$$

**例題16**　以下の資料に基づいて、各問に対する答えを、それぞれA～Eの中から1つ選びなさい。

【資料】

① 資本設備を第1期の期首時点にリースした。所有権移転外ファイナンス・リース取引として処理する。

② リース料は、年間24,000円であり、年度末に1年分を現金で一括払いする。

③ リース期間は5年、経済的耐用年数は6年である。

④ リース会社（貸手）の資本設備の購入価額及び計算利子率は不明である。

⑤ 当社の追加借入利子率は7％である。また、この追加借入利子率でリース

料総額を割引いた現在価値は、98,405円である。

⑥　当社の見積現金購入価額は、100,000円である。

⑦　減価償却方法は、定額法により行う。


**問1**　借手が計上する第1期の期首時点における資本設備の金額はいくらですか。

A　98,405円

B　100,000円

C　114,397円

D　120,000円

E　144,000円


**問2**　借手が計上する第1期の減価償却費はいくらですか。

A　16,401円

B　16,667円

C　19,681円

D　20,000円

E　24,000円


**問3**　借手が計上する第1期の支払利息はいくらですか。

A　1,680円

B　5,691円

C　5,810円

D　6,888円

E　7,000円


解答　▶　問1　A　　問2　C　　問3　D

問1　第1期の期首時点における資本設備（リース資産）の金額

　　　本問では、資料④より、リース会社の資本設備の購入価額が不明のため、資料⑤と⑥より借手で把握できるリース料総額の割引現在価値と見積現金購入価額の小さい方を当該金額とする。

　　　リース料総額の割引現在価値98,405円＜見積現金購入価額100,000円

　　　なお、リース料総額の割引現在価値は、下記のように計算される。

$$\frac{24,000円}{1.07} + \frac{24,000円}{1.07^2} + \frac{24,000円}{1.07^3} + \frac{24,000円}{1.07^4} + \frac{24,000円}{1.07^5}$$

　　　≒98,405円

　　　また、この金額は、リース債務でもあるため、借手の第1期期首時点の貸借対照表においては、下記のように計上されている。

貸借対照表

| （資　産） | （負　債） |
|---|---|
| リース資産　98,405 | リース債務　98,405 |
|  | （純資産） |

問2　第1期の減価償却費

　　　減価償却に必要な計算要素は、次のとおりである。

| 取　得　原　価 | 98,405円：問1より判明。 |
|---|---|
| 残　存　価　額 | ゼロ：所有権移転外ファイナンス・リースのため。 |
| 耐　用　年　数 | リース期間5年：所有権移転外ファイナンス・リースのため。 |
| 減価償却方法 | 定額法：資料⑦より判明。 |

　　　以上より、第1期の減価償却費は、以下のように計算できる。

$$\frac{98,405円}{5年} = 19,681円$$

問 3　第 1 期の支払利息

　　　支払利息に必要な計算要素は、次のとおりである。

| 債務額（元本） | 98,405円：問 1 より判明。 |
|---|---|
| 利子率 | 7 ％：資料⑤より判明。 |

　　　以上より、第 1 期の支払利息は、以下のように計算できる。

　　　　98,405円× 7 ％≒6,888円

　　　なお、借手の年間支払額は24,000円であることから、その内訳は、利息分6,888円、元本分17,112円（24,000円－6,888円）と判明する。各期のリース債務と支払利息は、以下のように計算される。

| | 第 1 期 | 第 2 期 | 第 3 期 | 第 4 期 | 第 5 期 | 合　計 |
|---|---|---|---|---|---|---|
| 期首リース債務 | 98,405 | 81,293 | 62,984 | 43,393 | 22,431 | － |
| 支払リース料 | 24,000 | 24,000 | 24,000 | 24,000 | 24,000 | 120,000 |
| 支払利息 | 6,888 | 5,691[※3] | 4,409 | 3,038 | 1,569[※4] | 21,595 |
| リース債務返済額 | 17,112[※1] | 18,309 | 19,591 | 20,962 | 22,431[※4] | 98,405 |
| 期末リース債務 | 81,293[※2] | 62,984 | 43,393 | 22,431 | 0[※4] | － |

　※1　第 1 期リース債務返済額17,112円

　　　　＝第 1 期支払リース料24,000円－第 1 期支払利息6,888円

　※2　第 1 期期末リース債務81,293円

　　　　＝第 1 期期首リース債務98,405円－第 1 期リース債務返済額

　　　　　17,112円

　※3　第 2 期支払利息5,691円

　　　　＝（第 1 期期首リース債務98,405円－第 1 期リース債務返済額

　　　　　17,112円）×利子率 7 ％

　　　　＝第 1 期期末（第 2 期期首）リース債務81,293円×利子率 7 ％

　※4　最終の第 5 期については、期末リース債務残高を0とするため、端数を調整している。

（補足１）リース関連費用（支払利息及び減価償却費と支払リース料）の
　　　　比較

＜売買取引に係る方法に準じた会計処理：本問の処理＞

| | 第1期 | 第2期 | 第3期 | 第4期 | 第5期 | 合　計 |
|---|---|---|---|---|---|---|
| 支　払　利　息 | 6,888 | 5,691 | 4,409 | 3,038 | 1,569 | 21,595 |
| 減　価　償　却　費 | 19,681 | 19,681 | 19,681 | 19,681 | 19,681 | 98,405 |
| リース関連費用合計 | 26,569 | 25,372 | 24,090 | 22,719 | 21,250 | 120,000 |

　なお、この本問がオペレーティング・リース取引に該当する場合、費用
計上される毎期の支払リース料は、次のとおりである。

＜賃貸借取引に係る方法に準じた会計処理＞

| | 第1期 | 第2期 | 第3期 | 第4期 | 第5期 | 合　計 |
|---|---|---|---|---|---|---|
| 支 払 リ ー ス 料 | 24,000 | 24,000 | 24,000 | 24,000 | 24,000 | 120,000 |

　上記の計算結果から、所有権移転外ファイナンス・リース取引とオペレー
ティング・リース取引を比較すると、リース期間の前半は所有権移転外ファ
イナンス・リース取引の方が費用（減価償却費と支払利息の合計額）は多
く計上されているが、後半になると逆にオペレーティング・リース取引の
方が費用（支払リース料）は多く計上されている。これは、リース期間の
前半において、リース債務の金額が大きいため、利息相当額が多く計上さ
れるが、リース期間の後半では、リース債務の金額が小さくなるので、利
息相当額が少なく計上されるからである。ただし、リース期間全体を通じ
てみると、所有権移転外ファイナンス・リース取引とオペレーティング・
リース取引の費用計上額は等しくなる。


（補足２）支払利息の計算

　本問では、リース債務の金額がリース料総額の割引現在価値となってい
るため、割引計算で用いた借手の追加借入利子率７％で支払利息を計算す
る。

　しかし、仮に、見積現金購入価額がリース料総額の割引現在価値よりも

小さく、リース債務の金額となった場合は、別途「リース債務と支払リース料合計額とを一致させる計算上の利子率」を設定する必要がある。この利子率（ r ）は、下記のように計算される。

$$\frac{24,000円}{(1+r)} + \frac{24,000円}{(1+r)^2} + \frac{24,000円}{(1+r)^3} + \frac{24,000円}{(1+r)^4} + \frac{24,000円}{(1+r)^5} = 100,000円$$

r ≒6.402%

なお、上記計算による割引率を解けるようになる必要はない。本試験においては、「支払利息計算上の利子率6.402%」といった形で指示されるため、例えば、第1期支払利息＝100,000円×6.402％＝6,402円と計算できればよい。

## 8　減損会計

### Point ① 減損会計の概要

時の経過や使用状況などによって、固定資産の収益性が予想以上に大きく低下し、帳簿価額を回収できなくなった状態を減損といい、固定資産の収益性の低下を帳簿価額に反映させ、損失を将来の期間に繰り延べないための会計処理を減損会計という。

なお、減損会計は、時価と帳簿価額の差額を損益として認識する時価会計ではなく、将来の収益から回収不能となった金額を損失として認識する**原価基準の枠内**で行われる会計処理方法である。

### Point ② 減損会計の対象

有形固定資産（土地、建物、機械など）及び無形固定資産（のれんなど）ならびに投資その他の資産（投資不動産など）が該当する。つまり、**固定資産が対象**となる。ただし、有価証券のように他の会計基準で減損処理を規定しているものは、減損会計の適用対象外となる。

## Point ③ 減損会計の手続

　減損会計の手続は、①減損の判定単位の特定、②減損の兆候の判定、③減損損失の認識の要否の判定、④減損損失の金額の測定、⑤減損損失の各資産への配分という段階を経て行われる。

① 減損の判定単位の特定

　複数の資産が一体となって独立したキャッシュ・フローを生み出す場合には、減損損失を認識するかどうかの判定及び減損損失の測定に際して、合理的な範囲で資産のグルーピングを行う必要がある。資産のグルーピングに際しては、他の資産または資産グループのキャッシュ・フローから概ね独立したキャッシュ・フローを生み出す最小の単位（例えば、工場敷地＋建物＋機械装置など）、すなわち現金生成単位で行うこととされている。

② 減損の兆候の判定

　減損の兆候とは、大まかに捉えれば、次の状況が生じているか、またはその見込みであることをいう。

a．資産または資産グループから生じる営業損益や営業ＣＦが継続してマイナス

b．資産の遊休や予定外の転用など、回収可能価額を著しく低下させるような変化

c．経営環境の著しい悪化

d．資産または資産グループの市場価格が著しく（概ね50％）下落した場合

③ 減損損失の認識の要否の判定

　減損の兆候がある場合に減損損失を認識するかどうかの判定は、**資産グループの経済的残存耐用年数にわたる割引前将来キャッシュ・フローの合計額と帳簿価額を比較すること**により行う。この結果、割引前将来キャッシュ・フロー総額が帳簿価額を下回る場合には、減損損失を認識する。なお、割引前将来キャッシュ・フローの見積期間は、資産の経済的残存使用年数または資産グループの中の主要な資産の経済的残存使用年数と20年のいずれか短い方とされている。

　　帳簿価額＞割引前将来キャッシュ・フローの総額

　　　→減損損失を認識する。下記④へ進む。

　　帳簿価額≦割引前将来キャッシュ・フローの総額

　　　　→減損損失を認識しない。貸借対照表価額は、帳簿価額のままとなる。

④　減損損失の金額の測定

　　減損損失が認識された場合は、固定資産の「帳簿価額－回収可能価額」の金額を減損損失（特別損失）として費用処理する。

　　**回収可能価額**＝使用価値と正味売却価額のいずれか大きい金額

　　**使 用 価 値**＝将来キャッシュ・フローの割引現在価値合計

　　**正味売却価額**＝売却時の時価－処分費用見込額

⑤　減損損失の各資産への配分

　　現金生成単位が複数の資産で構成されている場合、認識された減損損失額を合理的な基準に基づいて各資産に配分し、帳簿価額を減額する。

## Point ④　減損処理後の会計処理

　　減損処理を行った資産については、減損損失を控除した帳簿価額から残存価額を控除し、その金額を、企業が採用している減価償却方法にしたがい、規則的かつ合理的に配分する。また、**減損処理を行った資産について、その後に回収可能価額が回復したとしても、減損損失の戻入れは行わない。**

**例題17**　　　　減損会計に関する次の記述のうち、正しいものはどれですか。

A　減損損失は、原則として、販売費及び一般管理費に計上する。

B　減損を認識する場合、帳簿価額を使用価値まで減額し、当該差額を減損損失として処理する。

C　減損処理の実施後に回収可能価額が回復しても、減損損失の戻入れは行わない。

D　割引前将来キャッシュ・フローが帳簿価額を下回っている場合、減損の兆候があるものと判定される。

解　説

A　正しくない。減損損失は、原則として、特別損失に計上する。

B　正しくない。減損損失を認識する場合、帳簿価額を回収可能価額まで減額し、当該差額を減損損失として処理する。なお、回収可能価額は、正味売却価額と使用価値のいずれか大きい金額を用いる。

C　正しい。「固定資産の減損に係る会計基準」では、減損の存在が相当程度な場合に限って減損損失を認識及び測定していること、また、戻入れは事務的負担を増大させるおそれがあることなどから、減損処理を行った固定資産について、その後に回収可能価額が回復しても、減損損失の戻入れは行わないこととしている。

D　正しくない。割引前将来キャッシュ・フローが帳簿価額を下回っているか否かの判定を行うのは、減損の兆候の有無を検討する段階ではなく、減損損失を認識する段階である。

例題18　以下の問題について、各問に対する答えを、それぞれA〜Eの中から１つ選びなさい。

　X1年度期首に3,000千円で取得した機械について、耐用年数５年、残存価額10%とした定額法により減価償却を行っていた。ところが、X2年度期末において当該機械について減損の兆候が見られたため、下記のとおり減損の測定を行った。計算に用いる割引率は４％とする。

（単位：千円）

| | X3年度 | X4年度 | X5年度 |
|---|---|---|---|
| 毎期の期待キャッシュ・フロー | 600 | 500 | 500 |
| 耐用年数到来時の処分価値 | — | — | 180 |

※　X2年度期末における機械の正味売却価額：1,600千円

問1　X2年度期末における減損損失はいくらですか。

A　　0千円

B　140千円

C　276千円

D　320千円

E　436千円

問2　仮にX5年度のキャッシュ・フローが、500千円ではなく700千円であると見込まれた場合、X2年度期末における機械の帳簿価額（簿価）はいくらですか。なお、その他の条件は不変とする。

A　1,600千円

B　1,661千円

C　1,822千円

D　1,920千円

E　1,980千円

解答　　　問1　C　　問2　D

問1　固定資産における減損損失を求めるためには、次の順序にしたがって
計算する。

①　X2年度期末における機械の帳簿価額の算定

X1年度減価償却費＝（3,000千円－3,000千円×10％）÷5年＝540千円

X2年度減価償却費＝（3,000千円－3,000千円×10％）÷5年＝540千円

帳簿価額＝取得原価3,000千円－減価償却累計額1,080千円＝1,920千円

②　減損損失の認識の判定

機械の帳簿価額と割引前将来キャッシュ・フローの総額を比較する。

帳簿価額1,920千円＞割引前将来CFの総額1,780千円[※]

※　600千円＋500千円＋500千円＋処分価値180千円＝1,780千円

割引前将来キャッシュ・フローの総額が帳簿価額を下回っているため、
減損損失を認識する。

③　固定資産の回収可能価額の決定

正味売却価額と使用価値のいずれか大きい金額が回収可能価額となる。

なお、使用価値の算定は次のとおりである。

$$使用価値＝\frac{600千円}{1+0.04}+\frac{500千円}{(1+0.04)^2}+\frac{500千円＋180千円}{(1+0.04)^3}≒1,644千円$$

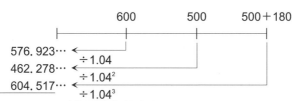

```
                        600          500        500＋180
        |────────────────|────────────|─────────────|
576.923…  ◀──────────────┘            │             │
        ÷1.04                          │             │
462.278…  ◀───────────────────────────┘             │
        ÷1.04²                                       │
604.517…  ◀─────────────────────────────────────────┘
        ÷1.04³
1,643.7…：割引現在価値合計
```

使用価値1,644千円＞正味売却価額1,600千円

使用価値の方が大きいため、使用価値が回収可能価額となる。

④ 減損損失の算定

機械の帳簿価額から回収可能価額を差し引くと減損損失の金額が求まる。

帳簿価額1,920千円－回収可能価額1,644千円＝減損損失276千円

問2 問1と同様に減損の有無について確認する。

① X2年度期末における機械の帳簿価額の算定

問1と同様の金額となる。したがって、1,920千円である。

② 減損損失の認識の判定

機械の帳簿価額と割引前将来キャッシュ・フローの総額を比較する。

帳簿価額1,920千円＜割引前将来ＣＦの総額1,980千円※

※ 600千円＋500千円＋700千円＋処分価値180千円＝1,980千円

割引前将来キャッシュ・フローの総額が帳簿価額を上回っているため、減損損失を認識しない。

したがって、X2年度期末における機械の帳簿価額は、1,920千円となる。

## 9 繰延資産

## Point ① 意義・目的

「企業会計原則」において、「将来の期間に影響する特定の費用は、次期以後の期間に配分して処理するため、経過的に貸借対照表の資産の部に計上することができる」としている。これにより、発生した費用を資産として繰り延べ、効果が現れる期間の費用として配分することで費用と収益の対応が可能となり、適正な期間損益が算定されることになる。

このような資産を繰延資産といい、繰延資産として貸借対照表に計上するためには、次の要件を充たす必要がある。

① すでに対価の支払が完了しまたは支払義務が確定していること。

② ①に対応する役務の提供を受けていること。

③ 効果が将来にわたって発現するものと期待される費用であること。

# Point ② 繰延資産の内容

　繰延資産については、会社計算規則では、繰延資産として計上することが適当であるものは繰延資産とする旨が規定されているだけで、該当項目は限定列挙されていない。そのため、企業会計基準委員会より、「繰延資産の会計処理に関する当面の取扱い」が公表され、具体的な繰延資産の項目として、次の5つが規定されている。

| | 科　　目 | 償　却　方　法 | P/Lの表示区分 |
|---|---|---|---|
| ① | 株 式 交 付 費 | 新株発行または自己株式の処分費用は、原則として支出時に費用として処理。ただし、繰延資産として計上した場合には、3年以内に定額法により償却。 | 営業外費用 |
| ② | 社債発行費等 | 社債発行費は、原則として支出時に費用として処理。ただし、繰延資産として計上した場合には、社債の償還までの期間にわたり利息法により償却。<br>新株予約権の発行費も原則として支出時に費用として処理。ただし、繰延資産として計上した場合には、3年以内に定額法により償却。 | 営業外費用 |
| ③ | 創　　立　　費 | 原則として支出時に費用として処理。ただし、繰延資産として計上した場合には、5年以内に定額法により償却。 | 営業外費用 |
| ④ | 開　　業　　費 | 原則として支出時に費用として処理。ただし、繰延資産として計上した場合には、5年以内に定額法により償却。 | 営業外費用 |
| ⑤ | 開　　発　　費 | 原則として支出時に費用として処理。ただし、繰延資産として計上した場合には、5年以内に定額法等により償却。 | 売上原価または販管費 |

# Point ③　研究開発費

　前項の繰延資産の開発費に類似した項目として研究開発費が挙げられる。

　ここで、研究とは、新しい知識の発見を目的とした計画的な調査や探求を意味する。また、開発とは、新しい製品・サービス・生産方法についての計画や設計、または既存の製品・サービス・生産方法を著しく改良するための計画や設計として、研究成果その他の知識を具体化することをいう。

　このような研究開発活動にかかる人件費、原材料費、固定資産の減価償却費、間接費等の配賦額は、すべて研究開発費に含まれ、資産計上できず発生時に費用処理される。

**例題19**　　繰延資産に関する次の記述のうち、正しくないものはどれですか。

A　創立費を繰延資産として計上した場合、一定の期間で償却しなければならない。

B　繰延資産となる費用は、すでに対価の支払いが完了しまたは支払い義務が確定している。

C　繰延資産となる費用は、将来にわたって役務の提供を受けるものと期待される費用である。

D　繰延資産となる費用は、貸借対照表に計上せずに支出時に費用として処理することもできる。

解答　▶　　C

A　正しい。創立費を繰延資産として計上した場合、5年以内に定額法により償却しなければならない。

B　正しい。「企業会計原則」では、貸借対照表の資産の部に繰延資産として計上するためには、次の3つの要件を充たさなければならないとしている。

　　①　すでに対価の支払いが完了しまたは支払義務が確定し

　　②　これに対応する役務の提供を受けたにもかかわらず

　　③　その効果が将来にわたって発現するものと期待される費用

C　正しくない。選択肢Bの解説参照。

D　正しい。繰延資産となる費用については、原則として支出時に費用として処理する。

# 10　経過勘定

## Point ① 意義

　一定の契約に従い、継続して役務の提供を受けたり、行ったりする場合に、役務提供の対価である現金の収支時点と収益・費用の認識時点のずれを調整するための勘定である。

① 前払費用

　　一定の契約に従い、継続して役務の提供を受ける場合、いまだ提供されていない役務に対し支払われた対価をいう。

② 未収収益

　　一定の契約に従い、継続して役務の提供を行う場合、すでに提供した役務に対していまだその対価の支払を受けていないものをいう。

③ 前受収益

　　一定の契約に従い、継続して役務の提供を行う場合、いまだ提供していない役務に対し支払を受けた対価をいう。

④ 未払費用

　　一定の契約に従い、継続して役務の提供を受ける場合、すでに提供された役務に対していまだその対価の支払が終らないものをいう。

## Point ② 損益計算との関係

|  | 貸借対照表上の分類 | 損益計算との関係 |
|---|---|---|
| 前払費用 | 流動資産または投資その他の資産 | 当期の費用から除去 |
| 未収収益 | 流動資産 | 当期の収益として計上 |
| 前受収益 | 流動負債 | 当期の収益から除去 |
| 未払費用 | 流動負債 | 当期の費用として計上 |

※　前払費用については、一年基準により流動資産と投資その他の資産に分類されることに注意する。

経過勘定に関する次の記述のうち、正しいものはどれですか。

A 前払費用は、一定の契約に従い、継続して役務の提供を受ける場合、すでに提供された役務に対していまだその支払が終らないものをいう。

B 前払費用、未収収益、前受収益、未払費用は、すべて流動項目に分類される。

C 前払費用と繰延資産は、すでに支払額が確定している点で共通している。

D 前払費用と繰延資産は、役務の提供が未了である点で共通している。

解答 ▶ C

## 解 説

A 正しくない。前払費用は、一定の契約に従い、継続して役務の提供を受ける場合、いまだ提供されていない役務に対し支払われた対価をいう。

B 正しくない。前払費用は、1年基準の適用があるため、流動資産と固定資産に区分される。

C 正しい。前払費用は、いまだ提供されていない役務に対し支払われた対価である。また、繰延資産は、すでに対価の支払が完了し、または支払義務が確定していることが要件となっており、すでに支払額が確定している点で共通する。

D 正しくない。前払費用は、時の経過による役務の提供が未了であるのに対し、繰延資産は役務の提供がすでに完了している点で相違する。

第 3 章

負債会計

1．傾向と対策 …………………………………………108
2．ポイント整理と実戦力の養成 ……………109
　　1　金融負債／109
　　2　社債の評価／110
　　3　引当金／113
　　4　退職給付会計／115

# 1. 傾向と対策

　負債については、退職給付会計を中心とした出題が続いている。退職給付会計については、正誤選択問題ならびに計算問題で幅広い出題が続いていることから、会計処理を中心に全般を確認しておくことが必要である。

　また、引当金の定義や利益との関係といった論点も、近年の出題は少ないが、確認の必要があると思われる。

| 項　　　目 | 過　去　の　出　題 | 重要度 |
|---|---|---|
| 金融負債 | | C |
| 社債の評価 | | C |
| 引当金 | | C |
| 退職給付会計 | 2022年（春）・第1問・問13（正誤）<br>2022年（秋）・第3問・Ⅱ（計算）<br>2023年（春）・第1問・問12（正誤）<br>2023年（春）・第2問・問5　（計算）<br>2023年（秋）・第1問・問13（正誤）<br>2024年（春）・第3問・Ⅱ（計算） | A |

# 2. ポイント整理と実戦力の養成

## 1　金融負債

## Point ① 定義

金融負債とは、支払手形、買掛金、借入金及び社債等の金銭債務ならびにデリバティブ取引により生じる正味の債務等をいう。

## Point ② 評価

債務額を貸借対照表価額とし、（デリバティブ取引より生じる正味の債務を除く）時価評価の対象としない。

---

**例題 1**　貸借対照表上の負債に関する記述のうち、正しいものはどれですか。

A　通常の営業活動によって生じた支払手形及び買掛金は、支払期限が一年を越えるものであっても流動負債に分類される。

B　社債及び長期借入金は、固定負債に分類され、償還ないし返済期限が残り一年以内になってもその表示は変更されない。

C　未払費用は一年基準により、流動負債または固定負債に分類される。

D　負債は法律上の債務と会計的負債に分類することができるが、経過勘定は法律上の債務に当てはまる。

---

解答　　A

A　正しい。支払手形や買掛金は、正常営業循環過程内において生じる債務のため、期間の長短に関係なく流動負債に分類される。

B　正しくない。社債や長期借入金には一年基準が適用されるため、償還あるいは返済が一年以内になった場合には、流動負債に分類される。

C　正しくない。未払費用は、すべて流動負債に分類される。

D　正しくない。経過勘定は法律上の債務ではなく、将来において資産の減少や用役（役務）の提供を必要とする会計的負債に分類される。

## 2　社債の評価

### Point 1　金銭債務の評価

支払手形、買掛金、借入金、社債その他の債務は、債務額をもって貸借対照表価額とする。ただし、社債を社債金額よりも低い価額または高い価額で発行した場合など、収入に基づく金額と債務額とが異なる場合には、償却原価法に基づいて算定された価額をもって、貸借対照表価額としなければならない。

### Point 2　社債の償却原価法

償却原価法とは、金融資産または**金融負債**を債権額または**債務額**と異なる金額で計上した場合において、当該差額に相当する金額を弁済期または償還期に至るまで毎期一定の方法で貸借対照表価額に加減する方法をいう。なお、この場合、当該加減額を受取利息または**支払利息**に含めて処理する。

なお、償却原価法は、満期保有目的の債券で学習したものと基本的な会計処理は同じであり、結果的に資産として会計処理するのか、負債として会計処理するのかの違いだけである。

### 例題2

次の資料に基づき各問に答えなさい。

　ゼロクーポン債（元本1,000万円、期間5年）をX1年4月1日に発行し、利息相当分を控除した905万円が当座預金に入金された。当社の決算日は、毎年3月31日である。なお、計算上端数が生じた場合には、万円未満を四捨五入し、利息法に基づく場合の実効利子率は2％とする。

問1　利息法に基づいたX2年3月31日の貸借対照表に計上する社債の金額はいくらですか。

A　905万円

B　913万円

C　923万円

D　932万円

E　942万円

問2　定額法に基づいたX2年3月31日の貸借対照表に計上する社債の金額はいくらですか。

A　924万円

B　943万円

C　962万円

D　981万円

E　1,000万円

解答
　　　問1　C
　　　問2　A

問1　償却原価法による社債の貸借対照表価額を計算する問題である。償却
　　原価法は資産である債権や有価証券だけでなく、負債である社債につい
　　ても適用することになる。問1では利息法に基づいて計算する。計算式
　　で示すと次のとおりである。

　　　　利息法に基づく社債の増加分：入金額905万円×実効利子率2％＝18万円
　　　　貸借対照表に計上する社債の金額：905万円＋18万円＝923万円

　　　本問は第1年度のため社債の増加分については、入金額に実効利子率
　　を乗じることにより求めることができる。

問2　問2では定額法に基づいて計算する。計算式で示すと次のとおりであ
　　る。

　　　　定額法に基づく社債の増加分：

$$（元本1,000万円－入金額905万円）× \frac{当期の月数12ヶ月}{償還期間の月数5年×12ヶ月}$$

$$＝19万円$$

　　　　貸借対照表に計上する社債の金額：905万円＋19万円＝924万円

　　　なお、償却原価法は利息法と定額法の2つの方法が存在するが、原則
　　は利息法によって計算する。ただし、継続適用を条件として、簡便法で
　　ある定額法を採用することができる。

# 3　引当金

## Point ① 意義

　引当金とは、支出または支払義務が確定していなくても、将来の資産の減少に備えて、その金額を合理的に見積もり、当期の負担に属する金額を費用または損失（または収益の控除）として計上するために設定される負債項目（資産の控除もある）のことである。

## Point ② 目的

① 　適正な期間損益計算

② 　保守主義（財務健全性の確保）

## Point ③ 設定要件

　引当金は次の要件をすべて充たしたときに設定される。

---

① 　将来の特定の費用または損失（収益の控除を含む）であること。

② 　その発生が当期以前の事象に起因していること。

③ 　発生の可能性が高いこと。

④ 　その金額を合理的に見積ることができること。

---

## Point ④ 種類と表示区分

　引当金の貸借対照表及び損益計算書の表示区分を示すと、次のとおりである。なお、負債の部に計上される引当金は、1年基準が適用される。

| | 科　　目 | B/Sの区分表示 | P/Lの区分表示 |
|---|---|---|---|
| ① | 製品保証引当金 | 流動負債 | 販売費及び一般管理費 |
| ② | 工事補償引当金 | 流動負債 | 製造原価 |
| ③ | 賞与引当金 | 流動負債 | 販売費及び一般管理費、製造原価 |
| ④ | 退職給付引当金 | 固定負債 | 販売費及び一般管理費、製造原価 |

| | | | |
|---|---|---|---|
| ⑤ | 修繕引当金 | 流動負債 | 販売費及び一般管理費、製造原価 |
| ⑥ | 特別修繕引当金 | 固定負債 | 販売費及び一般管理費、製造原価 |
| ⑦ | 債務保証損失引当金 | 固定負債 | 特別損失 |
| ⑧ | 損害補償損失引当金 | 固定負債 | 特別損失 |
| ⑨ | 貸倒引当金 | 資産の控除項目 | 販売費及び一般管理費または営業外費用 |
| ⑩ | 役員賞与引当金 | 流動負債 | 販売費及び一般管理費 |

**例題3** 引当金に関する次の記述のうち、正しいものはどれですか。

A すでに対価の支払いが完了しまたは支払い義務が確定していることは、引当金の計上要件の一つである。

B すべての引当金は、1年基準により、流動負債または固定負債のいずれかに表示区分される。

C 引当金の計上は、当期の支出をその後の各事業年度に適切に費用配分することで、適正な期間損益計算を行うための手続である。

D 引当金の計上を行うと、引当金の計上をしなかった場合に比べ、当期の利益の減少要因となるが、翌期以降の利益の増加要因となる。

**解答** ▶ D

解　説

A　正しくない。引当金の計上要件は、次のとおりである。

① 　将来の特定の費用または損失であること

② 　その発生が当期以前の事象に起因していること

③ 　発生の可能性が高いこと

④ 　その金額を合理的に見積もることができること

B　正しくない。負債の部に計上される引当金については1年基準が適用され、流動負債または固定負債のいずれかに表示区分される。しかし、引当金のうち、貸倒引当金は、資産の控除項目として資産の部に表示されるため、すべての引当金が負債の部に表示されるわけではない。

C　正しくない。引当金は、将来の資産の減少等に備えて設定される負債項目であり、すでに支出した金額に対して設定されるものではない。

D　正しい。引当金の計上を行わない場合、実際に支出や損失が発生した期にその金額すべてが費用に計上される。

# 4　退職給付会計

## Point ①　退職給付の基本的な考え方

退職給付とは、一定の期間にわたり労働を提供したこと等の事由に基づいて、退職時または退職以降に支給される給付を総称したものである。代表的なものとして、退職一時金及び企業年金等がその典型である。

退職給付の性格に関しては、賃金後払説、功績報償説、生活保障説といったいくつかの考え方がある。「退職給付に係る会計基準」では、従業員が提供した労働の対価として支払われる賃金の後払いであるとして、**賃金後払説**という考え方に立っている。つまり、退職給付は勤務期間を通じた労働の提供に伴って発生するものと捉えている。

このような考え方に立てば、その発生が当期以前の事象に起因する将来の特

定の費用であり、当期の負担に属する退職給付の金額は、その支出の事実に基づくことなく、その支出の原因やその効果の期間帰属に基づいて費用として認識することになる。したがって、退職給付は発生主義の考え方に基づき、その発生した期間に費用として認識することが必要となる。

なお、ここからは、年金受給者の将来受け取る年金が確定している企業年金制度である、**確定給付型の企業年金制度**を前提とした会計処理についてみていく。

# Point ② 退職給付会計の基本的仕組み

① 退職給付債務

退職給付債務とは、退職給付のうち、認識時点までに発生していると認められる部分を割り引いたものをいう。したがって、退職給付債務は、退職により見込まれる退職給付の総額（**退職給付見込額**）のうち、期末までに発生していると認められる額を現在価値に割り引いた金額として計算される。

なお、退職給付見込額は、予想される昇給等合理的に見込まれる退職給付の変動要因を考慮して見積もられる。また、退職給付見込額のうち期末までの発生額は、次のいずれかの方法を選択適用して計算する。この場合、いったん採用した方法は、原則として、継続して適用しなければならない。

〈期間定額基準〉

退職給付見込額について全勤務期間で除した額を各期の発生額とする方法。

〈給付算定式基準〉

退職給付制度の給付算定式にしたがって各勤務期間に帰属させた給付に基づき見積もった額を、退職給付見込額の各期の発生額とする方法。

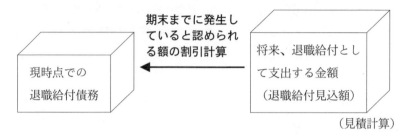

（見積計算）

※　割引計算に使用される割引率は、安全性の高い債券の利回り（期末における国債、政府機関債及び優良社債の利回り）を基礎として決定される。

a．勤務費用

　　勤務費用とは、一期間の労働の対価として発生したと認められる退職給付をいい、退職給付見込額のうち当期に発生したと認められる額を割り引いて計算する。言い換えれば、将来の全期間に係る退職給付債務のうち、当期の勤務によって発生するであろう退職給付債務の増加額である。

b．利息費用

　　利息費用とは、割引計算により算定された期首時点における退職給付債務について、期末までに時の経過により発生する計算上の利息であり、期首の退職給付債務に割引率を乗じて計算する。

**利息費用＝期首退職給付債務×割引率**

　　以上より、退職給付債務は、毎期の勤務費用と利息費用の合計額となる。

② 年金資産

　　年金資産とは、特定の退職給付制度のために、その制度について企業と従業員との契約（退職金規程等）等に基づき積み立てられた、次のすべてを満たす特定の資産をいう。

a．退職給付以外に使用できないこと。

b．事業主及び事業主の債権者から法的に分離されていること。

c．積立超過分を除き、事業主への返還、事業主からの解約・目的外の払出し等が禁止されていること。

d．資産を事業主の資産と交換できないこと。

つまり、事業主の資産とは別に管理運営されているため、貸借対照表に計上することはできない。したがって、年金資産は退職給付債務から控除する。なお、上記の要件を充たす年金資産は、期末における時価（公正な評価額）で測定される。

　　また、年金資産の運用によって生じると合理的に期待される計算上の収益を**期待運用収益**といい、期首の年金資産の額に合理的に期待される収益率（長期期待運用収益率）を乗じて算定される。

**期待運用収益＝期首の年金資産額×長期期待運用収益率**

③　退職給付費用

　　退職給付費用とは、将来の退職給付のうち当期の負担に属する金額のことである。具体的には、当期の勤務費用と利息費用の合計額から年金資産に係る当期の期待運用収益を差し引くことにより求まる。計算式を示すと次のとおりである。

**退職給付費用＝勤務費用＋利息費用－期待運用収益**

# Point ③　その他の退職給付費用

　　過去勤務費用や数理計算上の差異が発生した場合、発生時に一括処理するのではなく、将来の年度で分割して調整する**遅延認識**が認められている。

①　過去勤務費用の費用処理額

　　過去勤務費用とは、退職給付水準の改訂等に起因して発生した退職給付債務の増加または減少部分をいう。過去勤務費用については、発生した期にその全額を退職給付債務として認識するのではなく、**遅延認識**が認められている。この方法では、原則として各期の発生額について、平均残存勤務期間内の一定の年数で按分した額を毎期費用処理する。

**過去勤務費用の費用処理額＝過去勤務費用の発生額**

**÷平均残存勤務期間内の一定の年数**

　　なお、このうち費用として処理されていないものを**未認識過去勤務費用**という。

② 数理計算上の差異の費用処理額

　退職給付引当金は様々な見積計算に基づいて算定されるため、退職給付引当金に過不足が生じることがある。この過不足を**数理計算上の差異**といい、具体的内容は次のとおりである。

a．年金資産の期待運用収益と実際の運用収益との差異

b．退職給付債務の数理計算に用いた見積数値と実際の数値の差異

c．見積数値の変更により発生した差異

　この数理計算上の差異についても、発生した期にその全額を退職給付債務として認識するのではなく、遅延認識が認められている。ただし、数理計算上の差異については、当期の発生額を翌期から費用として処理する方法を採用することが認められている。

数理計算上の差異の費用処理額＝数理計算上の差異の発生額

÷平均残存勤務期間内の一定の年数

　なお、このうち費用として処理されないものは**未認識数理計算上の差異**となり、退職給付引当金を計算する場合に加算あるいは減算される。

③ 退職給付費用

　過去勤務費用及び数理計算上の差異の費用処理額を考慮すると、損益計算書に計上する退職給付費用は、次のとおりとなる。

退職給付費用＝勤務費用＋利息費用－期待運用収益
　　　±過去勤務費用の費用処理額±数理計算上の差異の費用処理額

## Point ④　遅延認識

　遅延認識とは、数理計算上の差異や過去勤務費用を除々に処理する方法である。そこで、簡略化した例をもとにその処理をみておくことにする。

　当期において、数理計算上の差異が3,000（債務の増加）生じた場合の処理を考える。なお、年金資産については無視するものとし、他の要素は与件であるものとする。

① 当期において、数理計算上の差異を費用、負債として全額処理（即時認識）するケース

| 勤務費用<br>利息費用 | 退職給付費用 |
|---|---|
| 数理計算上の差異<br>の費用処理額<br>3,000 | 退職給付費用<br>3,000 |

| 退職給付引当金 | 退職給付債務 |
|---|---|
| 退職給付引当金<br>3,000 | 数理計算上の差異<br>3,000 |

　この場合には、まず、数理計算上の差異3,000の発生によって、退職給付債務が3,000増加する。次に、数理計算上の差異を全額処理（認識）することから、退職給付費用と退職給付引当金（負債）が3,000増加する。

② 当期より、数理計算上の差異を費用、負債として3年で処理（遅延認識）するケース

| 勤務費用<br>利息費用 | 退職給付費用 |
|---|---|
| 数理計算上の差異<br>の費用処理額<br>1,000 | 退職給付費用<br>1,000 |

| 退職給付引当金 | 退職給付債務 |
|---|---|
| 退職給付引当金<br>1,000 | 数理計算上の差異<br>3,000 |
| | 未認識数理計算上<br>の差異　2,000 |

　この場合には、まず、数理計算上の差異3,000の発生によって、退職給付債務が3,000増加する。次に数理計算上の差異を3年で処理することから、退職給付費用と退職給付引当金（負債）が1,000（＝3,000÷3年）増加する。なお、数理計算上の差異のうち、残額の2,000は、未認識数理計算上の差異として注記事項とされる。

## Point ⑤　貸借対照表における取扱い

　退職給付債務から年金資産の額を控除した額（積立状況を示す額）を負債として計上する。ただし、年金資産の額が退職給付債務を超える場合には、資産として計上する。

①　個別貸借対照表

　退職給付債務に未認識過去勤務費用及び未認識数理計算上の差異を加減した額から、年金資産の額を控除した額を、「**退職給付引当金**」の科目をもって固定負債として計上する。ただし、年金資産の額が退職給付債務に未認識過去勤務費用及び未認識数理計算上の差異を加減した額を超える場合には、「**前払年金費用**」等の適当な科目をもって固定資産に計上する。

　図で示すと次のとおりとなる。

「（退職給付債務－未認識部分）＞年金資産」の場合

「（退職給付債務－未認識部分）＜年金資産」の場合

　上記の図では、未認識部分を退職給付債務から控除しているが、これは遅延認識（一定期間にわたって少しずつ費用で処理する方法）によるものである。つまり、未認識部分を退職給付債務から控除すると、貸借対照表に負債として計上する退職給付引当金の金額の計上を遅らせていることになる。したがって、個別貸借対照表における退職給付引当金の計算については、未認識部分の存在を考慮しなければならない。

② 連結貸借対照表

　積立状況を示す額について、負債となる場合は「**退職給付に係る負債**」等の適当な科目をもって固定負債に計上し、資産となる場合には「**退職給付に係る資産**」等の適当な科目をもって固定資産に計上する。

　また、未認識過去勤務費用及び未認識数理計算上の差異については、税効果を調整の上、純資産の部におけるその他の包括利益累計額に「**退職給付に係る調整累計額**」等の適当な科目をもって計上する。

　図で示すと次のとおりとなる。(「退職給付債務＞年金資産」の場合)

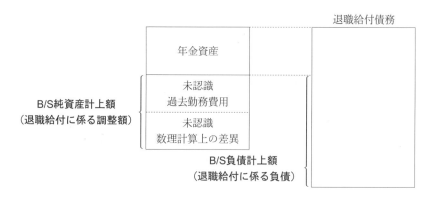

　なお、連結損益計算書及び包括利益計算書での取扱いは、過去勤務費用の当期発生額及び数理計算上の差異の当期発生額のうち、費用処理されない部分（未認識過去勤務費用及び未認識数理計算上の差異となる）については、その他の包括利益に含めて計上する。その他の包括利益累計額に計上されている未認識過去勤務費用及び未認識数理計算上の差異のうち、当期に費用処理された部分については、その他の包括利益のリサイクリングを行う。

　したがって、連結財務諸表上、過去勤務費用及び数理計算上の差異は、退職給付費用の計算においては遅延認識されるが、退職給付に係る負債の計算においては遅延認識されない。

例題4

退職給付に関する次の記述のうち、正しいものはどれですか。

A　退職給付債務とは、将来の退職給付のうち認識時点で発生していると認められるものである。

B　勤務費用とは、期首の退職給付が期末までの時の経過によって生じるものである。

C　利息費用とは、一期間の労働の対価として発生したと認められる退職給付である。

D　年金資産とは、退職給付の支払いに充てるために企業が所有している資産である。

解答　▶　A

解　説

A　正しい。退職給付債務とは、退職給付のうち認識時点までに発生していると認められるものをいい、割引計算によって測定される。

B　正しくない。勤務費用とは、一期間の労働の対価として発生したと認められる退職給付をいい、割引計算によって測定される。

C　正しくない。利息費用とは、期首時点における退職給付債務について、期末までの時の経過によって発生する計算上の利息である。

D　正しくない。年金資産とは、企業年金制度に基づき退職給付に充てるため、社外に積み立てられている資産をいう。

**例題 5**　退職給付に関する次の記述のうち、正しいものはどれですか。

A　年金資産の運用により生じると期待される収益は、損益計算書上、営業外収益として計上される。

B　数理計算上の差異が生じた場合には、当該差異が生じた期の費用として処理しなければならない。

C　年金資産は期末時点の公正な評価額により測定されるが、貸借対照表には開示されない。

D　年金資産への拠出額は、損益計算書上、販売費及び一般管理費として計上される。

解答　　C

**解　説**

A　正しくない。年金資産の運用によって生じると期待される収益（期待運用収益）は、営業外収益として計上するのではなく、退職給付費用から控除する。

B　正しくない。数理計算上の差異が生じた場合には、当該差異は生じた期の費用として処理する必要はなく、平均残存勤務期間以内の一定年数にわたって費用処理することも認められている。

C　正しい。年金資産は期末時点の公正な評価額により測定され、退職給付債務と相殺されることになる。したがって、年金資産は貸借対照表に開示されない。

D　正しくない。年金資産への拠出額は、退職給付引当金（退職給付に係る負債）を減額させるだけであり、損益計算書には影響を及ぼさない。

**例題6**　以下の資料に基づいた場合、当期末の退職給付債務残高はいくらですか。

**【資料】**

① 期首の退職給付債務残高　　60,000千円

② 勤務費用　　　　　　　　　3,000千円

③ 利息費用　　　　　　　　　1,800千円

④ 退職給付の支払額　　　　　4,200千円

A　60,000千円

B　60,600千円

C　63,000千円

D　64,800千円

E　69,000千円

解答  B

**解　説**

期末の退職給付債務の金額は、期首退職給付債務に勤務費用と利息費用を加算して算出する。また、退職給付債務は退職給付の支払いによって減少する点にも注意が必要である。

計算式については、次のとおりである。

期末退職給付債務残高＝期首退職給付債務残高＋勤務費用＋利息費用

　　　　　　　　　　　　－退職給付の支払額

　　　　　　　　＝60,000千円＋3,000千円＋1,800千円－4,200千円

　　　　　　　　＝60,600千円

|例題 7| 次の資料に基づき各問に答えなさい。
　A社（決算期 3 月）の従業員Ｘに関する退職給付関連の資料は以下のとおりである。

【資料】

① 勤務期間：20X1年 4 月 1 日〜20X6年 3 月31日（ 5 年）

② 退職給付見込額：150万円（各期への配分は期間定額基準を適用）

③ 割引率： 3 ％

④ 長期期待運用収益率：2.5％

⑤ 年金基金への掛金：20万円（20X2年 3 月31日に拠出）

⑥ 上記以外の内容については考慮しない。


問 1　20X1年度における勤務費用はいくらですか。

A　　266,546円

B　　271,785円

C　　274,542円

D　　278,580円

E　1,332,731円


問 2　20X2年度における期待運用収益はいくらですか。

A　2,500円

B　5,000円

C　6,000円

D　6,664円

E　7,996円


問 3　20X2年度における退職給付費用はいくらですか。

A　269,542円

B　274,542円

C　276,538円

D　277,538円

E　287,538円

解答 ▶ | 問1　A　問2　B　問3　D

解説

問1　勤務費用とは、一期間の労働の対価として発生したと認められる退職給付をいい、割引計算により求められる。

　　資料②により、期間定額基準に基づき、退職給付見込額150万円を勤務期間の各期に配分すると、1年当たりの退職給付発生額は、30万円（＝150万円÷5年）と計算される。

　　20X1年度の勤務費用は、その期の退職給付発生額をその年度末時点の価値まで割り引いて求める。計算式で示すと、次のとおりである。

　　勤務費用＝20X1年度の退職給付発生額30万円÷$(1+0.03)^4$

　　　　　　≒266,546円

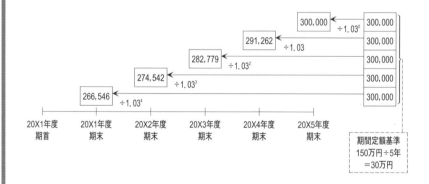

問2　年金資産の運用によって生じると合理的に期待される計算上の収益を期待運用収益といい、期首の年金資産の額に合理的に期待される収益率（長期期待運用収益率）を乗じて計算される。

　　　なお、本問では、20X2年度の期待運用収益が問われており、期首の年金資産の金額は、20X1年度末において年金基金に拠出された20万円である。

　　　期待運用収益について計算式で示すと、次のとおりである。

　　　　　期待運用収益＝20X2年度期首の年金資産20万円

　　　　　　　　　　　×長期期待運用収益率2.5％＝5,000円

問3　退職給付費用とは、将来の退職給付のうち当期の負担に属する金額のことである。具体的には、当期の勤務費用と利息費用の合計額から年金資産に係る当期の期待運用収益を差し引くことにより求まる。なお、本問では、資料⑥により、過去勤務費用及び数理計算上の差異の費用処理額は考慮する必要がない。

　　　退職給付費用について計算式で示すと、次のとおりである。

　　　　　退職給付費用＝勤務費用274,542円[※1]＋利息費用7,996円[※2]

　　　　　　　　　　　－期待運用収益5,000円[※3]＝277,538円

　　　　※1　勤務費用＝20X2年度の退職給付発生額30万円÷$(1+0.03)^3$

　　　　　　　　　　　≒274,542円

　　　　※2　利息費用＝20X2年度期首の退職給付債務266,546円

　　　　　　　　　　　×割引率3％≒7,996円

　　　　※3　期待運用収益は、問2より5,000円。

第4章

---

## 純資産会計

1．傾向と対策 ……………………………………130
2．ポイント整理と実戦力の養成 ……………131

　　1　株主資本／131

　　2　計数の変動／137

　　3　剰余金の配当／141

　　4　評価・換算差額等／143

　　5　新株予約権・株式引受権／144

　　6　包括利益／147

# 1. 傾向と対策

　純資産会計は、株主資本を中心とした出題が続いている。大半が正誤選択問題であるが、計算問題も出題されているため注意が必要である。個別と連結で若干の差異がある純資産の部の表示区分、自己株式の取り扱い、第1章で取り上げた株主資本等変動計算書のひな型については、得点に結び付きやすく、必ず整理しておく必要がある。配当や包括利益については、難易度の高い出題も散見されるため、深入りすることなく、基本的な事項を確認しておきたい。

| 項　　　　目 | 過　去　の　出　題 | 重要度 |
|---|---|---|
| 株主資本 | 2022年（春）・第1問・問8　（正誤）<br>2022年（春）・第2問・問5　（計算）<br>2022年（秋）・第1問・問6　（正誤）<br>2023年（秋）・第1問・問5　（正誤）<br>2023年（秋）・第2問・問1　（計算） | A |
| 計数の変動 | | C |
| 剰余金の配当 | 2022年（秋）・第1問・問6　（正誤）<br>2024年（春）・第2問・問5　（計算）<br>2024年（春）・第1問・問7　（正誤） | B |
| 評価・換算差額等 | 2022年（春）・第3問・Ⅰ　（計算）<br>2023年（春）・第1問・問4　（正誤）<br>2024年（春）・第1問・問4　（正誤） | B |
| 新株予約権・株式引受権 | 2023年（春）・第1問・問7　（正誤）<br>2024年（春）・第1問・問6　（正誤） | B |
| 包括利益 | 2022年（秋）・第2問・問1　（計算）<br>2023年（春）・第1問・問4　（正誤）<br>2024年（春）・第1問・問4　（正誤） | A |

# 2. ポイント整理と実戦力の養成

## 1　株主資本

### Point ① 資本金の意義（会社法445条 1 項）

株式会社の資本金の額は、設立または株式の発行に際して株主となる者が当該株式会社に対して払込みまたは給付をした財産の額とする。

### Point ② 資本金の算定（会社法445条 1 項、 2 項、 3 項）

① 原則……株式の払込みまたは給付した財産の額の全額

② 容認……株式の払込みまたは給付した財産に係る額の**2分の1**を超えない額は、資本金として計上しないことができる。この場合、資本金として計上しないことにした金額は、資本準備金として計上しなければならない。

### Point ③ 資本剰余金

資本剰余金とは、株主から拠出された払込資本のうち資本金以外の部分であり、資本準備金とその他資本剰余金に区分される。

① 資本準備金（会社法445条）

資本準備金は、株主から拠出された払込資本のうち、会社法に基づいて資本金としなかった金額である。株式払込剰余金などがこれに含まれる。

② その他資本剰余金

その他資本剰余金は、株主から拠出された払込資本であるにもかかわらず、資本金及び資本準備金としなかった金額である。資本金減少差益、資本準備金減少差益、自己株式処分差益などがこれに含まれる。

### Point ④ 利益剰余金

利益剰余金とは、払込資本等によって稼得した利益のうち、株主等に分配されずに企業内に蓄積された留保利益であり、利益準備金とその他利益剰余金に区分される。

① 利益準備金（会社法445条4項）

　　利益準備金とは、「その他利益剰余金」から配当を行うごとに、その10分の1ずつ積み立てられる法定準備金のことである。

② その他利益剰余金

　ａ．任意積立金

　　　任意積立金は、株主総会の決議によって任意に積み立てられた利益の留保額である。これには、使途が特定されているもの（新築積立金、配当平均積立金など）と使途が特定されていないもの（別途積立金）がある。

　ｂ．繰越利益剰余金

　　　会社の最終利益である当期純利益等が該当する。

## Point ⑤　自己株式

　　会社がいったん発行した自社の株式を取得して保有している場合、その株式を自己株式（または金庫株）という。自己株式の取得については、株主に対する会社財産の払い戻しの性質を有し、会社と株主の間の資本取引であると捉えることができるため、株式という資産の取得ではなく、株主資本からの控除項目として処理する。

① 自己株式の取得・保有

　　会社法施行以前では、定時株主総会の決議をもって取得することになっていたが、会社法では臨時株主総会の決議でも自己株式の取得が可能となり、機動的な取得を行うことができるようになった。また、自己株式を期末に保有している場合には、取得原価をもって**株主資本の末尾に「自己株式」として控除する形式**で表示される。

② 自己株式の処分

　ａ．自己株式の処分価額＞自己株式の帳簿価額（処分差益の場合）

　　　自己株式処分差益は、株主からの払込資本と同様の性格を有すると考え、「その他資本剰余金」に計上する。

　ｂ．自己株式の処分価額＜自己株式の帳簿価額（処分差損の場合）

　　　自己株式処分差損は、株主への分配と同様の性格を有すると考え、「その他資本剰余金」から減額する。

③ 自己株式の消却

　　取締役会による会社の意思決定をもって、保有する自己株式を消却するこ

とができる。自己株式を消却した場合には、消却手続が完了したときに、消却の対象となった自己株式の帳簿価額をその他資本剰余金から減額する。

④　その他資本剰余金の残高が負の値になった場合の取扱い

　　自己株式処分差損及び自己株式の消却の会計処理の結果、その他資本剰余金の残高が負の値となった場合には、その他資本剰余金をゼロとし、当該負の値をその他利益剰余金（繰越利益剰余金）から減額する。

⑤　自己株式の取得、処分及び消却に関する付随費用

　　自己株式の取得、処分及び消却に関する付随費用は、損益取引として営業外費用に計上される。

---

**参考　純資産の部の比較**

| ＜個別貸借対照表＞ | ＜連結貸借対照表＞ |
|---|---|
| 純資産の部 | 純資産の部 |
| Ⅰ　株主資本 | Ⅰ　株主資本 |
| 　1　資本金 | 　1　資本金 |
| 　2　資本剰余金 | 　2　資本剰余金 |
| 　⑴　資本準備金 | |
| 　⑵　その他資本剰余金 | |
| 　　　　　資本剰余金合計 | |
| 　3　利益剰余金 | 　3　利益剰余金 |
| 　⑴　利益準備金 | |
| 　⑵　その他利益剰余金 | |
| 　　　○○積立金 | |
| 　　　繰越利益剰余金 | |
| 　　　　　利益剰余金合計 | |
| 　4　自己株式 | 　4　自己株式 |
| 　　　　　株主資本合計 | 　　　　　株主資本合計 |
| Ⅱ　評価・換算差額等 | Ⅱ　その他の包括利益累計額 |
| 　1　その他有価証券評価差額金 | 　1　その他有価証券評価差額金 |
| 　2　繰延ヘッジ損益 | 　2　繰延ヘッジ損益 |
| 　3　土地再評価差額金 | 　3　土地再評価差額金 |
| | 　4　為替換算調整勘定 |
| | 　5　退職給付に係る調整累計額 |
| 　　　　評価・換算差額等合計 | 　　　　その他の包括利益累計額合計 |
| Ⅲ　株式引受権 | Ⅲ　株式引受権 |
| Ⅳ　新株予約権 | Ⅳ　新株予約権 |
| | Ⅴ　非支配株主持分 |
| 　　　　　　純資産合計 | 　　　　　　純資産合計 |

**例題1** 　個別貸借対照表の純資産の部に関する次の記述のうち、正しくないものはどれですか。

A　自己株式の処分によって生じる差損益は、その他資本剰余金に振り替えられる。

B　株主資本等変動計算書における株主資本の各項目の期末残高と、個別貸借対照表の純資産の部における株主資本の各項目の期末残高とは一致する。

C　その他有価証券の期末評価に関して生じた評価差額で純資産の部に計上されるものについては、評価・換算差額等の区分に表示する。

D　資本準備金の取崩しによって生じる剰余金は、分配可能なものとして扱われない。

解答　▶　D

**解　説**

A　正しい。自己株式の処分は株主との間の資本取引と考え、自己株式の処分に伴う処分差額は損益計算書に計上せず、純資産の部の株主資本の項目を直接増減させる。

B　正しい。株主資本等変動計算書の表示区分は、個別貸借対照表の純資産の部の表示区分に従っており、各項目の期末残高は、個別貸借対照表の純資産の部の各項目の期末残高と整合が図られている。

C　正しい。その他有価証券の評価差額で純資産の部に計上されるものについては、評価・換算差額等の区分に表示する。科目名称は、その他有価証券評価差額金となる。

D　正しくない。分配可能な剰余金には、その他利益剰余金だけでなく、その他資本剰余金も含まれる。

例題2　次の資料に基づいた場合、個別貸借対照表における株主資本の額はいくらですか。

【資料】

| のれん | 800千円 |
| その他有価証券評価差額金 | 400千円 |
| 自己株式 | 600千円 |
| 利益剰余金 | 2,400千円 |
| 新株予約権 | 200千円 |
| 資本金 | 4,000千円 |
| 資本剰余金 | 2,000千円 |

A　4,000千円

B　5,400千円

C　6,400千円

D　7,800千円

E　8,400千円

解答　▶　D

下記は、純資産の部の株主資本を抜粋したものである。

| ＜個別貸借対照表＞ |
| --- |

純資産の部抜粋

Ⅰ　株主資本

　1　資本金　　　　　　　　　　　　　　　　　×××

　2　資本剰余金

　　(1)　資本準備金　　　　　　　×××

　　(2)　その他資本剰余金　　　　×××

　　　　　　　　　資本剰余金合計×××　　×××

　3　利益剰余金

　　(1)　利益準備金　　　　　　　×××

　　(2)　その他利益剰余金

　　　　○○積立金　　　　　　　×××

　　　　繰越利益剰余金　　　　　×××

　　　　　　　　　利益剰余金合計×××　　×××

　4　自己株式　　　　　　　　　　　　△×××

　　　　　　　　　　株主資本合計　　　×××

　以上より、株主資本の額は、次のように計算される。のれん（資産項目）、その他有価証券評価差額金（評価・換算差額等）、新株予約権は、株主資本の計算には必要のないデータである。

　株主資本＝資本金＋資本剰余金＋利益剰余金－自己株式

　　　　　＝4,000千円＋2,000千円＋2,400千円－600千円

　　　　　＝7,800千円

## 2　計数の変動

## Point ①　計数の変動

　計数の変動とは、資本金、準備金、剰余金の金額が変動することで、純資産の項目間の移動や振替を意味する。つまり、純資産の項目を自由に増減変化させることができ、従来の形式的増資や減資といったものが該当することになる。計数の変動自体社外に資金が流出するものではないため、機動的に行うことができるようになった。

## Point ②　資本金・準備金の増加

① 　準備金の資本金組入（会社法448条）

　　会社は、株主総会の決議により、資本準備金や利益準備金を資本金に組み入れることができる。これによって資本金は増加するが、同額だけ資本準備金や利益準備金を減少させるため、純資産は増加しない。

② 　剰余金の資本金組入（会社法450条）

　　会社は、株主総会の決議により、その他資本剰余金やその他利益剰余金を資本金に組み入れることができる。これによって資本金は増加するが、同額だけその他資本剰余金やその他利益剰余金を減少させるため、純資産は増加しない。

③ 　剰余金の準備金組入（会社法451条）

　　剰余金（その他資本剰余金とその他利益剰余金）の準備金の組み入れも新たに認められている。ただし、資本準備金に組み入れられるのはその他資本剰余金のみで、利益準備金に組み入れられるのはその他利益剰余金のみとなる。

## Point ③ 資本金・準備金の減少（会社法447条、448条）

　会社は、株主総会の決議により、資本金または準備金（資本準備金あるいは利益準備金）を減少することができる。これは、従来の減資に該当するものである。減資の形態には、事業規模を縮小するために資本金の一部を払い戻す実質的減資と業績不振等により赤字の累積で生じた欠損を填補する形式的減資がある。特に、形式的減資の場合、資本金は減少するが純資産は減少しない。

　なお、減資で減少する資本金または準備金の額が、実質的減資で払い戻す資産額、または形式的減資で相殺される累積赤字の額を上回る場合には、その差額を資本金減少差益または資本準備金減少差益として、その他資本剰余金に計上する。

## Point ④ 剰余金間の振替（会社法452条）

　会社は、株主総会の決議により、損失の処理、任意積立金の積立やその他剰余金の処分（剰余金間の振替）をすることができる。これは、従来の当期純損失の填補や任意積立金の積立及び任意積立金の取崩しが該当する。したがって、純資産は増加しない。

**例題3**

A社X1年度末の株主資本残高は、資本金600,000千円、資本剰余金600,000千円、利益剰余金400,000千円、合計1,600,000千円であった。

X2年度中に新株の発行60,000千円、当期純利益の計上80,000千円、任意積立金の積立20,000千円、利益剰余金からの配当の支払い50,000千円、自己株式の取得4,000千円が生じたとき、以下の問に答えなさい。

問1　X2年度末の利益剰余金残高はいくらですか。

A　406,000千円

B　410,000千円

C　430,000千円

D　450,000千円

E　454,000千円

問2　X2年度中に取得した自己株式のすべてをX3年度に6,000千円で処分したと仮定する。その際に、資本剰余金と利益剰余金は、それぞれいくら増加しますか。

A　資本剰余金　　　　　0 円、利益剰余金　2,000千円

B　資本剰余金　　　　　0 円、利益剰余金　6,000千円

C　資本剰余金　2,000千円、利益剰余金　　　　　0 円

D　資本剰余金　2,000千円、利益剰余金　4,000千円

E　資本剰余金　6,000千円、利益剰余金　　　　　0 円

解答　▶　　問1　C　　　問2　C

問1　X2年度中の各取引が、株主資本の各項目にどのような変動をもたら
　すのか個別に確認する。

　　　新株の発行…………資本金または資本金及び資本準備金の増加

　　　当期純利益の計上…利益剰余金のうち繰越利益剰余金の増加

　　　任意積立金の積立…利益剰余金のうち任意積立金の増加及び繰越利益

　　　　　　　　　　　　剰余金の減少

　　　利益剰余金からの配当の支払い……利益剰余金の減少

　　　自己株式の取得……株主資本から控除

　　以上より、X2年度の利益剰余金の残高は、利益剰余金の変動をもた
　らす取引のみを抜き出して計算することにより算出できる。なお、任意
　積立金の積立は、利益剰余金の区分内での変動のため、利益剰余金全体
　としての金額に影響を与えない点に注意する。

　　　X2年度末の利益剰余金の残高

　　　＝X1年度末の利益剰余金400,000千円

　　　＋当期純利益の計上80,000千円

　　　－利益剰余金からの配当の支払い50,000千円＝430,000千円

問2　自己株式の取引は、企業と株主との間の資本取引であり、その取引に
　よって企業の業績である利益や損失は影響されない。したがって、保有
　していた自己株式を処分した場合、処分額と取得原価との差額は、利益
　剰余金に算入されず「その他資本剰余金」に加減される。算式で示すと、
　次のとおりである。

　　　その他資本剰余金

　　　＝自己株式の処分価額6,000千円－自己株式の取得原価4,000千円

　　　＝2,000千円

　　なお、「その他資本剰余金」は、資本剰余金に区分されるため、同額
　の「資本剰余金」が増加する。

## 3　剰余金の配当

### Point ① 剰余金の配当

　株主への配当については、利益である繰越利益剰余金から行われるのが一般的であるが、その他資本剰余金からも配当を行うことが許容されている。

### Point ② 剰余金の分配に係る回数制限の撤廃（会社法453条、454条1項）

　従来、資本金及び資本準備金の減少に伴う払い戻しや自己株式の取得は、いつでも行うことができるが、利益配当については年1回（中間配当を含めて年2回）しか行うことができなかった。しかし会社法では、回数の制限を設けることなく、年何回でも行うことができるようになった。

### Point ③ 剰余金の分配可能額（会社法461条1項、2項）

　会社法では、分配できる剰余金の額（剰余金の分配可能額）を算定し、その範囲内で分配する。ただし、純資産の金額が300万円を下回る場合には、株主に対して剰余金の配当を行うことができない（会社法458条）。剰余金の分配可能額の算定方法は、次のようになる。

①　決算日における剰余金の額

　　決算日における剰余金の額は、次のように求める。

| | 資産の額 |
|---|---|
| ＋ | 自己株式の帳簿価額 |
| － | 負債の額 |
| － | 資本金、準備金の額 |
| － | 法務省令で定める各勘定科目に計上した額の合計額（評価・換算差額等と株式引受権および新株予約権） |

　上記の算定方法は、結果的に、剰余金の額は、資本剰余金と利益剰余金のうち、資本準備金と利益準備金を控除した金額となる。つまり、その他資本剰余金とその他利益剰余金の合計額である。

② 分配時の剰余金の額

　分配時の剰余金の額は、決算日の剰余金の額を基礎として、これに期中における剰余金の変動（自己株式の処分差損、自己株式消却額、資本金・準備金の減少額等）を加減して求める。

　なお、株主へ配当する場合には、当該剰余金の配当により減少する剰余金の額に10分の１を乗じた金額を、資本準備金または利益準備金として積み立てることを要求している（会社法445条４項）。

③ 剰余金の分配可能額

　剰余金の分配可能額は、分配時の剰余金の額を基礎として、自己株式の帳簿価額、自己株式の処分価額、評価・換算差額等を加減して求める。

## Point ④ 役員賞与の取り扱い（会社法361条）

　これまでの役員賞与の取り扱いは、利益処分により未処分利益の減少として会計処理を行うことが一般的であった。会社法では、役員賞与は役員報酬とともに職務執行の対価として株式会社から受ける財産上の利益として整理されたため、従来の利益処分は廃止された。そのため、財団法人財務会計基準機構の企業会計基準委員会より「役員賞与に係る会計基準」が公表され、原則として発生時の費用として会計処理されることになった。

# 4 評価・換算差額等

## Point ① 評価・換算差額等

評価・換算差額等については、①その他有価証券評価差額金、②繰延ヘッジ損益及び③土地再評価差額金に大別することができる。なお、連結財務諸表の場合には、④為替換算調整勘定、⑤退職給付に係る調整累計額が含まれる。

なお、「評価・換算差額等」は、連結財務諸表では企業会計基準第25号「包括利益の表示に関する会計基準」の適用により、包括利益が算定・表示されるため「その他の包括利益累計額」となる。

| 個別財務諸表の場合<br>評価・換算差額等 | 連結財務諸表の場合<br>その他の包括利益累計額 |
|---|---|
| ①その他有価証券評価差額金 | ①その他有価証券評価差額金 |
| ②繰延ヘッジ損益 | ②繰延ヘッジ損益 |
| ③土地再評価差額金 | ③土地再評価差額金 |
| | ④為替換算調整勘定 |
| | ⑤退職給付に係る調整累計額 |

※ その他有価証券評価差額金は第2章、為替換算調整勘定は第5章、退職給付に係る調整累計額は第3章を参照。

## Point ② 繰延ヘッジ損益

① ヘッジ会計

ヘッジ会計とは、ヘッジ対象（現物の資産・負債等）に係る相場変動を相殺する等により、ヘッジ対象の価格変動、金利変動などの相場変動等による損失の可能性を減殺することを目的として、一定の要件を充たすものについて、ヘッジ対象に係る損益とヘッジ手段（デリバティブ取引）に係る損益を同一会計期間に認識し、ヘッジの効果を会計に反映させるための特殊な会計処理をいう。

② ヘッジ会計の方法

ヘッジ会計の方法には、時価ヘッジと繰延ヘッジがある。時価ヘッジとは、

決済などが行われるまで損益が確定しないヘッジ対象を時価評価し、その評価損益をヘッジ手段に係る損益が認識される会計期間に繰り上げて認識する方法をいう。一方、繰延ヘッジとは、時価評価されているヘッジ手段に係る損益を、ヘッジ対象の決済などによってその損益が確定するまで純資産の部に繰り延べる方法をいう。この繰延ヘッジによって純資産の部に計上される項目が繰延ヘッジ損益である。わが国の「金融商品に関する会計基準」では、繰延ヘッジが原則となっている。

## Point ③ 土地再評価差額金

土地再評価差額金とは、金融の円滑に資することを目的として制定された「土地の再評価に関する法律」に基づき、事業用土地について時価評価を行うことにより計上されたものである。具体的には、再評価を行った事業用土地の再評価額から当該事業用土地の再評価直前の帳簿価額を控除した金額に、税効果会計を適用して算定した差額を、貸借対照表の純資産の部に土地再評価差額金として計上しなければならない。

なお、この法律は、1998年 3 月31日から2002年 3 月31日までの決算日に1回だけ実施することを条件として認められた時限立法である。

## 5 新株予約権・株式引受権

## Point ① 新株予約権・株式引受権

新株予約権とは、一定期間内（行使請求期間）に一定の価格（行使価格）で新株の交付を受ける権利、または自己株式の移転を受ける権利である。したがって、新株予約権を発行した会社は、新株予約権者が権利を行使した場合に、新株を発行する、または自己株式を移転する義務を負うものである。

また、株式引受権とは、会社が取締役への報酬として自社の株式を条件付で無償交付する取引のうち、事後交付型にあたる契約において、条件の達成後に新株の交付または自己株式の移転を受ける権利である。したがって、株式引受権を発行した会社は、株式引受権者が権利確定条件を達成した場合、新株を発

行する、または自己株式を移転する義務を負うものである。「貸借対照表の純資産の部の表示に関する会計基準」が改正され、2021 年 3 月 1 日以降適用されている。なお、この株式引受権については、純資産の部の表示項目として追加された点に注意し、会計処理まで踏み込む必要はない。

## Point ② 新株予約権の会計処理（発行者側）

発行者側の新株予約権の取扱いは、次のとおりである。

① 新株予約権の発行時

新株予約権を発行した場合には、その発行に伴う払込金額をもって純資産の部に「新株予約権」として計上する。新株予約権は、その発行によって支払義務が生じることはないため負債ではなく純資産の項目とし、また、純資産の項目ではあるものの、新株予約権者は権利行使されるまで株主ではないため株主資本とは区別して表示する。

② 新株予約権の権利行使（新株を発行するケース）

新株予約権の権利を行使された場合、新株を発行するケースでは、現金による払込みによって新株が発行されるため、会社の資産及び資本金が増加する。新株予約権の発行に伴う払込金額と行使に伴う払込金額の合計額が新株の払込金額となり、この合計額を資本金に振り替える。ただし、新株の払込金額のうち資本金に組み入れない額を取締役会で決議している場合には、その払込金額を資本金及び資本準備金に振り替える。

③ 新株予約権の権利行使（自己株式を移転するケース）

新株予約権の権利を行使された場合、自己株式を移転するケースでは、現金による払込みによって会社の資産は増加するが、自己株式は減少する。新株予約権の払込価額と行使に伴う払込金額の合計額は、自己株式の処分価額と考えられるため、その合計額と自己株式の帳簿価額との差額を自己株式処分差益（または自己株式処分差損）として処理することになる。

④ 新株予約権の失効

新株予約権の権利が行使されずに行使請求期間が満了した場合には、新株予約権の発行に伴う払込金額を新株予約権戻入益などの科目で特別利益に振り替えなければならない。

**参考　新株予約権の会計処理の数値例**

　A社は次の条件で新株予約権を発行した。

(1)　新株予約権の目的たる株式の種類及び数：普通株式500万株

　　　　　　　　　　　　　　（新株予約権1個につき1株）

(2)　新株予約権の発行総数：500万個

(3)　新株予約権の払込金額：1個につき200円（1株につき200円）

(4)　行使価格：1株につき1,200円

(5)　新株予約権の行使の際の払込金額：1個につき1,200円（1株につき1,200円）

(6)　新株予約権の行使による株式の資本金組入額：全額資本金とする


ａ．発行時

　　新株予約権の払込金額：@200円×500万個＝10億円

貸借対照表　　　（億円）

| 現 金 預 金 | 10 | | |
|---|---|---|---|
| | | 新株予約権 | 10 |

ｂ．権利行使時（新株予約権のうち200万個が権利行使、現金による払い込みによって新株を発行）

　　払込金額：@1,200円×200万個＝24億円

　　（現金預金が24億円増加する）

　　権利行使された新株予約権：@200円×200万個＝4億円

　　（新株予約権4億円が資本金に振り替えられ、新株予約権は6億円（＝10億円－4億円）になる）

　　資本金組入額：24億円＋4億円＝28億円

貸借対照表　　（億円）

| 現 金 預 金　34 | |
| --- | --- |
| | 資 本 金　28 |
| | 新株予約権　6 |

c．行使請求期間終了時

未行使の新株予約権：@200円×300万個＝6億円

損益計算書で、新株予約権戻入益（特別利益）として6億円が計上され、貸借対照表（純資産の部）の新株予約権は結果として利益剰余金となる。

# 6　包括利益

## Point ① 包括利益とその他の包括利益

① 意義

a．包括利益

包括利益とは、ある企業の特定期間の財務諸表において認識された純資産の変動額のうち、当該企業の純資産に対する持分所有者（当該企業の株主や株式引受権及び新株予約権の所有者など）との直接的な取引によらない部分をいう。

b．その他の包括利益

その他の包括利益とは、包括利益のうち当期純利益に含まれない部分をいう。

② 包括利益の計算

連結財務諸表における包括利益の計算は、次のとおりである。

**包括利益＝当期純利益＋その他の包括利益の内訳項目**

その他の包括利益に含まれる主な項目は、「その他有価証券評価差額金」「繰延ヘッジ損益」「為替換算調整勘定」「退職給付に係る調整累計額」等であり、これらの項目の期中変化額は、「その他の包括利益」の内訳項目となる。

なお、「包括利益の表示に関する会計基準」では、当該規定を連結財務諸表においては2011年3月31日以後終了する連結会計年度から適用することとし、個別財務諸表では当面の間適用しないこととされている。

# Point ② クリーン・サープラス関係

利益とそれを生み出す元手としての資本の組み合わせとして、まず損益計算書の当期純利益と貸借対照表の株主資本の組み合わせが考えられる。資本取引による株主持分の払込みや払出しがなかった場合、この損益計算書で計算される当期純利益と、貸借対照表の株主資本の一会計期間における増減額は一致する。この関係は、損益計算書を経由していない項目が株主資本に混入されていない状況として、**クリーン・サープラス関係**とよばれる。

一方で、貸借対照表の純資産と損益計算書の当期純利益の組み合わせを考えた場合、評価・換算差額等（連結貸借対照表では、その他の包括利益累計額）が損益計算書を経由せず純資産の部に直接計上されるため、純資産の出資者との取引以外の変動額と損益計算書上の当期純利益が一致しない状況が生まれることになる。これを一般に**クリーン・サープラス問題**と呼んでいる。

包括利益とは、特定期間における純資産の変動額のうち、株主などとの直接的な取引によらない部分をいう。そこで当期純利益とあわせて包括利益を表示することにより、純資産の出資者との取引以外の変動額と包括利益が一致するクリーン・サープラス関係を明示できるように調整している。

例えば、当期において、当期純利益300とその他有価証券評価差額金100が計上された場合、貸借対照表と損益計算書の関係は以下のようになる。

| 期首純資産 | 期末純資産 | 当期P/L |

| 株主資本<br>1,500 | 株主資本<br>1,500 | （費用） | （収益） |

| | 300 | } 変動分 | 純利益<br>300 |

| 評価・換算差額等<br>200 | 評価・換算差額等<br>200 |

| | 100 | } 変動分 | その他の包括利益100 |

純資産の部　　　　　純資産の部
計1,700　　　　　　計2,100

　包括利益は、当期純利益300とその他の包括利益100の合計として400と算定され、これは純資産の変動額にも対応している。

# Point ③　包括利益の表示

　包括利益を表示する計算書は、当期純利益を表示する連結損益計算書と、包括利益を表示する連結包括利益計算書からなる形式である「2計算書方式」、または、当期純利益の表示と包括利益の表示を1つの計算書（連結損益及び包括利益計算書）で行う形式である「1計算書方式」のいずれかによる。

　なお、いずれの方式においても、当期純利益の表示が行われるが、包括利益の計算途上で当期純利益を表示するためには、**リサイクリング（組替調整）**が必要となる。リサイクリングとは、一度「その他の包括利益累計額」に算入された「その他の包括利益」がその後実現した場合に、連結損益及び包括利益計算書または連結損益計算書の当期純利益に計上することをいう。リサイクリングを行わなくても包括利益の額としては何ら変化することはないが、包括利益の計算途上で当期純利益を表示するためには必要となる。

【1計算書方式】　　　　　　　　　　　　　　【2計算書方式】

＜連結損益及び包括利益計算書＞　　　　　　＜連結損益計算書＞

| 売上高 | 10,000 | 売上高 | 10,000 |
|---|---|---|---|
| ----------- | | ----------- | |
| 税金等調整前当期純利益 | 2,000 | 税金等調整前当期純利益 | 2,000 |
| 法人税等 | 600 | 法人税等 | 600 |
| 当期純利益 | 1,400 | 当期純利益 | 1,400 |

（内訳）

| 親会社株主に帰属する当期純利益 | 1,330 | 非支配株主に帰属する当期純利益 | 70 |
|---|---|---|---|
| 非支配株主に帰属する当期純利益 | 70 | 親会社株主に帰属する当期純利益 | 1,330 |

＜連結包括利益計算書＞

| | | 当期純利益 | 1,400 |
|---|---|---|---|

その他の包括利益：　　　　　　　　　　　　その他の包括利益：

| その他有価証券評価差額金 | 600 | その他有価証券評価差額金 | 600 |
|---|---|---|---|
| 繰延ヘッジ損益 | 300 | 繰延ヘッジ損益 | 300 |
| 為替換算調整勘定 | △200 | 為替換算調整勘定 | △200 |
| その他の包括利益合計 | 700 | その他の包括利益合計 | 700 |
| 包括利益 | 2,100 | 包括利益 | 2,100 |

（内訳）　　　　　　　　　　　　　　　　　（内訳）

| 親会社株主に係る包括利益 | 1,995 | 親会社株主に係る包括利益 | 1,995 |
|---|---|---|---|
| 非支配株主に係る包括利益 | 105 | 非支配株主に係る包括利益 | 105 |

---

**例題4**

包括利益に関する次の記述のうち、正しいものはどれですか。

A　個別財務諸表では包括利益の表示が行われないため、包括利益に相当する金額を算定することができない。

B　連結財務諸表では、包括利益とあわせて当期純利益の開示も行っている。

C　資本取引による株主持分の払込みや払出しがなかった場合、包括利益と貸借対照表の株主資本の一会計期間における増減額は一致する。

D　リサイクリングを行わない場合、リサイクリングを行う場合と比べ、包括利益の額は少なく表示されてしまう。

解答　▶　　B

解　説

A　正しくない。包括利益は、個別財務諸表において開示されていないが、当期純利益と評価・換算差額等の期中変動額の合計により計算することができる。

B　正しい。包括利益は、2011年3月31日以後終了する連結会計年度の年度末に係る連結財務諸表から表示されている。包括利益は、当期純利益を表示する連結損益計算書と、包括利益を表示する連結包括利益計算書からなる「2計算書方式」、または、当期純利益の表示と包括利益の表示を1つの計算書（連結損益及び包括利益計算書）で行う「1計算書方式」のいずれかによる。したがって、いずれの形式であっても、包括利益、当期純利益ともに表示されている。

C　正しくない。資本取引による株主持分の払込みや払出しがなかった場合、包括利益と貸借対照表の純資産の一会計期間における増減額は一致する。資本取引による株主持分の払込みや払出しがなかった場合に、株主資本の一会計期間における増減額と一致するのは、損益計算書で計算される当期純利益である。

D　正しくない。リサイクリングとは、一度「その他の包括利益累計額」に算入された未実現損益（その他の包括利益）が、その後実現した場合に、連結損益及び包括利益計算書または連結損益計算書の当期純利益に振り替えることをいう。連結損益計算書の当期純利益を表示するためには、リサイクリングが不可欠であるが、リサイクリングを行わなくても包括利益の額としては何ら変化することはない。

# MEMO

第**5**章

損益会計

1．傾向と対策 ……………………………………154
2．ポイント整理と実戦力の養成 ……………155
    1　収益・費用の認識と測定／155
    2　収益認識基準／160
    3　外貨建取引の換算／182
    4　外貨建財務諸表の換算／189

# 1. 傾向と対策

収益の認識については、2021年4月より会計基準が大幅に改訂されている。かなり難易度の高い内容となっているため、本書の例題を中心に基本事項をよく確認しておこう。また、外貨換算会計は、ほぼ毎回出題されている。二取引基準、決算日レート法等の換算方法、外貨建有価証券、在外子会社の財務諸表の換算については、十分に理解しておく必要がある。

| 項　　目 | 過　去　の　出　題 | 重要度 |
|---|---|---|
| 収益・費用の認識と測定 | 2022年(秋)・第1問・問9（正誤） | B |
| 収益認識基準 | 2022年(春)・第2問・問2（計算） | A |
| | 2022年(秋)・第1問・問8（正誤） | |
| | 2023年(春)・第3問・Ⅰ（計算） | |
| | 2023年(秋)・第1問・問9（正誤） | |
| | 2024年(春)・第1問・問9（正誤） | |
| 外貨建取引の換算 | 2022年(秋)・第1問・問14（正誤） | A |
| | 2022年(秋)・第2問・問5（計算） | |
| | 2023年(秋)・第3問・Ⅱ（計算） | |
| | 2024年(春)・第1問・問14（正誤） | |
| 外貨建財務諸表の換算 | 2022年(春)・第2問・問4（計算） | B |
| | 2024年(春)・第1問・問14（正誤） | |

# 2. ポイント整理と実戦力の養成

## 1　収益・費用の認識と測定

### Point ① 収益の認識

　収益の認識とは、収益をどの時点で計上し、どの期間に帰属させるかをいう。この収益の認識については、企業の営業サイクルに照らして、伝統的な次の3つの考え方が存在する。なお、具体的な適用にあたっては、2021年4月より、後述の「収益認識に関する会計基準」および「収益認識に関する会計基準の適用指針」に従うことになっている。

① 発生主義

　財やサービスの価値は企業の生産活動を通じて徐々に発生すると考えられるため、それが発生する時点で収益を認識する考え方である。

② 実現主義

　収益を実現の事実に基づいて認識する考え方である。実現の事実とは次の要件を充たした時点をいい、販売基準とも呼ばれる。つまり、販売という行為によって、収益の確実性（キャッシュ・フローの裏付け）と客観性（取引による証拠）が得られる場合に収益を認識する。

> ① 第三者へ財貨または役務が提供されること
> ② ①の対価として現金または現金等価物を受け取ること

③ 現金主義

　企業が第三者に対して提供した財貨または役務の対価を現金で回収した時点で収益を認識する考え方である。

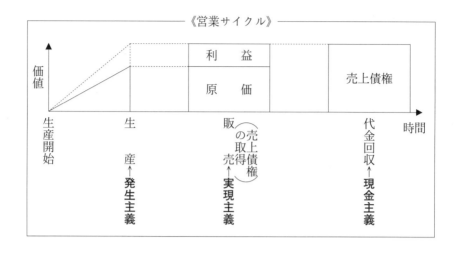

---

**参考　内部取引の相殺**

　収益の認識に当たっては、その要件の1つとして、「第三者への財貨また役務が提供されること」が挙げられる。この第三者とは、企業外部もしくは会計単位の異なる取引相手という意味である。

　この要件に照らして問題となるのが、個別会計における本店と支店、連結会計における親会社と子会社の間の取引である。それぞれの組織は、個別に事業活動を行い、収益を認識する。しかし、会計上、それぞれの組織は、企業内部もしくは同一の会計単位としてみなされる。つまり、本店と支店、親会社と子会社の間の売買取引によって生じる収益（売上）等は、内部取引として、最終的に公表財務諸表作成のうえでは相殺されることになる。

---

## Point ② 費用の認識

　費用は、発生主義に基づき、企業活動における経済価値の減少の事実、すなわち財貨及び用役の費消があった期に認識される。

　ただし、当期に発生した費用のすべてが当期の期間費用として認識されるとは限らない。例えば、「材料」の場合、これを当期に費消すれば「材料費」が

発生するが、棚卸資産原価を構成して次期以降に繰り越される場合には、当期の費用として認識されない。

## Point ③　収益・費用の対応

① 期間利益の算定

前述のように費用は発生主義により認識される。そして、発生費用のうち、当期の収益獲得に貢献した部分のみが「費用収益対応の原則」によって選び出された期間費用とされ、両者の差額が期間利益となる。なお、「費用収益対応の原則」とは、一会計期間における企業の経済活動によって獲得された収益とそれを獲得するために費やされた費用を対応させることにより、努力と成果という因果関係に基づいて期間損益を計算することを要請している原則である。

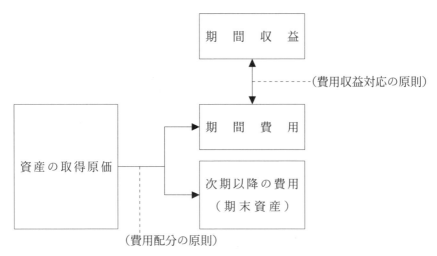

（費用配分の原則）

資産の取得原価のうち、その費消部分を当期の期間費用として配分するとともに、未費消部分を次期以降の費用として配分すべきことを要請する原則。

② 収益・費用の対応の類型

a．個別的対応……売上高と売上原価のように、商品または製品を媒介とした収益と費用の直接的な対応。

ｂ．期間的対応……売上高と販売費及び一般管理費などのように、会計期間を媒介とした収益と費用の間接的な対応。

## Point ④ 収益と費用の測定基準

　収益と費用の「測定」とは、収益と費用の金額を決定することであり、収益と費用の金額決定の基礎を現金収入額及び現金支出額に求めるという「収支額基準」が採用されている。ただし、収益と費用の認識時点と現金収支時点とは切り放されているため、ここにいう収支額とは、当期の収支額のみならず、過去及び将来を含めた収支額を指すことになる（例えば、減価償却費は過去の支出額に基づいて測定し、引当金は将来の支出額に基づいて測定される）。

---

**例題 1**　費用の認識に関する次の記述のうち、<u>正しくない</u>ものはどれですか。

A　費用収益対応の原則とは、発生した費用のうち、期間収益に対応するものを限定し、期間対応費用を決定することを要請する原則である。

B　販売費及び一般管理費は会計期間を媒介として計上される費用であり、売上高の獲得に貢献しているとはみなされない。

C　未だ発生していない将来の費用であっても、当期の費用として認識される場合がある。

D　損失は売上高の獲得に貢献しなかった費用であるが、価値は減少しているため、発生した期間の損益計算に含まれる。

解答　▶　　B

解 説

A　正しい。発生した費用はすべて当期の費用として計上される訳ではなく、当期に認識した収益に対応するものが当期の費用となる。このように、発生した費用から当期の費用を切り出すための考え方を、費用収益対応の原則という。

B　正しくない。販売費及び一般管理費は、売上原価のように、売上高と直接的対応（個別的対応）関係にあるとは必ずしもいえない。しかし、何らかの関連で売上高の獲得に貢献していることも推測されるため、販売費及び一般管理費は、会計期間を媒介とした間接的対応（期間的対応）により当期の費用として処理される。

C　正しい。以下の引当金の計上要件を充たすことで、将来の費用・損失を当期の費用・損失として認識することが認められている。

　　①　将来の特定の費用または損失であること

　　②　その発生が当期以前の事象に起因していること

　　③　発生の可能性が高いこと

　　④　その金額を合理的に見積もることができること

D　正しい。損失は収益の獲得になんら貢献しなかった費用であり、費用収益対応の原則に忠実にしたがえば、損益計算に含めることができなくなってしまう。しかし、実際に価値は減少しているため、損失が発生した期間の損益計算に含めることとなる。

# 2 収益認識基準

## Point ① 「収益認識に関する会計基準」の導入

従来、売上高をはじめとする収益の認識については、企業会計原則に準拠して処理されてきたが、2021年4月より、「収益認識に関する会計基準」および「収益認識に関する会計基準の適用指針」が適用される。この基準は、収益認識に関する国際的な比較可能性の確保の観点から、国際財務報告基準（IFRS）第15号の基本的な原則を取り入れている。

なお、日本国内の実務等に対応するために必要がある場合は、国際的な比較可能性を大きく損なわせない範囲で代替的な取扱いが追加されている（出荷基準等）。一方、従来認められていた割賦販売における割賦基準、返品調整引当金、ポイント引当金等については、本基準の適用により認められなくなった。

## Point ② 会計処理の5つのステップ

① 5つのステップの概要

「収益認識に関する会計基準」では、まず、収益認識に関して基本となる原則が示されている。

> 約束した財又はサービスの顧客への移転を当該財又はサービスと交換に企業が権利を得ると見込む対価の額で描写するように、収益を認識することである。

この原則に従って、収益を認識するために次の5つのステップを適用する。

| ステップ1 | 契約の識別 |
|---|---|
| ステップ2 | 履行義務の識別 |
| ステップ3 | 取引価格の算定 |
| ステップ4 | 履行義務への取引価格の配分 |
| ステップ5 | 履行義務の充足による収益の認識 |

②　5つのステップの適用例

　詳細に入る前に設例をもとに5つのステップを当てはめると次のようになる。

---

（設例）

　1）　当期首に、当社は顧客と、標準的な商品Xの販売と2年間の保守
　　　サービスを提供する1つの契約を締結した。

　2）　当社は、当期首に商品Xを顧客に引き渡し、当期首から翌期末ま
　　　で保守サービスを行う。

　3）　契約書に記載された対価の額は12,000千円である。

　4）　独立販売価格は、商品Xが12,000千円、保守サービスが2,400千円
　　　である。

---

| ステップ1 | 顧客との契約を識別する。 |
|---|---|
| ステップ2 | 商品Xの販売と保守サービスの提供を履行義務として識別し、それぞれを収益認識の単位とする。 |
| ステップ3 | 商品Xの販売及び保守サービスの提供に対する取引価格を12,000千円と算定する。 |
| ステップ4 | 商品X及び保守サービスの独立販売価格（12,000千円と2,400千円）に基づき、取引価格12,000千円を各履行義務に配分し、商品Xの取引価格は10,000千円、保守サービスの取引価格は2,000千円とする。 |
| ステップ5 | 履行義務の性質に基づき、商品Xの販売は一時点で履行義務を充足すると判断し、商品Xの引渡時に収益を認識する。また、保守サービスの提供は一定の期間にわたり履行義務が充足すると判断し、当期及び翌期の2年間にわたり収益を認識する。 |

　以上の5つのステップに基づいて、企業が当期に認識する収益の額は、商品Xの販売と保守サービスをまとめた1つの契約の対価である12,000千円ではなく、独立販売価格によって、商品Xの販売10,000千円（＝12,000千円÷（12,000千円＋2,400千円））と保守サービス2,000千円（＝2,400千円÷（12,000

千円＋2,400千円））に配分し、それぞれの履行義務の性質に基づき算定される。

したがって、商品Ｘの販売10,000千円と保守サービスの適用の当期分1,000千円の合計11,000千円が、当期の収益として認識される。

③　5つのステップの流れ

前述の5つのステップは、簡略化すると次のように示される。

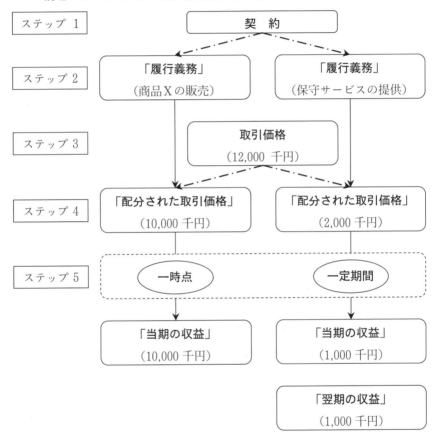

④　5つのステップの内容

| ステップ1 | 契約の識別 |

「収益認識に関する会計基準」を適用するにあたっては、次の1）から5）の要件をすべて満たすものを顧客との契約として識別する。なお、契約とは、法的な

強制力のある権利および義務を生じさせる複数の当事者間の取り決めをいう。

1）　当事者が、書面、口頭、取引慣行等により契約を承認し、それぞれ
　　の義務の履行を約束していること
2）　移転される財又はサービスに関する各当事者の権利を識別できること
3）　移転される財又はサービスの支払条件を識別できること
4）　契約に経済的実質があること
5）　顧客に移転する財又はサービスと交換に企業が権利を得ることとな
　　る対価を回収する可能性が高いこと
　　　当該対価を回収する可能性の評価に当たっては、対価の支払期限到
　　来時における顧客が支払う意思と能力を考慮する。

**ステップ 2　　履行義務の識別**

　契約における取引開始日に、顧客との契約において約束した財又はサービ
スを評価し、履行義務として識別する。履行義務とは、顧客との契約におい
て、次の1）又は2）のいずれかを顧客に移転する約束をいう。なお、収益
は、識別した履行義務ごとに認識する。

1）　別個の財又はサービス（例：商品や製品の販売）
2）　一連の別個の財又はサービス（例：日々の清掃サービス）

**ステップ 3　　取引価格の算定**

　取引価格とは、財又はサービスの顧客への移転と交換に、企業が権利を得
ると見込む対価の額（第三者のために回収する額（例えば消費税）を除く）
をいう。取引価格を算定する際には、次の1）から4）のすべてを考慮する。

1）　変動対価
2）　契約における重要な金融要素
3）　現金以外の対価
4）　顧客に支払われる対価

契約において約束した別個の財又はサービスの独立販売価格の比率に基づき、それぞれの履行義務に取引価格を配分する。独立販売価格を直接観察できない場合には、独立販売価格を見積る。この独立販売価格とは、財又はサービスを独立して企業が顧客に販売する場合の価格である。

企業は約束した財又はサービス（以下「資産」と記載することもある）を、顧客に移転して履行義務を充足した時に又は充足するにつれて、収益を認識する。

資産が移転するのは、顧客が当該資産に対する支配を獲得した時又は獲得するにつれてである。この資産に対する支配が顧客へ移転して履行義務を充足するタイミングについては、一定期間にわたる段階的な履行義務の充足と、一時点における履行義務の充足の2つに分かれる。

なお、資産に対する支配とは、当該資産の使用を指図し、当該資産からの残りの便益のほとんどすべてを享受する能力（他の企業は資産の使用を指図して資産から便益を享受することを妨げる能力を含む。）をいう。

---

支配の移転を検討する際の考慮要件

1）　企業が顧客に提供した資産に関する対価を収受する現在の権利を有していること

2）　顧客が資産に対する法的所有権を有していること

3）　企業が資産の物理的占有を移転したこと

4）　顧客が資産の所有に伴う重大なリスクを負い、経済価値を享受していること

5）　顧客が資産を検収したこと

---

⑤　収益認識のタイミング

　前述のステップ5でみたように、収益を認識するのは、履行義務の充足が「一定期間」にわたるのか「一時点」なのかにより分かれる。

1）　一定期間にわたり充足される履行義務

　　一定の期間にわたり充足される履行義務については、進捗度を見積り、当該進捗度に基づき収益を一定の期間にわたり認識する。また、一定期間にわたり履行義務を充足し収益を認識するのは、次の（a）から（c）の要件のいずれかを満たす場合である。

---

（a）企業が顧客との契約における義務を履行するにつれて、顧客が便益を享受すること

　（例：清掃サービス）

（b）企業が顧客との契約における義務を履行することにより、資産が生じる又は資産の価値が増加し、当該資産が生じる又はその資産の価値が増加するにつれて、顧客が当該資産を支配すること

　（例：建物の建設に係る工事契約）

（c）次の要件をいずれも満たすこと

　ⅰ）企業が顧客との契約における義務を履行することにより、別の用途に転用することができない資産が生じること

　ⅱ）企業が顧客との契約における義務の履行を完了した部分について、対価を収受する強制力のある権利を有していること

---

　　なお、一定の期間にわたり充足される履行義務については、進捗度を合理的に見積ることができる場合にのみ、収益を認識する。ただし、進捗度を合理的に見積ることができなくとも、その履行義務を充足する際に発生する費用の回収が見込まれる場合には、履行義務の充足に係る進捗度を合理的に見積ることができる時まで、一定の期間にわたり充足される履行義務について原価回収基準で処理する。この原価回収基準とは、履行義務を充足する際に発生する費用のうち、回収が見込まれる費用の金額で収益を認識する方法をいう。

2）　一時点で充足される履行義務

　　一定の期間にわたり充足される履行義務にかかる要件のいずれも満た
　さない場合には、一時点で充足される履行義務として、資産に対する支
　配を顧客に移転することにより、その履行義務が充足される時に、収益
　を認識する。

## Point ③　特定の状況又は取引の取扱い

「収益認識に関する会計基準の適用指針」では、特定の状況又は取引の取扱
いについて別途規定している。ここでは、代表的なものを取り上げる。

① 　財又はサービスに対する保証

　　ステップ2「履行義務の識別」で、約束した財又はサービスに対する保証
　が、当該財又はサービスが合意された仕様に従っているという保証のみであ
　る場合には、その保証は履行義務ではなく、企業会計原則注解（注18）に定
　める引当金として処理する。

　　一方、約束した財又はサービスに対する保証又はその一部が、その財又は
　サービスが合意された仕様に従っているという保証に加えて、顧客にサービ
　スを提供する保証（追加分の保証について、以下「保証サービス」という。）
　を含む場合には、保証サービスは履行義務であり、取引価格を財又はサービ
　ス及びその保証サービスに配分する。

| 保証 or 保証サービス | 会計処理 |
| --- | --- |
| （保証の例）<br>製品の販売に付随する購入後1年間の製品保証 | 保証として見込まれる金額を引当金として処理 |
| （保証サービスの例）<br>1年間の保証を3年間に延長する有料サービス | 製品の販売と保証サービスを別個の履行義務として処理 |

② 　本人と代理人の区別

　　ステップ2「履行義務の識別」で、顧客への財又はサービスの提供に他の
　当事者が関与している場合、顧客との約束がその財又はサービスを企業が自

ら提供する履行義務であると判断され、企業が本人に該当するときは、財又はサービスの提供と交換に、企業が権利を得ると見込む対価の総額を収益として認識する。

　一方、顧客との約束が、他の当事者によってその財又はサービスが提供されるように企業が手配する履行義務と判断され、企業が代理人に該当するときには、他の当事者から提供されるような手配と交換に、企業が権利を得ると見込む報酬又は手数料の金額を収益として認識する。

| 本人 or 代理人 | 財又はサービス | 収益として認識する額 |
|---|---|---|
| 本人に該当 | 自ら提供 | 対価の総額 |
| 代理人に該当 | 他の当事者によって提供されるよう手配 | 報酬または手数料の額 |

③　追加の財又はサービスを取得するオプションの付与

　ステップ2「履行義務の識別」で、顧客との契約において、既存の契約に加えて追加の財又はサービスを取得するオプション（ポイントやマイレージ等）がその契約を締結しなければ顧客が受け取れない重要な権利を顧客に提供するときにのみ、そのオプションから履行義務が生じる。この場合には、オプションに配分された対価は契約負債として認識し、将来の財又はサービスが移転する時、あるいは当該オプションが消滅する時に収益を認識する。

| オプションの例 | 会計処理 |
|---|---|
| （契約締結かつ重要な権利に該当）買い物ポイント、航空会社のマイレージ | 商品や航空券の販売とは別個の履行義務として処理 |
| （上記以外）無料配布のクーポン券 | 広告費等の費用処理 |

（設例）X1年度に価格100,000円の商品を現金で売り上げ、購入者に対して
　　　今後使用可能なポイントを10,000ポイント（10,000円分）付与し、購
　　　入者が次年度以降に使用すると想定する。

| 商品90,909円 | 収益として認識 |
|---|---|
| ポイント9,091円 | 契約負債（次年度以降の使用に伴い収益へ振替える） |

　この設例では、商品の取引価格である100,000円で収益（売上）を認識
することなく、商品の販売とポイントの付与を別個の履行義務として、そ
れぞれの履行義務に100,000円を按分する。

・取引価格100,000円を、独立販売価格（商品100,000円とポイント10,000
　円）の比率で配分

・商品90,909円＝100,000円×$\dfrac{独立販売価格100,000円}{(100,000円＋10,000円)}$

・ポイント9,091円＝100,000円×$\dfrac{独立販売価格10,000円}{(100,000円＋10,000円)}$

④　委託販売契約

　　商品又は製品を最終顧客に販売するため、販売業者等の他の当事者に引き
渡す場合には、他の当事者がその時点でその商品又は製品の支配を獲得した
かどうかを判定する。

　　他の当事者がその商品又は製品に対する支配を獲得していない場合には、
委託販売契約として他の当事者が商品又は製品を保有している可能性がある
ため、他の当事者への商品又は製品の引渡時点では、履行義務の充足による
収益の認識をしない。

　　契約が委託販売契約であることを示す指標には、例えば、次の1）から3）
がある。

> 1) 販売業者等が商品又は製品を顧客に販売するまで、あるいは所定の
>    期間が満了するまで、企業が商品又は製品を支配していること
> 2) 企業が、商品又は製品の返還を要求すること、あるいは第三者に商
>    品又は製品を販売できること
> 3) 販売業者等が、商品又は製品の対価を支払う無条件の義務を有して
>    いないこと
>    （ただし、販売業者等は預け金の支払を求められる場合がある）

| 商品又は製品の支配 | 契約形態 | 企業の収益認識時点 |
|---|---|---|
| 企業が支配 | 委託販売契約 | 販売業者が顧客へ販売した時点 |
| 販売業者が支配 | 通常の販売契約 | 企業が販売業者に販売した時点 |

⑤ 顧客による検収（検収基準）

　顧客による財又はサービスの検収は、顧客がその財又はサービスの支配を獲得したことを示す可能性がある。顧客に移転する財又はサービスが、契約において合意された仕様に従っていると客観的に判断できない場合には、顧客の検収が完了するまで、顧客はその財又はサービスに対する支配を獲得しない。

　一方、例えば、所定の大きさや重量であるか顧客が検収で確認する場合など、契約において合意された仕様に従っているため、財又はサービスに対する支配の移転が顧客へ移転されたことを客観的に判断できる場合には、顧客の検収は形式的なものであり、顧客による財又はサービスに対する支配の時点に関する判断には影響を与えない。

| 検収の例 | 収益認識時点 |
|---|---|
| （顧客でないと判断できない）<br>製造ラインや基幹システムの稼働の検収 | 検収完了時点 |
| （企業側でも判断できる）<br>所定の大きさや重量の検収 | 検収前でも可能 |

　また、商品又は製品を顧客に試用目的で引き渡し、試用期間が終了するまで顧客が対価の支払を約束していない場合、顧客が商品又は製品を検収するまで、あるいは試用期間が終了するまで、その商品又は製品に対する支配は顧客に移転しない。

　なお、これまでは、売上高を実現主義の原則に従って計上するに当たり、出荷基準が幅広く用いられてきた。そこで、原則である検収基準に加え、一定の条件のもとで出荷基準も代替的な取扱いとして認められている。

---

　商品又は製品の国内販売において、出荷時から商品又は製品の支配が顧客に移転される時（例えば顧客による検収時）までの期間が通常の期間である場合には、出荷時から商品又は製品の支配が顧客に移転される時までの一時点（例えば、出荷時や着荷時）に収益を認識することができる。

（原則）支配が顧客に移転される時点（検収時）に収益を認識する。

（代替的な取扱い）出荷から支配が顧客に移転されるまでの一時点（出荷時、着荷時）で収益を認識することができる。

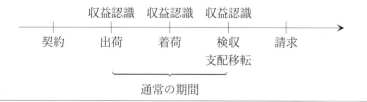

170

⑥　返品権付きの販売

　　返品権付きの販売とは、顧客との契約において、商品又は製品の支配を顧客に移転するとともに、その商品又は製品を返品して、次の1）から3）を受ける権利を顧客に付与する場合を指している。

---

1）　顧客が支払った対価の全額又は一部の返金

2）　顧客が企業に対して負う又は負う予定の金額に適用できる値引き

3）　別の商品又は製品への交換

---

　　このような返品権付きの商品又は製品（および返金条件付きで提供される一部のサービス）を販売した場合は、ステップ3「取引価格の算定」で、次の1）から3）のすべてについて処理する。

---

1）　企業が権利を得ると見込む対価の額で収益を認識する。ただし、2）の返品が見込まれる商品又は製品の対価は除く。

2）　返品が見込まれる商品又は製品については、収益を認識せず、その商品又は製品について受け取った又は受け取る対価の額で返金負債を認識する。

3）　返金負債の決済時に、顧客から商品又は製品を回収する権利について資産を認識する。

---

（設例）当社は、X1年度に商品Aを単価1,000円（原価700円）で、100個販売する契約を締結し、商品Aに対する支配を顧客に移転した時に現金を受け取った。この契約には返品権が付されており、未使用で30日以内であれば、顧客は購入時の単価で返品することができるものである。なお、販売した100個のうち、95個は返品されず、5個は返品されるものと見込んでいる。回収費用は無視すること。

| | 対価（売価相当額） | 原価相当額 |
|---|---|---|
| 権利を得ると見込む部分 | 収益（売上）<br>@1,000×95個＝95,000円 | 売上原価<br>@700×95個＝66,500円 |
| 返品されると見込む部分 | 返金負債<br>@1,000×5個＝5,000円 | 資産（返品資産）<br>@700×5個＝3,500円 |

## Point ④ 収益認識に関する会計基準による表示

「収益認識に関する会計基準」では、収益認識にかかる表示項目が以下のように規定されている。

① 貸借対照表における契約資産、契約負債及び顧客との契約から生じた債権の計上

　　企業が義務を履行している場合や企業が義務を履行する前に顧客から対価を受け取る場合等、契約のいずれかの当事者が義務を履行している場合、企業の履行と顧客の支払の関係に基づき、企業は、契約資産、契約負債又は顧客との契約から生じた債権を計上する。

| 契約資産 | 顧客との契約から生じた債権を除く、顧客に移転した財又はサービスと交換に受け取る対価に対する企業の権利である。契約資産の表示例としては、契約資産、工事未収入金等が挙げられる。 |
|---|---|
| 顧客との契約から生じた債権 | 企業が顧客に移転した財又はサービスと交換に受け取る対価に対する企業の権利のうちで無条件のものをいう。この無条件とは、当該対価を受け取る期限が到来する前に必要となるのが時の経過のみであるものをいう。顧客との契約から生じた債権の表示例としては、売掛金、営業債権等が挙げられる。 |
| 契約負債 | 財又はサービスを顧客に移転する企業の義務に対して、企業が顧客から対価を受け取ったもの、又は対価を受け取る期限が到来しているものである。契約負債の表示例としては、契約負債、前受金等が挙げられる。 |

② 損益計算書における顧客との契約から生じる収益の表示

　顧客との契約から生じる収益を、適切な科目をもって損益計算書に表示する。顧客との契約から生じる収益の表示例としては、売上高、売上収益、営業収益等が挙げられる。

　なお、顧客との契約から生じる収益については、それ以外の収益と区分して損益計算書に表示するか、損益計算書に区分して表示しない場合は、顧客との契約から生じる収益の額を注記する。さらに、顧客との契約に重要な金融要素が含まれる場合、顧客との契約から生じる収益と金融要素の影響（受取利息又は支払利息）を、損益計算書に区分して表示する。

「収益認識に関する会計基準」及び「収益認識に関する会計基準
の適用指針」に関する次の記述のうち、正しいものはどれですか。

A 「収益に関する会計基準」及び「収益に関する会計基準の適用指針」では、
国際財務報告基準（IFRS）第15号の基本的な原則を取り入れているため、
日本国内の実務等については一切考慮されない。

B 契約における取引開始日に、顧客との契約において約束した財又はサービ
スを評価し、顧客に移転する約束を履行義務として識別する。

C 取引価格とは、財又はサービスの顧客への移転と交換に、企業が権利を得
ると見込む対価の額であり、第三者のために回収する額も含んだ総額である。

D 顧客との契約を識別するためには、当事者の契約の承認や義務の履行の約
束が、書面で交わされた場合に限られる。

解答 ▶ B

### 解　説

A 正しくない。「収益に関する会計基準」及び「収益に関する会計基準の
適用指針」では、国際財務報告基準（IFRS）第15号の基本的な原則
を取り入れているが、日本国内の実務等に対応するために必要がある場合
には、国際的な比較可能性を大きく損なわせない範囲で代替的な取扱いが
認められている。

B 正しい。契約における取引開始日に、顧客との契約において約束した財
又はサービスを評価し、顧客に移転する約束を履行義務として識別する。
なお、履行義務とは、①別個の財又はサービス、②一連の別個の財又はサー
ビスのいずれかを顧客に移転する約束をいう。

C　正しくない。取引価格とは、財又はサービスの顧客への移転と交換に、企業が権利を得ると見込む対価の額であり、第三者のために回収する額は除いた額である。

D　正しくない。当事者が、書面、口頭、取引慣行等により、それぞれの義務の履行を約束していることは、契約として識別するための要件となる。

---

**例題 3**　「収益認識に関する会計基準」及び「収益認識に関する会計基準の適用指針」に関する次の記述のうち、正しいものはどれですか。

A　顧客との契約において、約束した財又はサービスを評価し、複数の履行義務として識別された場合、それらをまとめて収益を認識する。

B　企業は約束した財又はサービスを、顧客に移転して履行義務を充足した時のみ、収益を認識する。

C　一時点で充足される履行義務については、進捗度を見積り、当該進捗度に基づき収益を認識する。

D　履行義務への取引価格の配分は、契約において約束した別個の財又はサービスの独立販売価格の比率に基づいて行う。

---

解答　▶　D

---

**解　説**

A　正しくない。顧客との契約において、約束した財又はサービスを評価し、複数の履行義務として識別された場合、識別された履行義務ごとに収益を認識する。

B　正しくない。企業は約束した財又はサービスを、顧客に移転して履行義務を充足した時又は充足するにつれて、収益を認識する。

C　正しくない。一定の期間にわたり充足される履行義務については、進捗度を見積り、当該進捗度に基づき収益を一定の期間にわたり認識する。

D　正しい。契約において約束した別個の財又はサービスの独立販売価格に基づき、それぞれの履行義務に取引価格を配分する。この独立販売価格とは、財又はサービスを独立して企業が顧客に販売する場合の価格である。

**例題 4**　「収益認識に関する会計基準」及び「収益認識に関する会計基準の適用指針」に関する次の記述のうち、正しいものはどれですか。

A　約束した財又はサービスに対する保証又はその一部が、その財又はサービスが合意された仕様に従っているという保証に加えて、顧客にサービスを提供する保証（保証サービス）を含む場合には、取引価格をその財又はサービス及びその保証サービスに配分する。

B　約束した財又はサービスに対する保証が、当該財又はサービスが合意された仕様に従っているという保証のみである場合には、保証として見込まれる金額を資産として処理する。

C　顧客との約束が、他の当事者によってその財又はサービスが提供されるように企業が手配する履行義務と判断され、企業が代理人に該当するときには、企業が権利を得ると見込む財又はサービスの対価の総額に手数料を加えた金額を収益として認識する。

D　顧客との契約において、既存の契約に加えて追加の財又はサービスを取得するオプションが重要な権利に該当する場合、当該オプションに配分された対価は契約資産として認識する。

解答  　A

## 解　説

A　正しい。財又はサービスに対する保証については、合意された仕様に従っているという保証に加えて、保証サービスを提供する場合には、当該保証サービスは別個の履行義務として識別され、取引価格をその財又はサービス及びその保証サービスに配分する。

B　正しくない。約束した財又はサービスに対する保証が、当該財又はサービスが合意された仕様に従っているという保証のみである場合には、その保証として見込まれる金額を引当金として処理する。

C　正しくない。顧客との約束が、他の当事者によってその財又はサービスが提供されるように企業が手配する履行義務と判断され、企業が代理人に該当するときには、企業が権利を得ると見込む手数料の金額を収益として認識する。財又はサービスの対価の総額を収益として認識するのは、企業が財又はサービスを自ら提供する本人に該当する場合である。

D　正しくない。顧客との契約において、既存の契約に加えて追加の財又はサービスを取得するオプションが重要な権利に該当する場合、当該オプションに配分された対価は契約負債として認識する。なお、将来の財又はサービスが顧客に移転する時、あるいは当該オプションが消滅するときに収益を認識する。

---

| 例題 5 |
| :--- |

「収益認識に関する会計基準」及び「収益認識に関する会計基準の適用指針」に関する次の記述のうち、正しいものはどれですか。

A　委託販売契約に該当する場合、企業は、販売業者等に商品を販売した時点で収益を認識する。

B　商品又は製品の国内販売においては、すべて検収基準によって収益を認識する。

C　顧客に移転する財又はサービスが、契約において合意された仕様に従っていると客観的に判断できない場合には、検収完了時点で収益を認識する。

D　返品権付きの販売においては、返品が見込まれる商品又は製品の販売価格を含めて収益を認識する。

解答　▶　C

解　説

A　正しくない。委託販売契約に該当する場合、企業は、販売業者等が顧客に商品を販売した時点で収益を認識する。

B　正しくない。商品又は製品の国内販売において、出荷時から商品又は製品の支配が顧客に移転される時までの期間が通常の期間である場合には、出荷時から商品又は製品の支配が顧客に移転される時までの一時点（出荷時や着荷時）に収益を認識することができる。したがって、検収基準に加え、代替的な取扱いとして、一定の条件の下で、出荷基準や着荷基準も認められる。

C　正しい。顧客に移転する財又はサービスが、契約において合意された仕様に従っていると客観的に判断できない場合には、顧客の検収が完了するまで、顧客はその財又はサービスに対する支配を獲得しない。したがって、この場合には、顧客の検収完了時点で収益を認識する。

D　正しくない。返品権付き販売においては、返品が見込まれる商品又は製品について収益を認識せず、その商品又は製品について受け取った又は受け取る対価の額で返金負債を認識する。

**例題 6**

　　A社は、高層ビルの建設に関する工事契約を締結した。契約で定められた工事収益総額は500億円、見積総工事原価は300億円であり、工期は 3 年とする。

各期の実際工事原価

| 第 1 期 | 第 2 期 | 第 3 期 |
|---------|---------|---------|
| 150億円 | 90億円 | 60億円 |

① 　履行義務の充足に係る進捗度を合理的に見積ることができる場合、第 2 期の工事収益はいくらですか。なお、決算日のおける工事進捗度は工事原価の発生割合により算定する。

A　100億円

B　150億円

C　250億円

D　300億円

E　500億円

② 　第 1 期及び第 2 期の決算日には、履行義務の充足に係る進捗度を合理的に見積ることができない場合、第 2 期の工事収益はいくらですか。なお、第 1 期及び第 2 期は、原価回収基準を適用する。

A　　0

B　　60億円

C　　90億円

D　150億円

E　300億円

解答 ▶ 　　① 　B　　② 　C

① 履行義務の充足に係る進捗度を合理的に見積ることができる場合の各期の損益は次のようになる。

| | 第 1 期 | 第 2 期 | 第 3 期 | 合計 |
|---|---|---|---|---|
| 工事収益 | 250億円 | 150億円 | 100億円 | 500億円 |
| 工事原価 | 150億円 | 90億円 | 60億円 | 300億円 |
| 工事利益 | 100億円 | 60億円 | 40億円 | 200億円 |

各期の工事原価は、表に記載されている実際工事原価を計上する。

各期の工事収益は、進捗度（工事原価の発生割合）により、工事収益総額500億円を配分する。

$$各期の工事収益＝工事収益総額 \times \frac{各期の実際工事原価}{見積総工事原価}$$

$$第 1 期：500億円 \times \frac{150億円}{300億円}＝250億円$$

$$第 2 期：500億円 \times \frac{90億円}{300億円}＝\underline{150億円}$$

$$第 3 期：500億円 \times \frac{60億円}{300億円}＝100億円$$

② 履行義務の充足に係る進捗度を合理的に見積ることができない場合、原価回収基準を適用して計算される各期の損益は次のようになる。

| | 第 1 期 | 第 2 期 | 第 3 期 | 合計 |
|---|---|---|---|---|
| 工事収益 | 150億円 | <u>90億円</u> | 260億円 | 500億円 |
| 工事原価 | 150億円 | 90億円 | 60億円 | 300億円 |
| 工事利益 | 0 | 0 | 200億円 | 200億円 |

各期の工事原価は、表に記載されている実際工事原価を計上する。

原価回収基準では、履行義務を充足する際に発生する費用のうち、回収が見込まれる費用の金額で収益を認識する。したがって、第 1 期及び第 2 期の工事収益は、工事原価と同額の、それぞれ150億円、<u>90億円</u>を計上する。

　第 3 期は、第 1 期及び第 2 期の工事収益合計額を工事収益総額から控除した金額を計上する。

第 3 期工事収益＝工事収益総額－（第 1 期工事収益＋第 2 期工事収益）

　　　　　　　＝500億円－（150億円＋90億円）

　　　　　　　＝260億円

## 3　外貨建取引の換算

### Point ① 取引発生時の処理

外貨建取引は、原則として、当該取引発生時の為替相場による円換算額をもって記録する。

### Point ② 外貨建取引の会計処理方法

① 　一取引基準

外貨建取引と当該取引に係る代金の円決済取引とを連続した１つの取引とみなして会計処理を行う考え方をいう。一取引基準においては、為替差額（為替換算差額と為替決済差額）は独立の損益とされず、売上高及び仕入原価の修正として扱われる。

② 　二取引基準

外貨建取引と当該取引に係る代金の円決済取引とを別個の取引とみなして会計処理を行う考え方をいう。二取引基準では、為替差額（為替換算差額と為替決済差額）は為替差損益（財務損益）として計上する。

③ 　現行制度上の処理

外貨建取引等会計処理基準によると、外貨建債権債務の決算時の換算については、換算差額を認識する方法を採用している。

つまり、二取引基準にしたがって処理される。これは、一取引基準によると、遡って取引を修正する必要があり、実務的に煩雑だからである。

また、決算時に生ずる為替換算損益と決済時に生ずる為替決済損益とを分離した処理・表示は要求されておらず、両者を一括した「為替差損益」として処理・表示することとしている。

## Point ③　決済に伴う損益の処理

　　外貨建金銭債権債務の決済（外国通貨の円転換を含む）に伴って生じた損益は、原則として、当期の為替差損益として処理する。

## Point ④　決算時の外貨建項目の換算

① 　各種の換算方法

　　決算時の外貨建項目には、「外貨建取引による外貨建項目」と「在外支店・在外子会社の財務諸表項目」とがある。決算時の外貨建項目の換算方法については、以下の表のとおり4つの代表的な考え方がある。

| 換算方法 | 外貨建項目 | 為替レート |
|---|---|---|
| 決算日レート法 | すべての項目※ | 決算時レート（CR） |
| 流動・非流動法 | 流動項目 | 決算時レート（CR） |
| | 非流動項目 | 取得時または発生時レート（HR） |
| 貨幣・非貨幣法 | 貨幣項目 | 決算時レート（CR） |
| | 非貨幣項目 | 取得時または発生時レート（HR） |
| テンポラル法 | 決算時の外貨で測定されている項目 | 決算時レート（CR） |
| | 取得時あるいは発生時の外貨で測定されている項目 | 取得時または発生時レート（HR） |

（CR：Current Rate、HR：Historical Rate）

　※ 　在外子会社財務諸表の換算については、後述する。

② 外貨建項目の換算基準

外貨建取引等会計処理基準によれば、金融商品の決算時の換算は、次のように行われる。

| | | | 換算基準 | 換算差額の処理 |
|---|---|---|---|---|
| 外国通貨 | | | CR | 為替差損益 |
| 外貨建金銭債権債務 | | | | |
| 外貨建有価証券 | | 満期保有目的の債券 | 外貨取得原価または償却原価×CR※ | 有価証券利息及び為替差損益 |
| | | 売買目的有価証券 | 外貨時価×CR | 有価証券評価損益 |
| | その他有価証券 | 債券 | | （原則）評価差額の処理に準じ、純資産の部に計上<br>（容認）外貨ベースの時価の変動を評価差額として純資産の部に計上し、それ以外を当期の為替差損益として処理 |
| | | 株式（債券以外） | | 全部純資産直入法（原則）または部分純資産直入法により処理 |
| | | 子会社・関連会社株式 | 外貨取得原価×HR | |
| | | 強制評価減された有価証券 | 外貨時価または実質価額×CR | 投資有価証券評価損 |

※ 償却原価法における償却額は、外貨による償却額を期中平均レート（AR：Average Rate）で換算。

184

例題 7

外貨換算会計に関する次の記述のうち、正しいものはどれですか。

A　外貨建の満期保有目的の債券は、外貨による取得原価または償却原価に決算時の為替相場（CR）を乗じて換算され、換算差額は有価証券利息として処理される。

B　外貨建のその他有価証券は、時価を発生時の為替相場（HR）により換算する。

C　流動・非流動法のもとでは、販売目的の不動産は決算時の為替相場（CR）で換算される。

D　テンポラル法とは、すべての外貨建項目をCRで換算する方法である。

解答　　C

解　説

A　正しくない。外貨建の満期保有目的の債券の換算は、金銭債権との類似性を重視して、外貨による取得原価または償却原価に決算時の為替相場（CR）を乗じて行い、換算差額は為替差損益として処理される。

B　正しくない。外貨建のその他有価証券は、外貨による時価を決算時の為替相場（CR）により換算する。

C　正しい。流動・非流動法とは、流動項目については決算時の為替相場（CR）で、非流動項目については取得時または発生時の為替相場（HR）で換算する方法である。したがって、販売目的の不動産は棚卸資産に該当し、正常営業循環基準により流動資産に区分されるため、CRで換算される。

D　正しくない。テンポラル法とは、取得原価で測定されている項目については取得時または発生時の為替相場（HR）で換算し、時価測定されている項目については決算時の為替相場（CR）で換算する方法をいう。すべての外貨建項目を決算時の為替相場（CR）で換算する方法は、決算日レート法（カレント・レート法）である。

例題 8　A社には、下記のような米ドル建ての項目がある。各項目の決算時の換算により生じる為替差損益はいくらですか。なお、為替差益と為替差損がともに生じた場合には相殺すること。

〔金銭債権債務〕

| | 発生時 | | 決算時 | |
|---|---|---|---|---|
| | 外貨建残高 | 為替レート | 外貨建残高 | 為替レート |
| 売上債権（資産） | 1,000千ドル | 113円/ドル | 1,000千ドル | 109円/ドル |
| 仕入債務（負債） | 1,200千ドル | 111円/ドル | 1,200千ドル | |

〔有価証券〕

| | 取得時 | | 決算時 | |
|---|---|---|---|---|
| | 原価 | 為替レート | 時価 | 為替レート |
| 売買目的有価証券 | 200千ドル | 112円/ドル | 220千ドル | 109円/ドル |
| 満期保有目的の債券[※1] | 800千ドル | 114円/ドル | 810千ドル | |
| その他有価証券[※2] | 500千ドル | 113円/ドル | 520千ドル | |

※1　額面は、800千ドルである。

※2　すべて株式であり、全部純資産直入法により処理する。税効果は無視すること。

A　為替差損　1,600千円

B　為替差益　2,400千円

C　為替差損　3,840千円

D　為替差益　4,160千円

E　為替差損　5,600千円

解答 ▶ 　E

## 解　説

外貨建項目の換算差額の計算は、円貨額で比較する。

〔金銭債権債務〕

| | 発生時 | 決算時 | 換算差額 |
|---|---|---|---|
| 売上債権（資産） | 113,000千円[※1] | 109,000千円[※2] | 為替差損4,000千円[※3] |
| 仕入債務（負債） | 133,200千円[※4] | 130,800千円[※5] | 為替差益2,400千円[※6] |

※1　発生時：売上債権残高1,000千ドル×発生時レート113円/ドル

※2　決算時：売上債権残高1,000千ドル×決算時レート109円/ドル

※3　売上債権（資産）の減少による差額のため、為替差損として処理する。

※4　発生時：仕入債務残高1,200千ドル×発生時レート111円/ドル

※5　決算時：仕入債務残高1,200千ドル×決算時レート109円/ドル

※6　仕入債務（負債）の減少による差額のため、為替差益として処理する。

〔有価証券〕

| | 取得時 | 決算時 | 換算差額 |
|---|---|---|---|
| 売買目的有価証券 | 22,400千円[※1] | 23,980千円[※2] | 有価証券評価益1,580千円[※3] |
| 満期保有目的の債券 | 91,200千円[※4] | 87,200千円[※5] | 為替差損4,000千円[※6] |
| その他有価証券 | 56,500千円[※7] | 56,680千円[※8] | その他有価証券評価差額金180千円[※9] |

※1　取得時：取得原価200千ドル×取得時レート112円/ドル

※2　決算時：時価220千ドル×決算時レート109円/ドル

※3　時価評価および為替レートの影響は、まとめて有価証券評価益として
　　処理する。

※4　取得時：取得原価800千ドル×取得時レート114円/ドル

※5　決算時：取得原価800千ドル×決算時レート109円/ドル

※6　満期保有目的の債券は、原則として取得原価で評価され、時価評価の
　　影響は受けない。また、本問は、取得原価と額面価額が同額のため、償
　　却原価法は適用しない。したがって、為替レートの影響のみ為替差損と
　　して処理する。

※7　取得時：取得原価500千ドル×取得時レート113円/ドル

※8　決算時：時価520千ドル×決算時レート109円/ドル

※9　時価評価および為替レートの影響は、まとめてその他有価証券評価差
　　額金として処理する。


　以上より、為替差益（2,400千円）と為替差損（4,000千円＋4,000千円）
を相殺して、為替差損5,600千円が求められる。

# 4　外貨建財務諸表の換算

## Point ①　在外支店の財務諸表の換算

　在外支店の財務諸表項目の換算は、本国主義の考え方に基づき原則として本店と同様の換算方法を用いなければならない。

　在外支店の財務諸表項目の換算方法を示すと、次のようになる。

| 項　　　目 | 換　算　方　法　等 |
|---|---|
| 通貨、金銭債権債務、有価証券等 | 本店の換算基準にしたがって換算される。 |
| 非貨幣項目 | 取得原価で記録されているものは取得時の為替レート（HR）、取得原価以外の価額で記録されているものはその価額が付されたときの為替レート（テンポラル法の採用）。 |
| 収益・費用 | 原則、本店と同じく発生時レート（HR）で換算するが、期中平均レート（AR）による換算も認められている。ただし、前受金、前受収益等の収益性負債の収益化額、棚卸資産や有形固定資産等の費用性資産の費用化額は除く。 |
| 換算差額の処理 | 換算によって生じた差額は、為替差損益として処理。 |

※　決算日レート法の適用

　非貨幣性項目の金額に重要性がない場合には、すべての貸借対照表項目（支店における本店勘定を除く）について、決算時の為替相場（CR）で換算することができる。この場合、損益計算書項目についても決算時の為替相場（CR）による円換算額を適用することができる。

## Point ② 在外子会社の財務諸表の換算

在外子会社の財務諸表の換算には、原則として、決算日レート法が採用される。決算日レート法は、在外子会社が存在する国の通貨によって作成された財務諸表を可能な限り尊重し、各項目間の関係を変えることがないようにする方法として導入されたものである。

在外子会社の財務諸表項目の換算方法を示すと、次のようになる。

| 項　　目 | 換 算 方 法 等 |
|---|---|
| 資産及び負債 | 決算時レート（CR） |
| 親会社に対する債権及び債務 | 親会社が換算に用いる為替レート |
| 純資産 | 親会社による株式取得時の為替レート（HR）<br>取得後に生じた項目については、当該項目の発生時の為替レート（HR） |
| 為替換算調整勘定 | B/S上の換算差額は純資産の部に計上 |
| 収益及び費用 | 原則として、期中平均レート（AR）によるが、例外として、決算時レート（CR）も可 |
| 当期純利益 | 原則として、期中平均レート（AR）によるが、例外として、決算時レート（CR）も可 |
| 親会社との取引による収益及び費用 | 親会社が換算に用いる為替レート<br>この場合生じる P/L 上の換算差額は為替差損益とする |

---

**例題 9**

**外貨換算に関する次の記述のうち、正しいものはどれですか。**

A 在外支店の財務諸表の換算によって生じた換算差額は、為替換算調整勘定として処理する。

B 在外子会社の財務諸表項目は、原則として、テンポラル法によって処理される。

C　在外子会社の財務諸表項目のうち、収益及び費用については、原則として、貨幣・非貨幣法で換算する。

D　在外子会社の財務諸表の換算によって生じた為替換算調整勘定は、貸借対照表上、純資産の部に計上される。

解答　▷　D

 解　説

A　正しくない。在外支店の財務諸表の換算によって生じた換算差額は、当期の為替差損益として処理される。

B　正しくない。在外子会社の財務諸表項目は、原則として、決算日レート法によって換算される。

C　正しくない。在外子会社の財務諸表項目のうち、収益及び費用については、原則として、期中平均レートで換算する。

D　正しい。在外子会社の財務諸表項目は、決算日レート法で換算され、資産・負債項目については、決算日レート（ＣＲ）で換算する。また、親会社による株式の取得時における純資産に属する項目については、株式取得時のレート（ＨＲ）により換算する。さらに、収益・費用項目については、原則として期中平均レート（ＡＲ）により換算する。したがって、在外子会社の財務諸表を換算する場合、決算日レート法を採用しつつも、財務諸表項目によっては、決算日レート以外のレートも用いられることから、換算差額が生じることとなり、その差額は為替換算調整勘定として貸借対照表の純資産の部に計上される。

以下の資料から、為替換算調整勘定の金額はいくらですか。

在外子会社・外貨建財務データ

| ・要約貸借対照表（単位：千ドル） | |
| --- | --- |
| 諸　　資　　産 | 16,000 |
| 資　産　合　計 | 16,000 |
| 諸　　負　　債 | 10,500 |
| 資　　本　　金 | 5,000 |
| 利　益　剰　余　金 | 500 |
| 負債・純資産合計 | 16,000 |
| ・要約損益計算書（単位：千ドル） | |
| 収　　　　　　益 | 20,000 |
| 費　　　　　　用 | 19,700 |
| 当　期　純　利　益 | 300 |
| ・要約株主資本変動計算書（単位：千ドル） | |
| 利益剰余金期首残高 | 300 |
| 当　期　純　利　益 | 300 |
| 配　　　当　　　金 | 100 |
| 利益剰余金期末残高 | 500 |

〈適用レート〉

・子会社株式取得時レート：
95円/ドル

・配当決議日レート：
107円/ドル

・決算日レート：
100円/ドル

・期中平均レート：
103円/ドル

〈その他〉

・収益と費用は、期中平均レートで換算

・配当金は、配当決議日レートで換算

・利益剰余金期首残高円貨額：30,000千円

A　12,500千円

B　24,800千円

C　35,600千円

D　47,200千円

E　50,500千円

解答　▶　　B

**解　説**

以下の順に換算する。

(1) 収益・費用を期中平均レートで換算

(2) 当期純利益を株主資本等変動計算書へ移記

(3) 利益剰余金期首残高は、円貨額を記載

(4) 株主資本変動計算書で利益剰余金期末残高を計算し、貸借対照表へ移記

(5) 資産・負債を決算日レート、資本金を子会社株式取得時レートで換算

(6) 貸借対照表の差額を為替換算調整勘定として計上

**・要約損益計算書**

| | ドル表示額 | 換算レート | 円表示額<br>（単位：千円） |
|---|---|---|---|
| 収　　　　益 | 20,000 | 103 | 2,060,000 |
| 費　　　　用 | 19,700 | 103 | 2,029,100 |
| 当 期 純 利 益 | 300 | 103 | 30,900 |

**・要約株主資本変動計算書**

| | | | |
|---|---|---|---|
| 利益剰余金期首残高 | 300 | 指示あり | 30,000 |
| 当 期 純 利 益 | 300 | | 30,900 |
| 配　　当　　金 | 100 | 107 | 10,700 |
| 利益剰余金期末残高 | 500 | | 50,200 |

**・要約貸借対照表**

| | | | |
|---|---|---|---|
| 諸　資　産 | 16,000 | 100 | 1,600,000 |
| 資 産 合 計 | 16,000 | | 1,600,000 |
| 諸　負　債 | 10,500 | 100 | 1,050,000 |
| 資　本　金 | 5,000 | 95 | 475,000 |
| 利 益 剰 余 金 | 500 | | 50,200 |
| 為替換算調整勘定 | | 差額 | 24,800 |
| 負債・純資産合計 | 16,000 | | 1,600,000 |

# MEMO

第**6**章

企業結合会計

1．傾向と対策 ……………………………………196
2．ポイント整理と実戦力の養成 ……………198
　　1　企業結合／198
　　2　合併会計／198
　　3　連結財務諸表／207
　　4　連結の範囲／215
　　5　資本連結／218
　　6　成果連結／225
　　7　持分法／228
　　8　税効果会計／230
　　9　連結キャッシュ・フロー計算書／249

# 1. 傾向と対策

　企業結合会計では、連結会計の出題頻度が高い。連結財務諸表の表示形式、資本連結をはじめとする会計手続まで広く出題されている。また、合併会計、連結会計共通の出題として、のれんの計算問題が挙げられる。

　税効果会計、連結キャッシュ・フロー計算書もほぼ毎回の出題となっている。近年は、正誤選択問題だけではなく、計算問題も出題されている。

　難易度の高い領域であるため、あまり手を広げず、頻出事項を中心にマスターしておく必要がある。

| 項　　目 | 過　去　の　出　題 | 重要度 |
|---|---|---|
| 企業結合 | 2022年(春)・第1問・問15（正誤）<br>2022年(秋)・第1問・問13（正誤）<br>2023年(春)・第1問・問14（正誤） | A |
| 合併会計 | 2022年(秋)・第1問・問13（正誤）<br>2023年(春)・第1問・問14（正誤） | B |
| 連結財務諸表 | 2022年(秋)・第1問・問4（正誤）<br>2023年(秋)・第1問・問3（正誤）<br>2023年(秋)・第1問・問15（正誤）<br>2024年(春)・第1問・問6（正誤）<br>2024年(春)・第1問・問13（正誤） | A |
| 連結の範囲 | 2023年(秋)・第1問・問15（正誤）<br>2024年(春)・第1問・問13（正誤） | B |
| 資本連結 | 2022年(春)・第2問・問3（計算）<br>2023年(秋)・第1問・問15（正誤）<br>2024年(春)・第1問・問13（正誤）<br>2024年(春)・第2問・問3（計算） | A |
| 成果連結 | 2023年(秋)・第1問・問15（正誤） | B |
| 持分法 |  | C |

| 税効果会計 | 2022年(春)・第1問・問14（正誤） | A |
|---|---|---|
| | 2022年(秋)・第1問・問12（正誤） | |
| | 2022年(秋)・第2問・問4　（計算） | |
| | 2023年(春)・第1問・問13（正誤） | |
| | 2023年(春)・第3問・Ⅱ　（計算） | |
| | 2023年(秋)・第1問・問14（正誤） | |
| | 2023年(秋)・第2問・問3　（計算） | |
| | 2024年(春)・第1問・問10（正誤） | |
| 連結キャッシュ・フロー計算書 | 2022年(春)・第2問・問1　（計算） | A |
| | 2022年(秋)・第1問・問7　（正誤） | |
| | 2023年(春)・第2問・問2　（計算） | |
| | 2023年(秋)・第1問・問6　（正誤） | |
| | 2024年(春)・第2問・問1　（計算） | |

# 2. ポイント整理と実戦力の養成

## 1　企業結合

　企業結合とは、ある企業（会社及び会社に準ずる事業体をいう。）またはある企業を構成する事業と他の企業または他の企業を構成する事業とが１つの報告単位に統合されることをいう。具体的には、ある企業が１つもしくは２つ以上の他の会社を合併または買収するか、あるいはある企業が他の企業の純資産及び事業に対する支配を獲得することによって、個々の企業を単一の経済実態に統合することである。企業結合会計は、合併などの組織再編成による会計と、支配を獲得することを目的とした連結会計に分けることができる。

## 2　合併会計

### Point ① 合併の意義・種類

　合併とは、２つ以上の会社が合体して１つの会社になる企業結合の一形態である。

　合併の種類には、次の２つがある。

① 吸収合併

　　吸収合併とは、合併当事会社のうち１つが存続し、他の会社が解散し存続会社に吸収され消滅する形態をいう。この場合における存続会社のことを合併会社といい、吸収されて消滅する会社を被合併会社という。

② 新設合併

　　新設合併とは、合併当事会社のすべてが解散し消滅して、新たに会社を設立する形態をいう。この場合における新設会社を合併会社といい、解散し消滅する会社を被合併会社という。

　いずれの形態においても、消滅会社は解散し、資産及び負債は吸収会社または新設会社に包括的に引き継がれる。

# Point ② 合併の会計処理

合併には「取得」と「持分の結合」という異なる経済的実態を有するものが存在し、それぞれの実態に対応する適切な会計処理を適用する必要があるとの考え方がある。この考え方によれば、まず「取得」に対しては、ある企業が他の企業の支配を獲得することになるという経済的実態を重視し、パーチェス法により会計処理することになる。一方、いずれの結合当事企業も他の結合当事企業に対する支配を獲得したと合理的に判断できない「持分の結合」に対しては、持分プーリング法により会計処理することが考えられる。

しかし、「持分の結合」と判定されるためには、次の3要件のすべてを満たさなければならない。

| ① | 企業結合に際して支払われた対価のすべてが、原則として、議決権のある株式であること。 |
|---|---|
| ② | 結合後企業に対して各結合当事会社の株主が総体として有することになった議決権比率が等しいこと。 |
| ③ | 議決権比率以外の支配関係を示す一定の事実が存在しないこと。 |

以上の「持分の結合」の条件を満たす企業結合は稀であり、国際的な会計基準では持分プーリング法がすでに廃止されていることから、「企業結合に関する会計基準」でも、企業結合を「取得」とみなしてパーチェス法で処理し、持分プーリング法は廃止されている。

① パーチェス法

　a．考え方

　　　パーチェス法は、被結合企業から受け入れる資産及び負債の取得原価を、対価として交付する現金及び株式等の時価（公正価値）とする方法である。

　b．会計処理

　　イ．被取得企業から引き継がれる純資産

　　　　被取得企業の**時価評価後の純資産**。

ロ．被取得企業から引き継がれる資産・負債の評価

被取得企業の簿価に関係なく、**合併時における公正価値（時価）で評価替え**する。

ハ．増加純資産の内容

対価として交付する株式の時価総額が、**払込資本**（資本金及び資本準備金）**の増加額**となる。

ニ．のれん・負ののれん

被取得企業の取得原価が、受入れた資産及び引き受けた負債に配分された純額を上回る場合には、その超過額を「のれん」として無形固定資産に計上する。下回る場合には、その不足額を「負ののれん」とする。

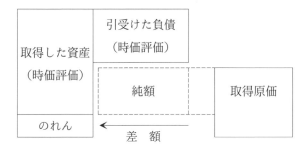

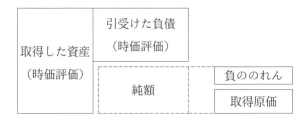

　c.「のれん」「負ののれん」の会計処理・表示

　　「のれん」は、資産に計上し、20年以内のその効果の及ぶ期間にわたっ
　て、定額法その他の合理的な方法により**規則的に償却**する。ただし、のれ
　んの金額に重要性が乏しい場合には、当該のれんが生じた事業年度の費用
　として処理することができる。なお、のれんには規則的償却に加えて、**減
　損処理も適用**される。

　　「負ののれん」が生じると見込まれる場合には、一定の見直しを行い、
　なお負ののれんが生じる場合には、当該負ののれんが生じた事業年度の利
　益として処理する。

　　「のれん」は、無形固定資産の区分に表示し、のれんの当期償却額は販
　売費及び一般管理費の区分に表示する。また「負ののれん」は、原則とし
　て、特別利益に表示する。

| 項　　目 | P/Lの表示区分 |
|---|---|
| のれん償却額 | 販売費及び一般管理費 |
| 負ののれん発生益 | 特別利益 |

②　持分プーリング法

　a.考え方

　　　持分プーリング法は、すべての結合当事企業の資産、負債及び純資産を、
　　それぞれの適切な帳簿価額で引き継ぐ方法である。

　b.会計処理

　　イ．消滅会社から引き継がれる純資産

　　　　消滅会社の純資産簿価

　　ロ．消滅会社から引き継がれる資産・負債の評価

　　　　消滅会社の簿価をそのまま引き継ぎ、資産と負債を評価替えする必要
　　　はない。

　　ハ．増加純資産の内容

　　　　原則として、消滅会社の純資産の部の内容をそのまま引き継ぐ。

消滅会社の貸借対照表

| 諸　資　産 | 諸　負　債 | | 増加純資産 | | |
| | 資　本　金 | | | 資　本　金 | |
| | 資本準備金 | | | 資本準備金 | |
| | 利益準備金 | | | 利益準備金 | |
| | 任意積立金 | | | 任意積立金 | |
| | 繰越利益剰余金 | | | 繰越利益剰余金 | |

 **例題 1**　　合併の会計処理に関する次の記述のうち、正しいものはどれですか。

A　パーチェス法では、取得企業が被取得企業から引き継ぐ資産・負債は、時価で評価する。

B　合併によって生じたのれんを規則的に償却する場合、その最長期限は10年である。

C　パーチェス法と持分プーリング法は、現行の会計基準において、継続適用を条件として選択できる。

D　合併当事会社がすべて解散し、それと同時に新会社が設立される合併を、吸収合併という。

解答 ▶　　A

202

## 解　説

A　正しい。パーチェス法の場合、取得企業は被取得企業の資産・負債を合併時の時価で評価し、支払対価と被取得企業の純資産時価の差額をのれんとして計上する。

B　正しくない。のれんは、20年以内のその効果が及ぶ期間にわたって、定額法その他の合理的な方法により規則的に償却する。したがって、最長期限は20年である。

C　正しくない。現行の会計基準では、持分プーリング法は廃止されている。

D　正しくない。合併当事会社がすべて解散し、それと同時に新会社が設立される合併を、新設合併という。吸収合併は、合併当事会社のうち1つが存続し、他の会社が解散して、存続会社に吸収される合併である。

**例題2**　A社はB社を吸収合併した。次の資料によってパーチェス法を用いた場合に計上されるのれんはいくらですか。

【資料1】　合併直前の貸借対照表（単位：百万円）

A　社

| 諸　資　産 | 62,500 | 諸　負　債 | 37,500 |
|---|---|---|---|
| | | 資　本　金 | 12,500 |
| | | 資本準備金 | 5,000 |
| | | 利益準備金 | 1,250 |
| | | 繰越利益剰余金 | 6,250 |
| | 62,500 | | 62,500 |

|  |  |  |  |
|---|---|---|---|
| B　社 | | | |
| 諸　資　産 | 5,000 | 諸　負　債 | 6,250 |
| 土　　　地 | 2,500 | 資　本　金 | 1,000 |
|  |  | 資本準備金 | 125 |
|  |  | 利益準備金 | 50 |
|  |  | 繰越利益剰余金 | 75 |
|  | 7,500 |  | 7,500 |

**【資料2】**

1．B社株主にA社の普通株式15,000株（時価10万円）を交付した。なお、全額を資本金に組み入れた。

2．B社が所有する土地の公正評価額（時価）は、2,650百万円であった。

A　　0百万円

B　　50百万円

C　100百万円

D　150百万円

E　200百万円

解答 　　C

解　説

① パーチェス法によって処理した場合、のれんは以下のように計算される（単位：百万円）。

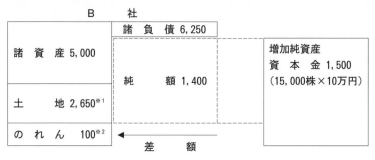

※1　資産・負債は、合併時における公正評価額（時価）で評価する。

※2　新株の時価総額1,500百万円（15,000株×10万円）が、評価替え後の純資産額1,400百万円（＝諸資産5,000百万円＋土地2,650百万円－諸負債6,250百万円）を上回る場合には、その差額を「のれん」として計上する。

のれん＝新株の時価総額1,500百万円－評価替え後純資産額1,400百万円
　　　＝100百万円

② パーチェス法によって処理した場合の合併貸借対照表（参考）

上記図表の諸資産5,000百万円、土地2,650百万円、のれん100百万円、諸負債6,250百万円、資本金1,500百万円をA社の合併直前の貸借対照表に加算する。

## 合併貸借対照表（単位：百万円）

| 借方 | | 貸方 | |
|---|---:|---|---:|
| 諸 資 産 | 67,500 | 諸 負 債 | 43,750 |
| 土 地 | 2,650 | 資 本 金 | 14,000 |
| の れ ん | 100 | 資本準備金 | 5,000 |
| | | 利益準備金 | 1,250 |
| | | 繰越利益剰余金 | 6,250 |
| | 70,250 | | 70,250 |

## 3　連結財務諸表

連結財務諸表は、支配従属関係にある二以上の会社からなる企業集団を単一の組織体とみなして、親会社が当該企業集団の財政状態、経営成績及びキャッシュ・フローの状況を総合的に報告するために作成するものである。

連結財務諸表は、①連結貸借対照表、②連結損益及び包括利益計算書または連結損益計算書及び連結包括利益計算書、③連結株主資本等変動計算書、④連結キャッシュ・フロー計算書、⑤連結附属明細表から構成されている。

## Point ① 連結貸借対照表

連結貸借対照表は、親会社及び子会社の個別貸借対照表における資産、負債及び純資産の金額を基礎とし、子会社の資産及び負債の評価、親会社及び連結される子会社相互間の投資と純資産及び債権と債務の相殺消去等の処理を行って作成する。

## 連結貸借対照表

| 資産の部 | | | 負債の部 | | |
|---|---|---|---|---|---|
| Ⅰ 流 動 資 産 | | ××× | Ⅰ 流 動 負 債 | | ××× |
| Ⅱ 固 定 資 産 | | | Ⅱ 固 定 負 債 | | ××× |
| (1)有形固定資産 | ××× | | | | |
| (2)無形固定資産 | ××× | | 負債合計 | | ××× |
| （の れ ん） | | | | | |
| (3)投資その他の資産 | ××× | ××× | 純資産の部 | | |
| 固定資産合計 | | ××× | Ⅰ 株 主 資 本 | | |
| Ⅲ 繰 延 資 産 | | ××× | 1. 資本金 | ××× | |
| | | | 2. 資本剰余金 | ××× | |
| | | | 3. 利益剰余金 | ××× | |
| | | | 4. 自己株式 | △××× | |
| | | | 株主資本合計 | | ××× |
| | | | Ⅱ その他の包括利益累計額 | | |
| | | | 1. その他有価証券評価差額金 | ××× | |
| | | | 2. 繰延ヘッジ損益 | ××× | |
| | | | 3. 土地再評価差額金 | ××× | |
| | | | 4. 為替換算調整勘定 | ××× | |
| | | | 5. 退職給付に係る調整累計額 | ××× | |
| | | | その他の包括利益累計額合計 | | ××× |
| | | | Ⅲ 株 式 引 受 権 | | ××× |
| | | | Ⅳ 新 株 予 約 権 | | ××× |
| | | | Ⅴ 非支配株主持分 | | ××× |
| | | | 純資産合計 | | ××× |
| 資産合計 | | ××× | 負債・純資産合計 | | ××× |

208

# Point ② 連結損益計算書及び連結包括利益計算書

① 連結損益計算書

連結損益計算書は、親会社及び子会社の個別損益計算書における収益、費用等の金額を基礎とし、連結会社相互間の取引高の相殺消去及び未実現損益の消去等の処理を行って作成する。

連 結 損 益 計 算 書

| | | |
|---|---|---|
| Ⅰ　売　　上　　高 | | ×××　 |
| Ⅱ　売　上　原　価 | | ×××　 |
| 　　　売　上　総　利　益 | | ×××　 |
| Ⅲ　販売費及び一般管理費 | | |
| 　　（の れ ん 償 却 額） | | ×××　 |
| 　　　営　業　利　益 | | ×××　 |
| Ⅳ　営　業　外　収　益 | | |
| 　　（持分法による投資利益） | | ×××　 |
| Ⅴ　営　業　外　費　用 | | |
| 　　（持分法による投資損失） | | ×××　 |
| 　　　経　常　利　益 | | ×××　 |
| Ⅵ　特　別　利　益 | | ×××　 |
| 　　（負ののれん発生益） | | ×××　 |
| Ⅶ　特　別　損　失 | | ×××　 |
| 　　　税金等調整前当期純利益 | | |
| 　　　法人税、住民税及び事業税 | ×××　 | |
| 　　　法 人 税 等 調 整 額 | ×××　 | ×××　 |
| 　　　当　期　純　利　益 | | ×××　 |
| 　　　非支配株主に帰属する当期純利益 | | ×××　 |
| 　　　親会社株主に帰属する当期純利益 | | ×××　 |

② 連結包括利益計算書

### 連結包括利益計算書

| | |
|---|---|
| **当期純利益** | ×××  |
| **その他の包括利益** | |
| その他有価証券評価差額金 | ××× |
| 繰延ヘッジ損益 | ××× |
| 為替換算調整勘定 | ××× |
| 退職給付に係る調整累計額 | ××× |
| 持分法適用会社に対する持分相当額 | ××× |
| **その他の包括利益合計** | ××× |
| **包括利益** | ××× |
| （内訳） | |
| 親会社株主に係る包括利益 | ××× |
| 非支配株主に係る包括利益 | ××× |

# Point ③　連結株主資本等変動計算書

連結株主資本等変動計算書は、連結貸借対照表の純資産の部の一会計期間における変動額のうち、主として、株主に帰属する部分である株主資本の各項目の変動事由を報告するために作成するものである（株主資本等変動計算書に関する会計基準　一）。

| | 株主資本 | | | | | その他の包括利益累計額 | | | | | | 株式引受権 | 新株予約権 | 非支配株主持分 | 純資産合計 |
| | 資本金 | 資本剰余金 | 利益剰余金 | 自己株式 | 株主資本合計 | その他有価証券評価差額金 | 繰延ヘッジ損益 | 土地再評価差額金 | 為替換算調整勘定 | 退職給付に係る調整累計額 | その他の包括利益累計額合計 | | | | |
|---|---|---|---|---|---|---|---|---|---|---|---|---|---|---|---|
| 当期首残高 | ××× | ××× | ××× | △×× | ××× | ××× | ××× | ××× | △×× | ××× | ××× | ××× | ××× | ××× | ××× |
| 当期変動額 | | | | | | | | | | | | | | | |
| 新株の発行 | ××× | ××× | | | ××× | | | | | | | | | | ××× |
| 剰余金の配当 | | | △×× | | △×× | | | | | | | | | | △×× |
| 親会社株主に帰属する当期純利益 | | | ××× | | ××× | | | | | | | | | | ××× |
| 自己株式の処分 | | | | ××× | ××× | | | | | | | | | | ××× |
| その他 | | | | | | | | | | | | | | | |
| 株主資本以外の項目の当期変動額 | | | | | | ××× | ××× | ××× | ××× | ××× | ××× | ××× | ××× | ××× | ××× |
| 当期変動額合計 | ××× | ××× | ××× | ××× | ××× | ××× | ××× | ××× | ××× | ××× | ××× | ××× | ××× | ××× | ××× |
| 当期末残高 | ××× | ××× | ××× | △×× | ××× | ××× | ××× | ××× | ××× | ××× | ××× | ××× | ××× | ××× | ××× |

## Point ④ 連結キャッシュ・フロー計算書

連結キャッシュ・フロー計算書は、企業集団の一会計期間におけるキャッシュ・フローの状況を報告するために作成するものである。ただし、連結キャッシュ・フロー計算書が対象とする資金の範囲は、現金及び現金同等物とする。また、連結キャッシュ・フロー計算書の作成に当たっては、連結会社相互間のキャッシュ・フローは相殺消去しなければならない。(連結キャッシュ・フロー計算書等の作成基準)

●直接法

| 連結キャッシュ・フロー計算書 | |
|---|---|
| Ⅰ 営業活動によるキャッシュ・フロー | |
| 営業収入 | ××× |
| 原材料及び商品の仕入支出 | △××× |
| 人件費支出 | △××× |
| その他の営業支出 | △××× |
| 小　計 | ××× |
| 利息及び配当金の受取額 | ××× |
| 利息の支払額 | △××× |
| 法人税等の支払額 | △××× |
| 営業活動によるキャッシュ・フロー | ××× |
| Ⅱ 投資活動によるキャッシュ・フロー | |
| 定期預金の預入による支出 | △××× |
| 定期預金の払戻による収入 | ××× |
| 有価証券の取得による支出 | △××× |
| 有形固定資産の取得による支出 | △××× |
| 連結範囲の変更を伴う子会社株式の取得による支出 | △××× |
| 投資活動によるキャッシュ・フロー | ××× |
| Ⅲ 財務活動によるキャッシュ・フロー | |
| 短期借入金純増加額 | ××× |
| ファイナンス・リース債務の返済による支出 | △××× |
| 長期借入れによる収入 | ××× |
| 長期借入金の返済による支出 | △××× |
| 社債発行による収入 | ××× |
| 自己株式の取得による支出 | △××× |
| 配当金の支払額 | △××× |
| 財務活動によるキャッシュ・フロー | ××× |
| Ⅳ 現金及び現金同等物に係る換算差額 | ××× |
| Ⅴ 現金及び現金同等物の減少額 | △××× |
| Ⅵ 現金及び現金同等物期首残高 | ××× |
| Ⅶ 現金及び現金同等物期末残高 | ××× |

●間接法

| | | |
|---|---|---|
| Ⅰ　**営業活動によるキャッシュ・フロー** | | |
| 　　税金等調整前当期純利益 | | ×××  |
| 　　減価償却費 | | ×××  |
| 　　貸倒引当金の増加額 | | ×××  |
| 　　退職給付引当金の増加額 | | ×××  |
| 　　受取利息及び受取配当金 | | △×××  |
| 　　支払利息 | | ×××  |
| 　　為替差損 | | ×××  |
| 　　有形固定資産売却益 | | △×××  |
| 　　売上債権の増加額 | | △×××  |
| 　　たな卸資産の減少額 | | ×××  |
| 　　仕入債務の減少額 | | △×××  |
| 　　　　小　計 | | ×××  |
| 　　利息及び配当金の受取額 | | ×××  |
| 　　利息の支払額 | | △×××  |
| 　　法人税等の支払額 | | △×××  |
| **営業活動によるキャッシュ・フロー** | | ×××  |
| Ⅱ～Ⅶは直接法と同じ | | |

---

**参考　セグメント情報**

①　必要性

　　企業が作成する連結財務諸表は、企業集団全体としての財務情報を提供する点において有用性の高い情報である。一方で、企業集団を構成する各企業が、様々な事業活動を行っている場合であっても、連結手続により合算修正されるため、事業ごとの財務状況は判明しない。そこで、このような連結財務諸表の短所を補足するためにセグメント情報の注記による開示が要求されている。

②　用語

　　a．セグメント情報とは、売上高、利益（または損失）、資産その他の財務情報を、事業の構成単位に分別した情報である。

　　b．マネジメント・アプローチとは、経営者が意思決定に用いている企業内部の経営資源配分単位及び内部業績評価単位を外部公表

213

用のセグメントに用いるアプローチである。

③　開示その他

　　a．セグメント情報は、連結財務諸表及び個別財務諸表において、注記情報として開示が必要である。なお、連結財務諸表で開示している場合には、個別財務諸表での開示は必要ない。

　　b．2014年3月期から、個別財務諸表の簡素化に伴い、セグメント情報の開示企業は製造原価明細書の開示が免除されている。

　　c．報告セグメントの利益（又は損失）及び資産は開示しなければならない。また、報告セグメントの利益（又は損失）の算定に含まれる項目（例えば売上高）、あるいは最高経営意思決定機関に対して定期的に提供され、使用されている項目（例えば負債）についてはセグメント別の情報を開示しなければならない。

④　開示例

報告セグメントの利益（または損失）、資産及び負債等に関する情報

（単位：百万円）

| | 報告セグメント | | | | 調整額 | 連結財務諸表計上額 |
| --- | --- | --- | --- | --- | --- | --- |
| | 事業A | 事業B | 事業C | その他 | | |
| 売上高 | | | | | | |
| 　外部顧客への売上高 | ××× | ××× | ××× | ××× | － | ××× |
| 　セグメント間の内部売上高又は振替高 | ××× | ××× | ××× | ××× | △××× | ××× |
| 計 | ××× | ××× | ××× | ××× | △××× | ××× |
| セグメント利益 | ××× | ××× | ××× | ××× | △××× | ××× |
| セグメント資産 | ××× | ××× | ××× | ××× | ××× | ××× |
| セグメント負債 | ××× | ××× | ××× | ××× | ××× | ××× |
| その他の項目 | | | | | | |
| 　減価償却費 | ××× | ××× | ××× | ××× | ××× | ××× |
| 　有形固定資産及び無形固定資産の増加額 | ××× | ××× | ××× | ××× | ××× | ××× |

**例題3**

連結財務諸表に関する次の記述のうち、正しいものはどれですか。

A　投資と純資産の相殺消去から生じるのれんは、5年間にわたって規則的に償却しなければならない。

B　連結貸借対照表を作成する場合には、必ず非支配株主持分が生じ、純資産の部に計上される。

C　自己株式は株主資本の控除項目として、連結貸借対照表の純資産の部に記載される。

D　のれんの償却費は、営業外費用に記載される。

解答　▶　C

**解　説**

A　正しくない。のれんは、その金額に重要性が乏しい場合を除き、20年以内のその効果の及ぶ期間にわたって、定額法その他の合理的な方法により規則的に償却する。なお、のれんは必要であれば減損処理も適用される。

B　正しくない。親会社が子会社の株式を100%所有している場合には、非支配株主持分は計上されない。

C　正しい。企業が保有する自己株式は、純資産の部において、株主資本の控除項目として記載される。

D　正しくない。のれんの償却費は、販売費及び一般管理費に記載される。

## 4　連結の範囲

① 支配力基準による子会社の範囲

子会社の具体的な判定の基準については、次のように設定している。

ａ．他の企業の議決権の過半数を自己の計算で所有している場合。

ｂ．他の企業に対する議決権の所有割合が40％以上50％以下であり、かつ、次のいずれかの要件に該当する場合。

　イ．自己との緊密な関係により、自己の意思と同一の内容の議決権を行使すると認められる者及び自己の意思と同一の内容の議決権を行使することに同意している者が所有している議決権を加えると、議決権の過半数を占める場合

　ロ．自己の現在の役員もしくは従業員、またはこれらであった者が、取締役会の構成員の過半数を継続して占めている場合

　ハ．重要な財務及び営業の方針決定を支配する契約等が存在する場合

　ニ．負債計上された資金調達総額の過半を自己とその密接な関係者が融資している場合

　ホ．その他、意思決定機関を支配していることが推測される事実が存在する場合

ｃ．自己の計算により所有している議決権と、自己との緊密な関係により、自己の意思と同一の内容の議決権を行使すると認められる者及び自己の意思と同一の内容の議決権を行使することに同意している者が所有している議決権を加えると、議決権の過半数を占めることになり、かつ、ｂ.のロ.からホ.までのいずれかの要件に該当する場合

② 除外基準により、連結から除外する子会社

　親会社は、原則として、すべての子会社を連結の範囲に含めなければならない。ただし、次に該当する会社は、連結の範囲に含めてはならない。

ａ．親会社による支配が一時的であると認められる子会社

ｂ．連結の範囲に含めることにより利害関係者の判断を著しく誤らせるおそれがあると認められる子会社

③ 会社の連結方針に照らし、連結から除外し得る子会社

　連結から除外し得る会社とは、連結から除外すべき子会社以外の子会社であっても、その資産、売上高等からみて、連結の範囲から除いても企業集団の財政状態及び経営成績に関する合理的な判断を妨げない程度に重要性の乏

しい子会社をいい、これについても連結の範囲から除くことができる。

---

**例題4**　連結の範囲に関する次の記述のうち、<u>正しくない</u>ものはどれですか。

A　親会社は、原則としてすべての子会社を連結の範囲に含めなければならない。

B　子会社であっても、支配が一時的であると認められる会社は連結の範囲に含めない。

C　子会社であっても、連結することにより利害関係者の判断を著しく誤らせるおそれのある会社は連結の範囲に含めない。

D　子会社であって、その資産、売上高等の規模につき重要性が乏しい場合、連結の範囲に含めない。

---

**解答** ▶　D

---

**解　説**

A　正しい。親会社は、原則としてすべての子会社を連結の範囲に含めなければならない。なお、例外として、連結の範囲に含めないとする除外基準が設けられている。解説B、C、D参照。

B　正しい。支配が一時的である場合には、連結の範囲に含めない。強制規定である。

C　正しい。連結することにより利害関係者の判断を著しく誤らせるおそれのある会社は、連結の範囲に含めない。強制規定である。

D　正しくない。子会社であって、その資産、売上高等の規模につき重要性が乏しい場合、連結の範囲に含めないことができる。強制規定ではなく容認規定である。

# 5 資本連結

## Point ① 連結の基本的考え方

連結財務諸表は、企業集団の財政状態及び経営成績を表示するものであるため、連結財務諸表を作成する際には、まず連結対象会社の財務諸表を単純合算することからスタートする。しかし、親会社は子会社の株式を所有し、子会社は親会社に株式を発行しているため、これを企業集団の内部取引として相殺消去する必要が生じる。また、連結会社相互間の取引高及び債権債務なども、相殺消去しなければならない。

このように、連結財務諸表は連結対象会社の財務諸表を単純合算することを基本としつつ、企業集団内の取引を実質的には内部取引とみなして相殺消去することによって作成される。

## Point ② 資本連結手続

親会社の子会社に対する投資とこれに対応する子会社の純資産は、相殺消去しなければならない。

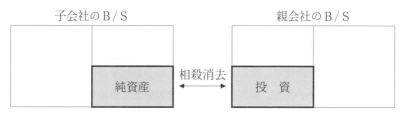

① 子会社の資産及び負債の時価評価

「**全面時価評価法**」と「**部分時価評価法**」がある。

「**全面時価評価法**」とは、子会社の資産及び負債のすべてを、支配獲得日の時価により評価する方法である。「**部分時価評価法**」とは、子会社の資産及び負債のうち、親会社の持分に相当する部分については株式の取得日ごとに当該日の時価によって評価する方法である。

なお、「連結財務諸表に関する会計基準」によると、子会社の資産及び負債の時価評価法は、「企業結合に関する会計基準」において全面時価評価法

を前提としていることとの整合性の観点などから、部分時価評価法は認められず、全面時価評価法を採用しなければならないものとしている。

②　①の後に子会社の純資産のうち、親会社持分に相当する部分については親会社の子会社に対する投資と相殺消去し、親会社以外の株主の持分については非支配株主持分に振り替える。

③　投資と純資産の相殺消去によって生じた差額は、のれんまたは負ののれんとする。

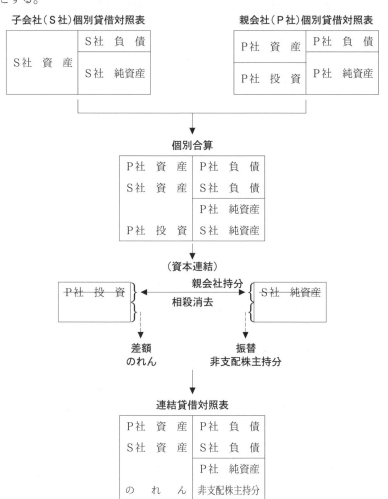

## Point ③ 株式取得後の連結修正（利益按分）

連結財務諸表は親会社の個別財務諸表と子会社の個別財務諸表を合算することが前提となっている。そのため、親会社の損益計算書と子会社の損益計算書を合算すると、子会社の利益がすべて親会社の利益になってしまう。したがって、親会社の取得した子会社の株式が100%未満の場合には、いったん合算によって集計された利益から、非支配株主に対する利益を振り替える必要がある。これを利益按分という。結果的には、子会社の利益を親会社の持分と非支配株主の持分に配分することである。

| 親会社利益 | 子会社利益 | |
|---|---|---|
| | 合算利益 | |
| 親会社株主に帰属 | | 非支配株主に帰属 |

利益按分には、子会社が利益の場合と損失の場合の2つのケースがある。以下、簡単な数字を使ってみていくことにする。なお、本来であれば損益計算書のすべての項目を合算しなければならないが、説明の都合上、利益を合算しているところから始めている。

### ＜子会社が利益の場合＞※親会社の持分80%

連結P/L（略式）

| | |
|---|---|
| 親会社利益 | 100,000 |
| 子会社利益 | 20,000 |
| 当期純利益 | 120,000 |
| 非支配株主に帰属する当期純利益 | 4,000 |
| 親会社株主に帰属する当期純利益 | 116,000 |

20,000×20%

マイナス

親会社の利益100,000円と子会社の利益20,000円を合算すると、子会社の利益がすべて親会社の利益となってしまう。そのため、合算した120,000円の利益から非支配株主に按分する利益4,000円をマイナスすると、自動的に親会社

株主に帰属する利益（20,000円×80％＝16,000円）となる。

連結B/S（一部）

| 資本金 | | |
|---|---|---|
| 利益剰余金 | 116,000 | 100,000＋16,000<br>（期首の利益剰余金はゼロとする） |
| 非支配株主持分 | 14,000 | 10,000＋4,000（期首10,000は架空の数字） |

連結P/Lで控除した非支配株主に帰属する当期純利益4,000円は、連結B/Sの非支配株主持分に加算する。したがって、子会社が利益を計上する限り、非支配株主持分と利益剰余金は増加する要因となる。

### ＜子会社が損失の場合＞※親会社の持分80％

連結P/L（略式）

| 親会社利益 | 100,000 |
|---|---|
| 子会社損失 | ▲20,000 |
| 当期純利益 | 80,000 |
| 非支配株主に帰属する当期純損失 | 4,000 |
| 親会社株主に帰属する当期純利益 | 84,000 |

▲20,000×20％

プラス

親会社の利益100,000円と子会社の損失20,000円を合算すると、子会社の損失をすべて親会社が負担することになってしまう。そのため、合算した80,000円の利益に非支配株主に按分する損失4,000円をプラスすると、自動的に親会社株主の負担する損失（▲20,000×80％＝▲16,000円）となる。

連結B/S（一部）

| 資本金 | | |
|---|---|---|
| 利益剰余金 | 84,000 | 100,000－16,000<br>（期首の利益剰余金はゼロとする） |
| 非支配株主持分 | 6,000 | 10,000－4,000（期首10,000は架空の数字） |

連結P/Lで加算した非支配株主に帰属する当期純損失4,000円は、連結B/Sの非支配株主持分から控除する。したがって、子会社が損失を計上する限り、非支配株主持分と利益剰余金は減少する要因となる。

**例題5**　　P社はS社の発行済議決権株式の80％を200千円で当期末に取得して、子会社として支配した。S社の諸資産の時価は380千円であり、諸負債の時価は簿価と等しかった。時価評価については、全面時価評価法を適用する。なお、税効果会計については考慮しないものとする。

| P社 | 貸借対照表 | | （単位：千円） |
|---|---:|---|---:|
| 諸　資　産 | 600 | 諸　負　債 | 500 |
| S　社　株　式 | 200 | 資　本　金 | 200 |
| | | 剰　余　金 | 100 |
| | 800 | | 800 |

| S社 | 貸借対照表 | | （単位：千円） |
|---|---:|---|---:|
| 諸　資　産 | 350 | 諸　負　債 | 150 |
| | | 資　本　金 | 50 |
| | | 剰　余　金 | 150 |
| | 350 | | 350 |

**問1**　のれんはいくらですか。

A　△30千円

B　　0千円

C　　10千円

D　　16千円

E　　40千円

問2　非支配株主持分はいくらですか。

A　40千円

B　46千円

C　60千円

D　70千円

E　76千円

解答  ▶ 　問1　D　　問2　B

解　説

① 単純合算の貸借対照表

単純合算の貸借対照表　　（単位：千円）

| 諸　資　産 | 950 | 諸　負　債 | 650 |
| S　社　株　式 | 200 | 資　本　金 | 250 |
| | | 剰　余　金 | 250 |
| | 1,150 | | 1,150 |

② 資本連結

（S社純資産）

| 資本金 | 50 |
| 剰余金 | 150 |
| 評価差額※ | 30 |

80%　184 ◀━━▶ S社株式　200
相殺：差額16「のれん」

20%　46「非支配株主持分」へ振替

※　S社諸資産時価380千円－簿価350千円

③ 連結貸借対照表（参考）

    ａ．諸資産　単純合算貸借対照表の金額950千円＋評価差額30千円

        ＝980千円

    ｂ．のれん　②より16千円（問１の答え）

    ｃ．諸負債　単純合算貸借対照表の金額650千円

    ｄ．資本金　単純合算貸借対照表の金額250千円－Ｓ社資本金50千円

        ＝200千円

    ｅ．剰余金　単純合算貸借対照表の金額250千円－Ｓ社剰余金150千円

        ＝100千円

    ｆ．非支配株主持分　②より46千円（問２の答え）

連結貸借対照表　　　　　（単位：千円）

| 諸　資　産 | 980 | 諸　負　債 | 650 |
|---|---|---|---|
| の　れ　ん | 16 | 資　本　金 | 200 |
| | | 剰　余　金 | 100 |
| | | 非支配株主持分 | 46 |
| | 996 | | 996 |

# 6　成果連結

## Point ① 連結会社間取引の相殺消去

連結会社間取引は個別企業の観点からは独立の取引であっても、企業集団からみれば内部取引であるため、合算した財務諸表から消去する必要がある。

| 収益と費用の相殺消去 | 債権と債務の相殺消去 |
|---|---|
| 売　上　高 ⟷ 売　上　原　価<br>（仕　入　高） | 売　掛　金 ⟷ 買　掛　金 |
| 受　取　利　息 ⟷ 支　払　利　息 | 受　取　手　形 ⟷ 支　払　手　形 |
| 受　取　地　代 ⟷ 支　払　地　代 | 未　収　収　益 ⟷ 未　払　費　用 |
| 受取配当金 ⟷ 配　当　金 | 前　払　費　用 ⟷ 前　受　収　益 |
| | 貸　付　金 ⟷ 借　入　金 |

## Point ② 未実現損益の消去

① 未実現利益の消去方法

連結上は、内部取引により生じた利益は連結グループ外部に販売または売却されるまでは未実現の利益と考えられるため、消去しなければならない。

＜設例＞

P社が商品400を外部から仕入れ、100の利益を付加して子会社S社へ売り上げた。S社ではこの商品が期末現在売れ残っているとする。

企業集団全体からみれば、P社のS社に対する売上及びS社のP社からの仕入は内部取引に当たる。したがって、これらの取引は連結財務諸表作成に当たり、相殺消去しなければならない。

$$\text{P社売上高} \quad 500 \xleftrightarrow{\text{相殺消去}} \text{S社売上原価} \quad 500$$
$$(\text{当期商品仕入高})$$

　また、期末時点でS社に残っている商品は、もともとP社が連結外部から400で仕入れたものである。つまり、100は連結内部の取引においてP社が付加した利益であって実現していない。そのため、この100を期末商品から控除して、連結上の期末商品を本来あるべき400に修正する。

　また、

　　売上原価＝期首商品棚卸高＋当期商品仕入高－期末商品棚卸高

と計算することから、期末棚卸資産に未実現利益が含まれている分だけ損益計算書上の売上原価が過小に計上されているため、期末商品棚卸高から未実現利益を控除するとともに、その分だけ売上原価を加算することになる。

損益計算書の一部（期首商品棚卸高に未実現利益がないと仮定した場合）
売上原価

|  | 合算損益計算書 | 消去 | 連結損益計算書 | |
|---|---|---|---|---|
| 1．期首商品棚卸高 | 100 | | 100 | |
| 2．当期商品仕入高 | 900 ←── △500 | | 400 | |
| 計 | 1,000 | | 500 | |
| 3．期末商品棚卸高 | 500 ← 500 ┌ △100 | | 400 | 100 |

②　取引の態様による負担方法

　　未実現損益の負担方法には、取引の態様の違いによって次の2つの方法がある。

| 取引の態様 | 未実現利益の消去方法 | 内　容 |
|---|---|---|
| ダウンストリーム（親会社から子会社への販売） | 全額消去・親会社負担方式 | 未実現利益を全額消去し、かつ、その全額を親会社に負担させる方法 |
| アップストリーム（子会社から親会社への販売） | 全額消去・持分比率負担方式 | 未実現利益を全額消去し、親会社と非支配株主とが、それぞれ持分比率に応じて消去分を負担する方法 |

226

例題6

企業結合会計に関する次の記述のうち、正しいものはどれですか。

A　子会社の支払配当金のうち、非支配株主が受け取った分は非支配株主に帰属する当期純利益から控除される。

B　親会社の子会社に対する金銭債権については、連結貸借対照表に計上されない。

C　親会社が子会社に商品を販売して得た利益は、連結損益計算書上の利益とならない。

D　子会社が親会社に商品を販売して得た利益は、すべて連結損益計算書上の利益となる。

解答  ▶　B

解　説

A　正しくない。子会社の支払配当金のうち、親会社の持分比率に見合う分は親会社の受取配当金と相殺され、非支配株主の持分比率に見合う分は非支配株主持分から控除される。配当金の支払いは資本取引であり、子会社の当期純利益計算には含まれないことから、非支配株主に帰属する当期純利益の金額に影響を与えない。

B　正しい。連結会社相互間の債権と債務は、相殺消去しなければならない。したがって、親会社の子会社に対する金銭債権は、連結貸借対照表に計上されない。

C　正しくない。親会社が子会社に販売した商品に付加した利益のうち、連結財務諸表から消去されるのは未実現の内部利益である。したがって、親会社から子会社へ販売した商品が企業集団の外部に販売された場合、親会社がその商品に付加した利益は連結損益計算書上の利益となる。

D　正しくない。子会社が親会社に販売した商品に付加した利益のうち、未実現の内部利益は連結財務諸表から消去される。

## 7 持分法

## Point ① 持分法とは

　持分法とは、投資会社が被投資会社の純資産及び損益のうち投資会社に帰属する部分の変動に応じて、その投資の額を連結決算日ごとに修正する方法をいう。

## Point ② 持分法の適用範囲

① 影響力基準による関連会社の範囲

　a．子会社以外の他の会社の議決権の20％以上を実質的に所有している場合。

　b．他の会社に対する議決権の所有割合が20％未満であっても、一定の議決権（15％以上20％未満）を有しており、かつ、当該会社の財務及び営業の方針決定に対して、重要な影響を与えることができる一定の事実が認められる場合。

② 持分法の適用範囲

　非連結子会社（支配従属関係にある会社で連結の範囲に含められなかった会社）及び関連会社に対する投資については、原則として持分法を適用する。ただし、非常に小規模な会社など、持分法の適用により連結財務諸表に重要な影響を与えない場合には、持分法の適用会社としないことができる。

## Point ③ 会計処理

① 取得日

　非連結子会社及び関連会社（被投資会社）の株式を取得した場合には、取得原価（投資金額）をもって連結貸借対照表（関係会社株式）に計上する。

② 決算日

a．投資差額

　　投資会社（親会社）の取得原価とこれに対応する被投資会社の純資産に差額がある場合には、のれんと同様に償却を行うことになる。ただし、この投資差額はのれんと違って、連結貸借対照表に特別な勘定を使用して計上することはせず、投資金額（関係会社株式）に含めたまま処理する。したがって、投資差額の償却を行うと、投資金額（関係会社株式）が増減変化することになる。

b．当期純利益（損失）の按分

　　投資会社（親会社）の持分割合に応じた被投資会社の当期純利益（損失）を投資金額（関係会社株式）に反映させる。つまり、当期純利益の場合には投資金額（関係会社株式）を増額させ、当期純損失の場合には投資金額（関係会社株式）を減額することになる。

　　なお、a投資差額ならびにb当期純利益（損失）の按分は、連結貸借対照表の投資金額（関係会社株式）を増減変化させるが、その効果を連結損益計算書にも反映させなければならない。つまり、被投資会社が利益となった場合には、「**持分法による投資利益**」として営業外収益に計上し、損失となった場合には、「**持分法による投資損失**」として営業外費用に計上する。

③ 処理の流れ

　　1次試験では、持分法の詳細まで理解する必要はない。財務諸表分析の総合問題において、持分法の絡む連結財務諸表を読取ることができれば十分である。そこで下記をもとに、簡単な持分法の仕組みと関連会社株式や持分法による投資損益といった項目を数値例でみておくことにする。

> 　P社は、前期末にA社の発行済議決権株式の30％を100,000千円で取得し、関連会社とするとともに、持分法を適用することとした。その後、A社は当期に当期純利益5,000千円を計上した。この処理に当たり、投資差額はないものとし、剰余金の配当については考慮しない。

|  前期末連結貸借対照表抜粋  |  |
| --- | --- |
| 固定資産 | |
| 関連会社株式 | |
| 100,000千円[*1] | |

|  当期末連結貸借対照表抜粋  |  |
| --- | --- |
| 固定資産 | |
| 関連会社株式 | |
| 101,500千円[*3] | |

|  当期連結損益計算書抜粋  |  |
| --- | --- |
| 営業外収益 | |
| 持分法による投資利益 | |
| 1,500千円[*2] | |

※1　取得日に投資金額をもって、連結貸借対照表に計上する。なお、説明のため、関連会社株式で表記している。

※2　A社当期純利益5,000千円×持分比率30％＝1,500千円

※3　A社が計上した当期純利益の持分比率分を投資金額に反映させる。

　なお、個別財務諸表では、関連会社株式（関係会社株式）は原価評価されるため、当期末の貸借対照表でも100,000千円のまま変化しない。

# 8　税効果会計

## Point ① 意義

　税効果会計は、企業会計上の資産または負債の額と課税所得上の資産または負債の額に相違等がある場合において、法人税等（法人税、住民税及び事業税）の額を適切に期間配分することにより、法人税等を控除する前の当期純利益と法人税等を合理的に対応させることを目的とする手続である。

## Point ② 必要性

　企業会計と課税所得計算はその目的が相違するため、収益または費用（益金または損金）の認識時点や、資産または負債の額が一致しない。

　損益計算書に計上される法人税等の額は、法人税法等にしたがって計算された課税所得を基礎とした法人税等の額（実際に納付する額）である。そのため、

法人税等を控除する前の企業会計上の利益と課税所得とに差異があるときは、法人税等の額が法人税等を控除する前の当期純利益と期間的に対応しないことになる。

　例えば、税引前当期純利益に調整を加えた課税所得を1,200、法人税率を30％と仮定すると、下記＜税効果会計適用前＞のように、法人税等は360（＝1,200×30％）と計算される。

　そこで、損益計算書上で法人税等の額と法人税等を控除する前の当期純利益を対応させるため、税効果会計が必要とされる。

　なお、税効果会計適用前後の要約損益計算書を示すと、下記のようになる。金額は仮定している。

＜税効果会計適用前＞

| 要約損益計算書 | |
|---|---|
| 収　　　　　益 | 5,000 |
| 費　　　　　用 | 4,000 |
| 税引前当期純利益 | 1,000 |←会計に基づく金額 ┐対応しない |
| 法　人　税　等 | 360 |←税務に基づく金額 ◄┘ |
| 当　期　純　利　益 | 640 |←会計と税務の混同した金額 |

＜税効果会計適用後＞

| 要約損益計算書 | | |
|---|---|---|
| 収　　　　　益 | | 5,000 |
| 費　　　　　用 | | 4,000 |
| 税引前当期純利益 | | 1,000 |←会計に基づく金額 ┐ |
| 法　人　税　等 | 360 | |対応する |
| 法人税等調整額 | △60 | 300 |←会計に基づく金額※ ◄┘ |
| 当　期　純　利　益 | | 700 |←会計に基づく金額 |

※　税効果調整後の法人税等（上記では300）を、税金費用と呼ぶことがある。


## Point ③　利益と課税所得

　前述のように、会計上の収益・費用と税務上の益金・損金は一致しないこと

がある。両者に差異が生じた場合には、会計上の税引前当期純利益に差異を加減算して課税所得を計算する。

　　課税所得＝税引前当期純利益±調整項目

① 　税引前当期純利益から減算する項目

　　a 　会計上は「収益である」が税務上は「益金でない」もの→益金不算入
　　　　受取配当金などが該当する。

　　b 　会計上は「費用でない」が税務上は「損金である」もの→損金算入
　　　　剰余金の処分方式による特別償却準備金などが該当する。

② 　税引前当期純利益に加算する項目

　　a 　会計上は「収益でない」が税務上は「益金である」もの→益金算入

　　b 　会計上は「費用である」が税務上は「損金でない」もの→損金不算入
　　　　減価償却費の限度超過額・引当金の繰入限度超過額・貸倒損失否認額・
　　　　寄附金の限度超過額・棚卸資産の評価損否認額・有価証券評価損否認額・
　　　　交際費の損金不算入額などが該当する。

＜税務調整のイメージ＞

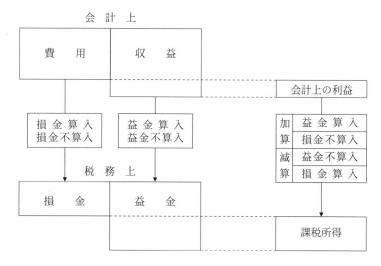

# Point ④　一時差異と永久差異

　会計上と税務上の差異には、認識時点の違いにより生じる一時差異と認識範囲の違いにより生じる永久差異の2つあるが、税効果会計の対象となるのは一時差異である。

① 一時差異

　　一時差異とは、貸借対照表及び連結貸借対照表に計上されている資産及び負債の金額と課税所得計算上の資産及び負債との差額をいう。これは、課税所得の計算上加算または減算させる効果をもつものであり、**将来解消される差異**のことである。一時差異は、次のような場合に生じる。

＜個別財務諸表上の一時差異＞

- 収益または費用の帰属年度が相違する場合
- 資産の評価替えにより生じた評価差額が直接純資産の部に計上され、かつ、課税所得の計算に含まれない場合

＜連結財務諸表上の一時差異＞

- 資本連結に際し、子会社の資産及び負債の時価評価により評価差額が生じた場合
- 連結会社相互間の取引から生じる未実現損益を消去した場合
- 連結会社相互間の債権と債務の相殺消去により貸倒引当金を減額修正した場合

　また、一時差異の種類には、将来減算一時差異と将来加算一時差異がある。なお、将来の課税所得と相殺可能な繰越欠損金については、一時差異と同様に取り扱うものとする。

a. **将来減算一時差異**

　　将来減算一時差異とは、当該一時差異が将来解消するときにその期の課税所得を減額する効果をもつ差異をいう。

　　＜将来減算一時差異の具体例＞

- **減価償却費限度超過額**
- **引当金繰入限度超過額**

- 棚卸資産の評価損否認額

- 有価証券の評価損否認額

**＜税効果調整の方法：会計上の減価償却費が税務上の減価償却費より大きい場合＞**

X1年度　建物Aにつき減価償却費限度超過額200を加算調整

※　法定実効税率30%

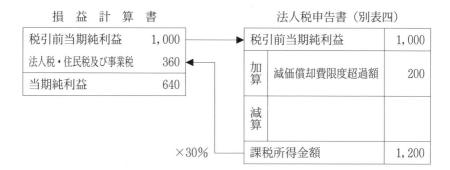

| 損　益　計　算　書 | |
| --- | --- |
| 税引前当期純利益 | 1,000 |
| 法人税・住民税及び事業税 | 360 |
| 当期純利益 | 640 |

| 法人税申告書（別表四） | | |
| --- | --- | --- |
| 税引前当期純利益 | | 1,000 |
| 加算 | 減価償却費限度超過額 | 200 |
| 減算 | | |
| 課税所得金額 | | 1,200 |

×30%

　X1年度において、減価償却費の超過額が発生したため、法人税等を控除する前の当期純利益と法人税等が対応していない。これを是正するためには、償却超過額により影響を受ける税額を計算し、損益計算書上の税額を減額調整する。

　この場合には、償却超過額200×30%＝60を損益計算書上の法人税等から法人税等調整額として間接的にマイナスし、当期純利益を増加させる。同時に貸借対照表では、調整した金額を**税金の前払**と考え、繰延税金資産として資産計上する。

| 損　益　計　算　書 | | |
| --- | --- | --- |
| 税引前当期純利益 | | 1,000 |
| 法人税等 | 360 | |
| 法人税等調整額 | ▲60 | 300 |
| 当期純利益 | | 700 |

| 貸　借　対　照　表 |
| --- |
| 繰延税金資産 60 |

　税効果会計適用後の会計上の法人税等の金額は360－60＝300となり、税引前当期純利益に税率を乗じた金額1,000×30%＝300と等しくなる。

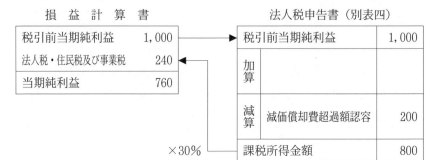

| X2年度 | 建物Aを売却 |

（税効果会計適用前）

<table>
<tr><td colspan="2">損　益　計　算　書</td></tr>
<tr><td>税引前当期純利益</td><td>1,000</td></tr>
<tr><td>法人税・住民税及び事業税</td><td>240</td></tr>
<tr><td>当期純利益</td><td>760</td></tr>
</table>

法人税申告書（別表四）

| | 税引前当期純利益 | 1,000 |
|---|---|---|
| 加算 | | |
| 減算 | 減価償却費超過額認容 | 200 |
| | 課税所得金額 | 800 |

×30%

（税効果会計適用後）

損　益　計　算　書

| 税引前当期純利益 | | 1,000 |
|---|---|---|
| 法人税等 | 240 | |
| 法人税等調整額 | 60 | 300 |
| 当期純利益 | | 700 |

貸　借　対　照　表

繰延税金資産 ~~60~~
　　　　→ 0

## b．将来加算一時差異

　　将来加算一時差異とは、当該一時差異が将来解消するときにその期の課税所得を増額する効果をもつ差異をいう。

　　＜将来加算一時差異の具体例＞

- ・剰余金の処分方式による特別償却準備金
- ・剰余金の処分方式による圧縮積立金の積立額
- ・連結会社相互間の債権と債務の相殺消去に伴う貸倒引当金の減額修正

235

**＜税効果調整の方法：税務上の減価償却費が会計上の減価償却費より大きい場合＞**

X1年度　機械装置Ｂにつき剰余金の処分による特別償却準備金400を減算調整

※　法定実効税率30%

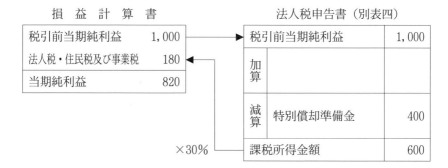

| 損　益　計　算　書 | |
|---|---|
| 税引前当期純利益 | 1,000 |
| 法人税・住民税及び事業税 | 180 |
| 当期純利益 | 820 |

法人税申告書（別表四）

| 税引前当期純利益 | | 1,000 |
|---|---|---|
| 加算 | | |
| 減算 | 特別償却準備金 | 400 |
| | 課税所得金額 | 600 |

×30%

X1年度において、税法上の特別償却を行ったため、法人税等を控除する前の当期純利益と法人税等が対応していない。これを是正するためには、特別償却準備金により影響を受ける税額を計算し、損益計算書上の税額を増額調整する。

この場合には、特別償却準備金400×30%＝120を損益計算書上の法人税等に法人税等調整額として間接的にプラスし、当期純利益を減少させる。同時に貸借対照表では、調整した金額を**税金の未払**と考え、繰延税金負債として負債計上する。

| 損　益　計　算　書 | | |
|---|---|---|
| 税引前当期純利益 | | 1,000 |
| 法人税等 | 180 | |
| 法人税等調整額 | 120 | 300 |
| 当期純利益 | | 700 |

貸　借　対　照　表

繰延税金負債 120

税効果会計適用後の会計上の法人税等の金額は180＋120＝300となり、税引前当期純利益に税率を乗じた金額1,000×30%＝300と等しくなる。

236

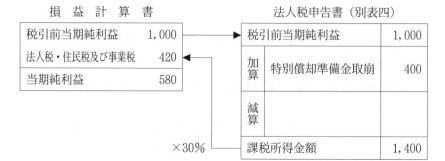

| X2年度 | X1年度に特別償却を行った機械装置を売却 |

（税効果会計適用前）

損 益 計 算 書

| | |
|---|---|
| 税引前当期純利益 | 1,000 |
| 法人税・住民税及び事業税 | 420 |
| 当期純利益 | 580 |

法人税申告書（別表四）

| | | |
|---|---|---|
| 税引前当期純利益 | | 1,000 |
| 加算 | 特別償却準備金取崩 | 400 |
| 減算 | | |
| 課税所得金額 | | 1,400 |

×30%

（税効果会計適用後）

損 益 計 算 書

| | | |
|---|---|---|
| 税引前当期純利益 | | 1,000 |
| 法人税等 | 420 | |
| 法人税等調整額 | ▲120 | 300 |
| 当期純利益 | | 700 |

貸 借 対 照 表

繰延税金負債 ~~120~~
→ 0

②　永久差異

　　永久差異とは、企業会計上の税引前当期純利益の計算において費用または収益として計上されるが、課税所得の計算上永久に損金または益金に算入されない差異のことである。これは、将来の課税所得の計算上加算または減算させる効果をもたず、**将来解消されない差異**であり、税効果会計の対象とならない。

＜永久差異の具体例＞

・受取配当金の益金不算入額

・交際費の損金不算入額

・寄付金の限度超過額

## Point ⑤　税効果会計の処理手順と表示及び注記

① 処理手順

a　一時差異の把握

将来減算一時差異、将来加算一時差異の金額の把握

b　法定実効税率の算定

税効果会計で調整される税金には、法人税・住民税だけではなく、事業税も含まれる。

$$法定実効税率＝\frac{法人税率×（1＋地方法人税率＋住民税率）＋事業税率}{1＋事業税率}$$

※　事業税は税務上、損金になるので、事業税を差引く前の利益に戻して実効税率を算定する。

c　税効果額の算定

繰延税金資産＝将来減算一時差異の金額×法定実効税率

繰延税金負債＝将来加算一時差異の金額×法定実効税率

② 表示

繰延税金資産については固定資産の投資その他の資産として、繰延税金負債については固定負債として表示する。

なお、同一納税主体の繰延税金資産と繰延税金負債は、双方を相殺して表示し、異なる納税主体の繰延税金資産と繰延税金負債は、双方を相殺せずに表示する。

また、当期の法人税等として納税すべき額及び法人税等調整額は、法人税等を控除する前の当期純利益から控除する形式により、それぞれ区分して表示しなければならない。

③ 注記

個別財務諸表及び連結財務諸表では、税効果会計に関する補足情報として、下記の内容を注記することになっている。

a　繰延税金資産及び繰延税金負債の発生原因別の主な内訳

b　税引前当期純利益に対する法人税等（法人税等調整額を含む）の比率（税負担率）と法定実効税率との間に重要な差異があるときは、当該差異

の原因となった主要な項目別の内訳

c　税率の変更により繰延税金資産及び繰延税金負債の金額が変更されたと
きは、その旨及び修正額

d　決算日後に税率の変更があった場合にはその内容及びその影響

## Point ⑥　その他有価証券の評価差額に対する税効果

有価証券の分類において、「その他有価証券」は会計上と税務上の処理が異な
る。会計上は時価により評価されるのに対し、税務上は取得原価で評価される。

したがって、「その他有価証券」の評価差額については、税効果会計を適用
しなければならない。評価差損（将来減算一時差異）は繰延税金資産を認識し、
評価差益（将来加算一時差異）は繰延税金負債を認識する。

下記では、全部純資産直入法を採用し、法定実効税率30％を前提としている。

（ケース１）その他有価証券　取得原価1,000千円　　期末時価1,200千円

### 貸借対照表抜粋（単位：千円）

| | | | |
|---|---|---|---|
| 投資有価証券 | 1,000 | 繰延税金負債 | 60 |
| | +200 | その他有価証券<br>評　価　差　額　金 | 140 |

繰延税金負債＝評価差益200×法定実効税率30％

その他有価証券評価差額金＝評価差益200−繰延税金負債60

（ケース２）その他有価証券　取得原価1,000千円　　期末時価900千円

### 貸借対照表抜粋（単位：千円）

| | | | |
|---|---|---|---|
| 投資有価証券 | 1,000 | | |
| | △100 | その他有価証券 | |
| 繰延税金資産 | 30 | 評　価　差　額　金 | △70 |

繰延税金資産＝評価差損△100×法定実効税率30％＝△30

その他有価証券評価差額金＝評価差損△100－繰延税金資産△30

なお、繰延税金資産は、評価差損を基礎としているため、計算上マイナス表記しているが、貸借対照表に計上する際はプラスの金額で表記する。

---

**参考　繰延税金資産の回収可能性**

繰延税金資産は、将来、課税所得が発生することを前提に、それに伴う税支出が節約されることを期待して計上される。そのため、繰延税金資産の計上に当たっては、税金の前払額が、将来の税支出の節約を通して回収できるかどうか、すなわち繰延税金資産の回収可能性を判断する。したがって、繰延税金資産は、将来の課税所得を見積もったうえで、税支出が節約されると認められる（回収可能性のある）範囲内で計上され、その範囲を超える額については計上することができない。

下記では、将来減算一時差異100が生じた場合の繰延税金資産の計上について、数値例をみておく。

①繰延税金資産の全額について回収可能性がある場合

当期の計算：将来減算一時差異100×実効税率30％＝繰延税金資産30

将来見積り：控除前課税所得300－将来減算一時差異100

＝控除後課税所得200

→上記式の両辺に実効税率30％を乗じる。

法人税90－節約30＝法人税60

→法人税30の節約⇔繰延税金資産30の回収可能性あり

⇒当期において、計算どおり繰延税金資産30全額が計上できる。

---

②繰延税金資産の一部のみ回収可能性がある場合

当期の計算：将来減算一時差異100×実効税率30％＝繰延税金資産30

将来見積り：控除前課税所得70－将来減算一時差異70

　　　　　　＝控除後課税所得0

　　　　　　→上記式の両辺に実効税率30％を乗じる。

　　　　　　　法人税21－節約21＝法人税0

　　　　　　→法人税21の節約⇔繰延税金資産21の回収可能性あり

　　　　　　⇒当期において、計算どおりの繰延税金資産全額30は
　　　　　　　計上できず、修正され21までしか計上できない。な
　　　　　　　お、この減少額9は評価性引当額と呼ばれ、注記に
　　　　　　　おいて開示される。

例題7 下記の資料に基づいた場合、課税所得はいくらですか。

（資料）

| 税引前当期純利益 | 2,000百万円 |
|---|---|
| 受取配当金益金不算入額 | 100百万円 |
| 交際費損金不算入額 | 50百万円 |
| 貸倒引当金損金算入限度超過額 | 30百万円 |

A 1,820百万円

B 1,980百万円

C 2,020百万円

D 2,080百万円

E 2,180百万円

解答  B

**解 説**

課税所得は、会計上の税引前当期純利益を基礎に調整項目を加減して計算される。この調整項目は、下記の4項目である。

① 益金算入項目：会計上は収益ではないが、法人税法上益金に算入される項目

② 益金不算入項目：会計上は収益であるが、法人税法上益金に算入されない項目

　　→ 受取配当金益金不算入額100百万円

③ 損金算入項目：会計上は費用ではないが、法人税法上損金に算入される項目

④　損金不算入項目：会計上は費用であるが、法人税法上損金に算入され
ない項目

→　交際費損金不算入額50百万円、貸倒引当金損金算入限度超過額30
百万円

以上をもとに、会計上の税引前当期純利益と課税所得の関係を示すと以下
のとおりである。

| | |
|---|---|
| 税引前当期純利益 | 2,000百万円 |
| 加算：①益金算入項目 | 該当なし |
| ④損金不算入項目 | ＋50百万円 |
| | ＋30百万円 |
| 減算：②益金不算入項目 | －100百万円 |
| ③損金算入項目 | 該当なし |
| | 1,980百万円 |

**例題 8**　　税効果会計に関する次の記述のうち、<u>正しくない</u>ものはどれです
か。

A　将来加算一時差異の発生により税費用を増額させた場合、繰延税金負債が計
上される。

B　将来減算一時差異の解消により税費用を増額させた場合、繰延税金資産を取
り崩すことになる。

C　将来減算一時差異が発生した場合でも、回収可能性がないと認められたとき
は、繰延税金資産を計上することができない。

D　永久差異が税効果会計の対象とならないのは、会計上の収益・費用と税務上
の益金・損金とで認識時点が異なるためである。

解答　▶　　D

## 解　説

A　正しい。将来加算一時差異とは、当該一時差異が解消するときにその期の課税所得を増額する効果をもつ差異をいう。将来加算一時差異が発生した場合、将来の税金増加分を法人税等調整額として発生した期の税金費用を増額させると同時に、負債の部に繰延税金負債を計上する。

B　正しい。将来減算一時差異とは、当該一時差異が解消するときにその期の課税所得を減額する効果をもつ差異をいう。将来減算一時差異が解消した場合、法人税等調整額を計上して解消した期の税金費用を増額させると同時に、資産計上していた繰延税金資産を取り崩すことになる。

C　正しい。繰延税金資産は、将来、課税所得が発生することを前提に、それに伴う税支出が節約されることを期待して計上される。そのため、繰延税金資産の計上に当たっては、税金の前払額が将来の税支出の節約を通して回収できるかどうか、すなわち繰延税金資産の回収可能性を判断する。したがって、繰延税金資産は、将来の課税所得を見積もったうえで、税支出が節約されると認められる範囲内で計上され、その範囲を超える額については計上することができない。

D　正しくない。税引前利益と課税所得の差異のうち、会計上の収益・費用と税務上の益金・損金の認識範囲の違いによるものを永久差異という。永久差異は、将来の課税所得の計算上加算または減算させる効果をもたず、将来解消されない差異であり、税効果会計の対象とならない。なお、税効果会計の対象となる差異は一時差異であり、会計上の収益・費用と税務上の益金・損金の認識時点の違いにより発生する。

**例題 9**

保有している商品（帳簿価額500、正味売却価額350）について、評価損を計上したが、当期税務上は損金算入を否認された。実効税率を30％とした場合、税効果会計の影響は、貸借対照表上どのように計上されますか。

A　繰延税金資産　45

B　繰延税金資産　150

C　繰延税金資産　350

D　繰延税金負債　45

E　繰延税金負債　150

**解答** ▷ A

**解　説**

本問における会計と税務の差異である商品評価損は、当該差異が将来解消するときにその期の課税所得を減額する効果を有するため、将来減算一時差異に該当する。

将来減算一時差異が発生した場合、「法人税等調整額」を損益計算書の「法人税、住民税及び事業税」の下に記載して税費用を減額すると同時に、「繰延税金資産」を貸借対照表の資産の部に計上する。

繰延税金資産＝商品評価損150×実効税率30％＝45

**例題10** 当期における税引前利益と課税所得との差異は以下のとおりである。実効税率を30％としたとき、繰延税金資産または繰延税金負債への計上額はいくらですか。なお、過年度において税務上の調整項目はなく、繰延税金資産と繰延税金負債が生じる場合は、相殺していずれか一方を表示すること。

| | |
|---|---|
| 受取配当等の益金不算入額 | 8,000千円 |
| 貸倒引当金損金算入限度超過額 | 15,000千円 |
| 寄付金の損金算入限度超過額 | 6,000千円 |

A　繰延税金資産に4,500千円計上

B　繰延税金資産に6,300千円計上

C　繰延税金資産に7,000千円計上

D　繰延税金負債に2,400千円計上

E　繰延税金負債に3,900千円計上

解答 ▶　　A

**解　説**

　会計上と税務上で差異が生じる場合、税効果会計で対象となる差異は一時差異である。本問の場合、貸倒引当金損金算入限度超過額は一時差異に該当するが、受取配当等の益金不算入額及び寄付金の損金算入限度超過額は永久差異のため、税効果会計の対象とならない。

　また、貸倒引当金損金算入限度超過額は、当該一時差異が将来解消するときにその期の課税所得を減額する効果を持つため、将来減算一時差異に該当する。将来減算一時差異が発生した場合、「法人税等調整額」を損益計算書の「法人税、住民税及び事業税」の下に記載して税費用を減額すると同時に、「繰延税金資産」を貸借対照表の資産の部に計上する。

　繰延税金資産＝貸倒引当金損金算入限度超過額15,000千円×実効税率30％
　　　　　　　＝4,500千円

例題11 下記は、当社が保有するその他有価証券に関する資料である。評価差額の処理は、全部純資産直入法を採用しており、税効果会計を適用する。また、実効税率は30％とする。なお、繰延税金資産と繰延税金負債は相殺しないこと。

【資料】

| 銘　　柄 | 取得価額 | 期末時価 |
|---|---|---|
| A社株式 | 13,000千円 | 12,000千円 |
| B社株式 | 42,000千円 | 45,000千円 |

問1　繰延税金資産はいくらですか。

A　　300千円

B　　700千円

C　　900千円

D　1,200千円

E　1,500千円

問2　その他有価証券評価差額金はいくらですか。

A　　900千円

B　1,400千円

C　1,800千円

D　2,100千円

E　2,400千円

解答 　　　問1　A　　　問2　B

## 解　説

問1

　その他有価証券の評価差額については、税効果会計を適用し、下記のように税効果の影響を処理する。

| 評価差額 | 計上する項目 |
|---|---|
| 評価差益 | 繰延税金負債＝評価差益×実効税率 |
| | その他有価証券評価差額金：差額 |
| 評価差損 | 繰延税金資産＝評価差損×実効税率 |
| | その他有価証券評価差額金：差額 |

　A社株式は、評価差損が1,000千円であるため、繰延税金資産とその他有価証券評価差額金を計上する。

　　繰延税金資産＝△1,000千円×30％＝△300千円※

　　※　評価差損を基礎としているため、マイナス表記になっているが、貸借対照表に計上する際にはプラスの金額で表記する。

　　その他有価証券評価差額金＝△1,000千円－△300千円＝△700千円

　B社株式は、評価差益が3,000千円であるため、繰延税金負債とその他有価証券評価差額金を計上する。

　　繰延税金負債＝3,000千円×30％＝900千円

　　その他有価証券評価差額金＝3,000千円－900千円＝2,100千円

　なお、本問では、「繰延税金資産と繰延税金負債を相殺しないこと。」と指示されているため、上記解答となる。

　仮に両項目を相殺するのであれば、繰延税金負債600千円（＝900千円＋（△300千円））が計上される。

問2

　問1より、その他有価証券評価差額金は、A社株式において△700千円、B社株式において2,100千円計上されることから、その合計額となる。

　その他有価証券評価差額金＝△700千円＋2,100千円＝1,400千円

# 9　連結キャッシュ・フロー計算書

　連結キャッシュ・フロー計算書とは、企業集団の一会計期間におけるキャッシュ・フローの状況を一定の活動区分別に表示した一覧表であり、連結貸借対照表や連結損益計算書からは入手できない資金（現金及び現金同等物）の出入りに関する情報を提供するものである。

## Point ① 資金の範囲

①現金＝手許現金や普通預金、当座預金などの要求払預金

②現金同等物＝**容易に換金可能**で、かつ、**価値変動に関して僅少なリスク**しか負わない**短期投資**（取得日から満期まで3ヶ月未満の定期預金、CD、CP、公社債投資信託等）

## Point ② 表示区分

①　営業活動によるキャッシュ・フロー

　営業活動によるキャッシュ・フローの区分には、商品の販売及び役務の提供による収入、商品及び役務の購入による支出等、営業損益計算の対象となった取引のほか、投資活動及び財務活動以外の取引によるキャッシュ・フローを記載することになる。

| 支　出 | 収　入 |
|---|---|
| 商品・役務の購入支出 | 商品・役務の販売収入 |
| 人件費支出 | 受取利息・配当金[*1] |
| 支払利息[*1] | 災害による保険金収入[*2] |
| 法人税等の支払[*2] | など |
| など | |

※1　利息及び配当金の受払額については、下記のように2つの記載方法がある。

| | 記載方法① | 記載方法② |
|---|---|---|
| 営業活動 | 受取利息、受取配当金、支払利息 | |
| 投資活動 | | 受取利息、受取配当金 |
| 財務活動 | 支払配当金 | 支払利息、支払配当金 |

※2　法人税等支払額、保険金収入については、投資活動、財務活動に含められないものとして、営業活動に記載する。

②　投資活動によるキャッシュ・フロー

　　投資活動によるキャッシュ・フローの区分には、固定資産の取得及び売却、現金同等物に含まれない短期投資の取得及び売却等によるキャッシュ・フローを記載することになる。

| 支　　出 | 収　　入 |
|---|---|
| 固定資産の取得支出 | 固定資産の売却収入 |
| 有価証券の取得支出 | 有価証券の売却収入 |
| 貸付金の貸付支出 | 貸付金の返済収入 |
| など | など |

③　財務活動によるキャッシュ・フロー

　　財務活動によるキャッシュ・フローの区分には、株式の発行による収入、自己株式の取得による支出、社債の発行・償還及び借り入れ・返済による収入・支出等、資金の調達及び返済によるキャッシュ・フローを記載することになる。

| 支　　出 | 収　　入 |
|---|---|
| 自己株式の取得支出 | 株式の発行収入 |
| 社債の償還支出 | 社債の発行収入 |
| 借入金の返済支出 | 借入金の借入収入 |
| 配当の支払 | など |
| など | |

## Point ③　間接法と直接法

営業活動によるキャッシュ・フローの区分については、次の2つの表示方法が認められている。

① 間接法

税金等調整前当期純利益に必要な調整項目を加減して「営業活動によるキャッシュ・フロー」を表示する方法であり、現行制度において主流となっている。純利益と営業活動に係るキャッシュ・フローとの関係が明示されるという長所がある。その反面、営業活動に係るキャッシュ・フローが総額で表示されないという短所がある。

② 直接法

主要な取引ごとにキャッシュ・フローを総額表示して「営業活動によるキャッシュ・フロー」を表示する方法。営業活動に係るキャッシュ・フローが総額で表示されるという長所がある。その反面、直接法により表示するためには親会社及び子会社において主要な取引ごとにキャッシュ・フローに関する基礎データを用意することが必要であり、実務上、手数を要するという短所がある。

## Point ④　間接法による調整

間接法における営業活動によるキャッシュ・フローの計算は、税金等調整前当期純利益にキャッシュ・フローを伴わない損益項目（減価償却費、各種引当金の繰入など）と、営業活動に関連する資産及び負債の期中増減額を加減することによって行う。

なお、ここでは、減価償却費と貸倒引当金の繰入及び営業活動に関連する資産及び負債の期中増減額について説明する。

① 減価償却費

減価償却費は、連結損益計算書上、費用として計上されるが、支出を伴わない費用である。つまり、減価償却費が費用として計上されると税金等調整前当期純利益は減少するが、減価償却費に相当する資金は企業内部に留保される。したがって、営業活動によるキャッシュ・フローを計算する場合には、税金等調整前当期純利益に減価償却費を足し戻さなければなら

ない。

② 貸倒引当金の期中増減額

　貸倒引当金の繰入は、損益計算上、費用として計上されるが、支出を伴わない費用である。そのため、営業活動によるキャッシュ・フローを計算する場合には、税金等調整前当期純利益に貸倒引当金の期中増減額を加減算しなければならない。

③ 営業活動に関連する資産及び負債の期中増減額

　営業活動に関連する資産または負債については、売上債権、棚卸資産、仕入債務がある。これについては次の等式を考えると、3つの項目の増減と金額のプラス・マイナスの関係を理解することができる。

　貸借対照表は、資産＝負債＋純資産で表されるが、資産をキャッシュ・フロー計算書で用いる「キャッシュ」と「キャッシュ以外の資産」に区分すると、次のように表せる。

**キャッシュ＋キャッシュ以外の資産＝負債＋純資産**

この式を各項目の増減に着目して変形すると、次のようになる。

**キャッシュの増減＝負債の増減＋純資産の増減**
**　　　　　　　　－キャッシュ以外の資産の増減**

　この式をみると、例えば、売上債権はキャッシュ以外の資産に区分されることから、売上債権の増加は、キャッシュに対してマイナスの影響を与えることがわかる。また、売上債権の減少は、キャッシュに対してプラスの影響を与えることになる。棚卸資産及び仕入債務も同じように考えることができる。上記の式に売上債権、棚卸資産及び仕入債務の増減を算入することにより、キャッシュに対するプラスとマイナスを理解することができる。

## Point ⑤　間接法調整の数値例

　間接法では、税引前利益に調整項目を加味してキャッシュ・フローを表示する。そこで、当期に事業を開始した場合を想定し、代表的な調整項目を示しておく。なお、キャッシュ①～③は、売上高と売上原価に対するキャッシュ（現金）の回収及び支払の状況を示している。

| 略式 P/L | キャッシュ① | キャッシュ② | キャッシュ③ |
|---|---|---|---|
| 売上高　　　　1,000 | 現金回収　　　1,000 | 現金回収　　　700<br>現金未回収<br>（売上債権）　300 | 現金回収　　　　0<br>現金未回収<br>（売上債権）1,000 |
| 売上原価[※1]　700 | 現金支払　　　700 | 現金支払　　　600<br>現金未払い<br>（仕入債務）　100 | 現金支払　　　　0<br>現金未払い<br>（仕入債務）700 |
| 減価償却費[※3]　100 | 固定資産減額　100 | 固定資産減額　100 | 固定資産減額　100 |
| 税引前利益[※3]　200 | キャッシュ[※2]　300 | キャッシュ[※2]　100 | キャッシュ[※2]　0 |
| | 間接法調整 | 間接法調整 | 間接法調整 |
| | 税引前利益　　200<br>減価償却費　　100<br>キャッシュ　　300 | 税引前利益　　200<br>減価償却費　　100<br>売上債権　　△300<br>仕入債務　　　100<br>キャッシュ　　100 | 税引前利益　　200<br>減価償却費　　100<br>売上債権　△1,000<br>仕入債務　　　700<br>キャッシュ　　　0 |

※1　当期仕入＝売上原価とし、在庫はないものとしている。

※2　キャッシュ＝現金回収－現金支払と計算している。

※3　略式 P/L において、仮に減価償却費を200と変更した場合、税引前利益は100となる。一方で、キャッシュは、税引前利益100に減価償却費200を足し戻すことになるため、300のまま変化しない。したがって、利益は経営者の裁量による会計処理に影響されるが、キャッシュは影響されない。このことを、キャッシュは利益よりも硬度が高いということがある。

| 例題12 | キャッシュ・フロー計算書に関する次の記述のうち、正しいものはどれですか。 |
| --- | --- |

A 支払配当金は、必ず財務活動によるキャッシュ・フローに表示されるが、受取配当金が財務活動によるキャッシュ・フローに表示されることはない。

B キャッシュ・フロー計算書の各活動区分の表示方法は、間接法と直接法の選択適用が認められている。

C 自己株式を含む株式の取得による支出は、投資活動によるキャッシュ・フローの区分に分類される。

D キャッシュ・フロー計算書におけるキャッシュ・フローは、会計利益数値よりも、その計算過程において判断や見積もりなどの裁量が働く余地が大きい。

解答 ▶ A

解 説

A 正しい。連結キャッシュ・フロー計算書において、利息及び配当金の表示区分については、次の2つの方法がある。

① 受取利息、受取配当金及び支払利息を「営業活動によるキャッシュ・フロー」の区分に、支払配当金を「財務活動によるキャッシュ・フロー」の区分に記載する方法。

② 受取利息及び受取配当金は「投資活動によるキャッシュ・フロー」の区分に、支払利息及び支払配当金を「財務活動によるキャッシュ・フロー」の区分に記載する方法。

したがって、いずれの方法でも、支払配当金は「財務活動によるキャッシュ・フロー」に区分され、受取配当金は「財務活動によるキャッシュ・フロー」に区分されない。

B 正しくない。「営業活動によるキャッシュ・フロー」の区分については、直接法と間接法の2つの表示方法が認められている。一方で、「投資活動によるキャッシュ・フロー」と「財務活動によるキャッシュ・フロー」の区分については、直接法のみの表示となっている。

C 正しくない。有価証券の取得による支出は、「投資活動によるキャッシュ・フロー」の区分に表示される。一方で、自己株式の取得は資本取引であるため、その取得による支出は、資金調達及び返済によるキャッシュ・フローが表示される、「財務活動によるキャッシュ・フロー」の区分に表示される。

D 正しくない。キャッシュ・フローは、多くの選択や裁量的判断に基づいて作成される会計利益数値と比較して、数値の計算過程において判断や見積もりといった裁量の働く余地が少なく、硬度が高いとされている。

| 例題13 | 以下の資料から「営業活動によるキャッシュ・フロー」を算定するといくらですか。 |

**【資料】**

| | |
|---|---|
| 税金等調整前当期純利益 | 2,500 |
| 有形固定資産の取得による支出 | 550 |
| 配当金の支払額 | 150 |
| 売上債権の減少額 | 100 |
| 棚卸資産の増加額 | 150 |
| 法人税等の支払額 | 900 |
| 自己株式の取得による支出 | 200 |
| 長期借入金の返済による支出 | 800 |
| 減価償却費 | 600 |

A 2,150

B 2,250

C 2,450

D 2,750

E 3,050

解答  A

## 解　説

　本問のデータに基づき、活動区分ごとのキャッシュ・フローを示すと以下のようになる。

| | |
|---|---|
| 税金等調整前当期純利益 | 2,500 |
| 減価償却費 | ＋600 |
| 売上債権の減少額 | ＋100 |
| 棚卸資産の増加額 | △150 |
| 法人税等の支払額 | △900 |
| 営業活動によるキャッシュ・フロー | 2,150 |
| 有形固定資産の取得による支出 | △550 |
| 投資活動によるキャッシュ・フロー | △550 |
| 長期借入金の返済による支出 | △800 |
| 自己株式の取得による支出 | △200 |
| 配当金の支払額 | △150 |
| 財務活動によるキャッシュ・フロー | △1,150 |

第**7**章

財務諸表分析

1. 傾向と対策 ……………………………………258
2. ポイント整理と実戦力の養成 ……………260
   1　分析の方法／260
   2　資本と利益の概念／261
   3　収益性分析／265
   4　生産性分析／275
   5　安全性分析／279
   6　不確実性分析／282
   7　成長性分析／289

# 1. 傾向と対策

　財務諸表分析は毎回総合問題形式で出題されている。内容は収益性分析・安全性分析を中心に、分析対象企業の財務諸表を数期間（時系列分析）あるいは同業他社の財務諸表（クロスセクション分析）と比較して各分析指標を求めさせる総合問題である。2024年（春）試験の配点は、24点（指標の計算、語群の選択が12問ずつ出題）であった。

　収益性分析、安全性分析とも本試験で出題される財務指標・分析手順は限られているので、実際に繰り返し練習する必要がある。そして、過去問レベルの総合問題を利用して時間内に速く・確実に解ける訓練を積むことも重要である。

　また、財務諸表分析に関する論点は、総合問題形式での出題に限らず、正誤選択問題や個別の計算問題においても出題されている。

| 項　　　目 | 過　去　の　出　題 | 重要度 |
|---|---|---|
| 分析の方法 | | C |
| 資本と利益の概念 | | C |
| **収益性分析** | | |
| 資本利益率の分解 | 2022年（秋）・第4問・（1）（計算）<br>2023年（春）・第4問・（1）（計算）<br>2023年（秋）・第4問・（1）（計算）<br>2024年（春）・第4問・（1）（計算） | A |
| 売上高利益率の分析 | 2022年（春）・第4問・（2）（計算）<br>2022年（秋）・第4問・（2）（計算）<br>2023年（秋）・第4問・（2）（計算）<br>2024年（春）・第4問・（2）（計算） | A |
| 資本回転率・回転期間の分析 | 2022年（春）・第4問・（3）（計算）<br>2022年（秋）・第4問・（4）（計算）<br>2023年（春）・第4問・（2）（計算）<br>2024年（春）・第4問・（3）（計算） | A |
| **生産性分析** | 2022年（秋）・第1問・問15（正誤）<br>2024年（春）・第4問・（4）（計算） | B |

| 安全性分析 | | |
|---|---|---|
| 静的安全性指標による分析 | 2022年（春）・第 4 問・（4）（計算）<br>2022年（秋）・第 4 問・（5）（計算）<br>2023年（春）・第 4 問・（3）（計算）<br>2023年（秋）・第 4 問・（4）（計算） | A |
| 動的安全性指標による分析 | 2022年（春）・第 4 問・（4）（計算）<br>2022年（秋）・第 4 問・（5）（計算）<br>2023年（秋）・第 4 問・（4）（計算） | B |
| **不確実性分析** | 2022年（春）・第 4 問・（1）（計算）<br>2022年（秋）・第 4 問・（3）（計算）<br>2023年（春）・第 4 問・（4）（計算）<br>2023年（秋）・第 4 問・（3）（計算） | A |
| 成長性分析 | | |
| サステイナブル成長率 | | C |
| 1 株当たり当期純利益 | 2023年（春）・第 2 問・問 1 （計算）<br>2024年（春）・第 1 問・問 5 （正誤） | B |
| 総合その他 | 2022年（春）・第 1 問・問 1 （正誤）<br>2023年（春）・第 1 問・問15（正誤）<br>2023年（秋）・第 2 問・問 5 （計算）<br>2024年（春）・第 1 問・問15（正誤） | B |

# 2. ポイント整理と実戦力の養成

## 1 分析の方法

### Point ① 分析の方法

財務諸表分析では、過去の経営活動の結果を他の指標と比較することによって企業の分析を行い、業績に関する将来の予測を行う。分析の方法としては以下のような、目標値、過去のデータ、同業他社との比較が考えられる。

① 理論値比較法

分析対象企業の財務数値を理論値または目標値と比較して分析する方法で、投資対象銘柄の範囲選択のスクリーニングに有用である。

② 時系列分析法

分析対象企業の当期の財務数値を連続する過年度の数期間（通常2～3期間）の財務数値と比較分析する方法で、企業の業績動向に注目した特定銘柄の売買タイミングの決定に有用である。

③ クロスセクション分析法

分析対象企業の財務数値と同一時点・同一期間の同業他社の財務数値を比較分析する方法で、ポートフォリオを構築する場合の銘柄選択を決定する方法として有用である。また、特定企業との比較だけでなく、所属産業全体の平均的な財務数値と比較することも有効とされている。

### Point ② 分析上の注意点

財務諸表の分析結果は、比率等の数値で表現されるので、客観的、かつ、信頼性が高いという印象を与えがちである。しかし、会計処理方法が変更された場合や会計処理方法の企業間差異による影響を考慮して分析を行わなければならない。また、財務諸表分析を行う際には数値に表れない企業の特性も考慮した、定性的な判断を行うことも必要である。

## 2　資本と利益の概念

### Point ① 資本と利益の概念

| 総資本<br>（注1） | 負債合計＋純資産合計＝資産合計 |
|---|---|
| 経営資本 | 総資本－余剰資金運用資本[※1]<br>※1　余剰資金運用資本＝利殖を目的とした預金[※2]＋有価証券<br>　　　　　　　　　　　　＋短期貸付金＋投資その他の資産<br>　　　　　　　　　　　　－関連会社株式・出資金[※3]<br>※2　通常、貸借対照表の現金預金を余剰資金運用資本の1つと<br>　　　みなして計算上用いる。<br>※3　関連会社の株式や出資金は、連結経営の一翼を担う企業に<br>　　　関するものであるため、経営資本の構成要素と考える。 |
| 自己資本<br>（注2） | 株主資本＋その他の包括利益累計額 |
| 他人資本 | 負債合計 |
| 事業利益 | 営業利益＋持分法による投資損益<br>＋金融収益（受取利息・配当金＋有価証券利息） |

（注1）総資本は、使用総資本と呼ぶこともある。

（注2）自己資本とは、親会社株主に帰属する資本であり、株式引受権、新株予
　　　　約権および非支配株主持分は自己資本に含めないのが通常である。

　　　　なお、本試験では、株式引受権、新株予約権および非支配株主持分につ
　　　　いては指示にしたがって解答することになる。

### Point ② 指標を計算する上での注意点

①　分子（分母）に損益計算書項目を用いる場合の分母（分子）の貸借対照表
　　項目については、期首と期末の平均値を用いる。

②　分子・分母とも貸借対照表項目である場合には、一定時点（期末）の数値
　　を用いる。

③　財務レバレッジの計算は、分子・分母とも貸借対照表項目であるが、自己資本利益率の分解項目なので、期首と期末の平均値を用いる。

　下記の例では、1年間で獲得された利益200に対し、1年間平均的に運用された資産（資本）の金額として、900と1,100の平均値1,000を対応させる（有価証券報告書の主要な経営指標等でも同様に計算されている）。なお、証券アナリスト試験では、平均して計算する旨の指示がある。

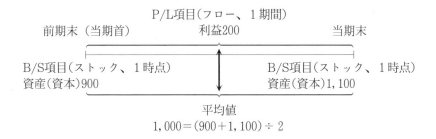

### Point ③　「連結財務諸表に関する会計基準」改正について

　2013年9月に「連結財務諸表に関する会計基準」が改正され、2015年4月より施行されている。

| 改正前 | 改正後 | 財務諸表 |
|---|---|---|
| 少数株主持分 | 非支配株主持分 | 連結貸借対照表 |
| 少数株主損益調整前当期純利益 | 当期純利益 | 連結損益計算書 |
| 少数株主利益 | 非支配株主に帰属する当期純利益 | |
| 当期純利益 | 親会社株主に帰属する当期純利益 | |

　基本的には項目の名称変更に過ぎないものの、連結損益計算書（連結包括利益計算書を含む）については、利益表示について混同されやすい箇所があるため注意が必要である。

## 参考　総合問題の攻略法

　財務諸表分析の総合問題については、配点が24点（1点×24箇所、語群選択と指標計算がほぼ同数出題）と高く、得点源とすべき分野である。他の出題に比べ問題量が多いものの、ある程度形式立てられているため、高得点を狙える内容となっている。

① 解答前に問題文、財務データ（合計 5 ページ程度）を簡単に確認する。

　　※　財務データは、時系列分析なら分析対象企業の 4 期分、クロスセクション分析なら同業 2 社の 2 期分ずつが多いが、どちらのデータを分析するとしても、基本的に解答すべき指標等に違いはない。

② 問題は、(1) 〜 (4 or 5) の区分から構成され、語群選択と指標計算が設定される。標準的な出題パターンは以下のとおりである。

　(1) 資本利益率とその分解

　　→ 総資本事業利益率（ROA）、自己資本純利益率（ROE）、経営資本営業利益率のいずれか、または稀に複数が出題される。

　　→ 資本項目については、平均値の指示がある。

　　→ 株式引受権、新株予約権、非支配株主持分の取扱いは、指示に従う。

　　→ 指標名が語群選択になっていれば、単位がヒントになる。「％」：資本（売上高）利益率、「回」：資本回転率、「倍」：財務レバレッジなど

　(2) 売上高利益率の分析

　　→ 百分率損益計算書について、対象企業や対象年度の比率が、空欄になっていることが多い。売上高で各項目を割り、空欄を埋める。

　　→ 大きな差異のある項目について、語群選択が設定されるため、百分率損益計算書を読み取る。

　(3) 損益分岐点分析

　　→ 費用項目を変動費と固定費に分解する。「売上原価＋販管費＝変動費＋固定費」の関係から、変動費もしくは固定費を推定できるように設定されている。

→ 変動費率を計算する。変動費を売上高で割ることに注意する。

→ 「売上高−売上高×変動費率−固定費＝営業利益」に判明している数値を代入して計算する。なお、損益分岐点売上高は、営業利益がゼロの売上高である。

(4) 資本回転率の分析

→ 主要資産の回転状況について細分析する。1次試験では、売上債権、棚卸資産、有形固定資産を主要3資産とし、手元流動性（現金預金＋有価証券）を加えて分析する場合が多い。

→ 有形固定資産については有形固定資産回転率のみが出題されている。

→ 売上債権と棚卸資産は、回転率と回転期間がランダムに出題されている。

→ 資産項目については、平均値の指示がある。

→ 指標名が語群選択になっていれば、単位がヒントになる。「回」：回転率、「日」：回転期間、「月」：手元流動性比率など

(5) 安全性の分析

→ 指標名が語群選択になっている場合、問題文にあるキーワードを的確に見つけ出すことが重要である。「短期的な債務返済能力」、「長期的な安全性」、「金利支払能力」などが該当する。ちなみに、1次試験で出題される安全性指標は、以下の対応がひとつの目安になる。

| キーワード | 安全性指標 |
|---|---|
| 「短期的な債務返済能力」 | 流動比率、当座比率 |
| 「長期的な安全性」 | 負債比率、自己資本比率 |
| 「金利支払能力」 | インタレスト・カバレッジ・レシオ |

③ その他として、百分率貸借対照表、生産性分析が出題されることがある。これらの内容は、出題されたとしても、問題文にヒントが設定されるため、比較的容易な内容になっている。

## 3　収益性分析

収益性分析は投下した資本に対して、いかに効率的に利益を獲得しているか分析することを目的とするものである。このような考え方を示す比率を**資本利益率**といい、次の式で表される。資本利益率は、企業の経営活動の集約であり、総合されたものである。そのような資本利益率の中身をさらに明らかにするために、企業経営のフロー面の最も重要な指標である「売上高」を介在させ、「**売上高利益率**」と「**資本回転率**」に分解して分析をする。なお、資本利益率の計算にあたり、資本項目を平均する場合には、その旨が問題文に指示される。

## Point ① 資本利益率（ROI）

$$\frac{\text{資本利益率}}{\text{資\ \ 本}}\,(\%)\,\uparrow = \frac{\text{利\ \ 益}}{\text{売上高}} \times \frac{\text{売上高}}{\text{資\ \ 本}} \times 100$$

〔補足〕

　↑：一般に数値が大きいほど望ましいことを示す。

　↓：一般に数値が小さいほど望ましいことを示す。（以下同様）

なお、1次試験では、資本の利益の対応関係に基づいて、3つの資本利益率が出題される。

| | 資本利益率 | 資本と利益の対応関係 | 分析目的 |
|---|---|---|---|
| ① | 総資本事業利益率 | 「総資本」と「事業利益」 | 企業全体の収益性 |
| ② | 経営資本営業利益率 | 「経営資本」と「営業利益」 | 営業活動の収益性 |
| ③ | 自己資本純利益率 | 「自己資本」と「親会社株主に帰属する当期純利益」 | 親会社株主（投資家）の収益性 |

| 売上高 | 運　用 | 調　達 | |
|---|---|---|---|
| 営業利益<br>持分法投資損益<br>② | 経営資本※1<br>関連会社株式 | 他人資本<br>（負　債） | 金融費用※6 |
| 金融収益※4 | 余剰資金運用資本※2 | 自己資本※3 | 税　金<br>親会社株主に帰属<br>する当期純利益<br>③ |
| 事業利益※5<br>① | 総資本 | | |

※1　経営資本＝総資本－余剰資金運用資本

※2　余剰資金運用資本＝現金預金＋有価証券＋短期貸付金＋投資その他の資産
　　　　　　　　　　　の部（関連会社株式除く）

※3　自己資本＝株主資本＋その他の包括利益累計額

※4　金融収益：受取利息・配当金、有価証券利息

※5　事業利益＝営業利益＋持分法投資損益＋金融収益

※6　金融費用：支払利息、社債利息

### ①　総資本事業利益率（ROA）

$$
\text{総資本事業利益率} = \text{売上高事業利益率} \times \text{総資本回転率}
$$

$$
\frac{\text{事業利益}}{\text{総資本}}(\%)\uparrow = \frac{\text{事業利益}}{\text{売上高}} \times \frac{\text{売上高}}{\text{総資本}} \times 100
$$

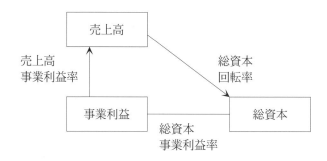

　総資本事業利益率（ROA）は、企業全体の経営成績を総合的に判断するための指標である。そして、資本調達を含めた業績を判断するための指標ともされている。他人資本と自己資本を合計した金額が総資本になるからである。したがって、運用形態（資産合計）からみても、資金調達（他人資本＋自己資本）からみても、総資本事業利益率（ROA）は同じになる。また、総資本事業利益率（ROA）は、売上高事業利益率と総資本回転率に分解することができる。

② 　経営資本営業利益率

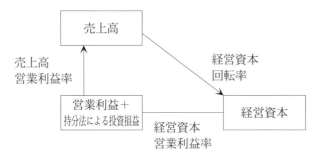

　経営資本営業利益率は、営業活動における経営成績を判断するための指標である。つまり、余剰資金運用資本を含まない企業本来の経営成績を分析するものであり、企業の本業の効率性をみることができる。経営資本営業利益率は、売上高営業利益率と経営資本回転率に分解することができる。

③ 　自己資本純利益率（ROE）

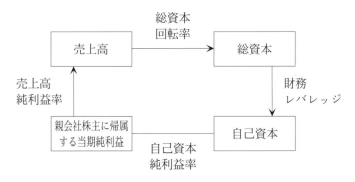

　自己資本純利益率（ROE）は、親会社株主の立場から資本の効率性を測定するための指標である。総資本事業利益率（ROA）と経営資本営業利益率は、運用形態からみた指標であるのに対して、自己資本純利益率（ROE）は、資金調達のうち親会社株主に帰属する資本の効率性をみるものである。そのため、株主資本とその他の包括利益累計額の合計額を自己資本として、自己資本純利益率（ROE）を算定することになる。また、自己資本純利益率は、売上高純利益率と自己資本回転率に分解できるが、一般的には、売上高純利益率、総資本回転率、財務レバレッジの３指標に分解して分析する（デュポン・システムによる３指標分解）。

# Point ② 財務レバレッジ効果（ROAとROEの関係）

　財務レバレッジ効果とは、「総資本事業利益率（ROA）が、負債利子率（r）を上回っている限り、負債の利用が、自己資本純利益率（ROE）を増幅させる効果がある」ことをいう。

---

財務レバレッジ式：

　E＝自己資本、D＝負債、t＝税率、r＝負債利子率

$$ROE（税引後）＝\{ROA＋(ROA－r)×\frac{D}{E}\}×(1－t)$$

---

　上記の式からROAとROEの関係は次のようになる。

①　ROA＞rの場合、ROAが負債利子率を上回っている限り、D/E（負債比率）が高いほど、ROEは高くなる

②　ROA＜rの場合、ROAが負債利子率を下回っているときは、D/E（負債比率）が高いほど、ROEは低くなる。

　この①と②から、ROAとROEの関係は、D/E（負債比率）が高いほど、ROEの変化がより一層大きくなる。つまり、リスクが大きくなるということである。

# Point ③ 売上高利益率の分析（百分率損益計算書）

売上高利益率は、損益計算書における各利益の種類により分析することができる。

① 売上高利益率

　a．売上高総利益率

$$売上高総利益率（\%）↑ = \frac{売上総利益}{売上高} \times 100$$

　b．売上高営業利益率

$$売上高営業利益率（\%）↑ = \frac{営業利益}{売上高} \times 100$$

　c．売上高事業利益率

$$売上高事業利益率（\%）↑ = \frac{事業利益}{売上高} \times 100$$

　d．売上高経常利益率

$$売上高経常利益率（\%）↑ = \frac{経常利益}{売上高} \times 100$$

　e．売上高純利益率

$$売上高純利益率（\%）↑ = \frac{親会社株主に帰属する当期純利益}{売上高} \times 100$$

② 売上高費用比率

　　利益は収益（売上高等）から費用を差し引いて算出される関係上、各種の売上高利益率を分析するためには、売上高と費用との関係（売上高費用比率）の分析も必要となる。なお、売上高費用比率について、他社あるいは過年度との差異を分析する手法として、売上高に対する損益計算書の各項目の割合

を％表示した、百分率損益計算書がある。

a．売上原価率

$$売上原価率（％）\downarrow = \frac{売上原価}{売上高} \times 100$$

b．売上高販管費比率

$$売上高販管費比率（％）\downarrow = \frac{販売費及び一般管理費}{売上高} \times 100$$

c．売上高金融費用比率

$$売上高金融費用比率（％）\downarrow = \frac{金融費用}{売上高} \times 100$$

## Point ④　資本回転率・回転期間の分析

　資本回転率（または回転期間）は、投下された資本の運用形態としての資産に着目した財務比率である。投下された資本は、売上債権や棚卸資産及び有形固定資産等の各資産に運用されるからである。

① 売上債権回転率

$$売上債権回転率（回）\uparrow = \frac{売上高（年）}{（期首売上債権＋期末売上債権）\div 2}$$

② 売上債権回転期間

$$売上債権回転期間（日）\downarrow = \frac{（期首売上債権＋期末売上債権）\div 2}{売上高（年）\div 365日}$$

　売上債権回転率は売上債権が一年間に平均何回転するかを示し、売上債権回転期間は製品や商品を販売してから売上代金が何日で回収されるかという売上代金の回収期間（回収サイト）あるいは滞留期間を意味する。

③　棚卸資産回転率

$$棚卸資産回転率（回）\uparrow = \frac{売上高（年）}{（期首棚卸資産＋期末棚卸資産）÷2}$$

④　棚卸資産回転期間

$$棚卸資産回転期間（日）\downarrow = \frac{（期首棚卸資産＋期末棚卸資産）÷2}{売上高（年）÷365日}$$

　　棚卸資産回転率は棚卸資産が一年間に平均何回転するかを示し、棚卸資産回転期間は棚卸資産が一回転するのに要する平均的な期間（在庫日数）を意味する。棚卸資産には、商品、製品、原材料、仕掛品、貯蔵品などが含まれる。

⑤　有形固定資産回転率

$$有形固定資産回転率（回）\uparrow = \frac{売上高（年）}{（期首有形固定資産＋期末有形固定資産）÷2}$$

　　有形固定資産回転率は有形固定資産が一年間に平均何回転するかを示している。有形固定資産には、建物、構築物、機械装置、工具器具備品、土地などが含まれる。なお、有形固定資産については回転期間で算出されることは少ない。

⑥　手元流動性比率

$$手元流動性比率（月）\downarrow = \frac{（期首手元流動性＋期末手元流動性）÷2}{月平均売上高（売上高÷12）}$$
（手元流動性＝現金預金＋有価証券）

⑦　手元流動性回転率

$$手元流動性回転率（回）↑ = \frac{売上高（年）}{（期首手元流動性＋期末手元流動性）÷ 2}$$

　　手元流動性とは、貸借対照表に計上されている現金及び預金と有価証券の合計額のことである。有価証券については流動資産に分類されるもので、売買目的有価証券と満期保有目的の債券のうち満期日が残り 1 年以内に到来するものが該当する。つまり、短期間のうちに換金して設備投資や債務の返済に充当することができる流動性の高い資金の利用効率を示している。算定式からもわかるように、手元流動性比率は、回転期間を示しており、短いもしくは低い場合に利用効率が高いことを意味する。一方で、手元流動性比率は、支払能力の評価にも用いられる。この観点からは、比率が長いもしくは高い場合に支払能力や安全性が高いと判断される。あまりにも低い場合には、支払能力が懸念される場合がある。

　　なお、手元流動性については、手元流動性比率を用いて分析することが多く、手元流動性回転率を用いて分析することは少ない。

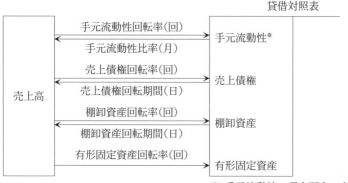

貸借対照表

※　手元流動性＝現金預金＋有価証券

## Point ⑤ 百分率貸借対照表

　前述の主要な貸借対照表項目に関する回転率（回転期間）に加え、それぞれの項目が総資産や総資本に対してどの程度の割合を占めているのかを確認するために、百分率貸借対照表を作成して分析する。

（例）A社百分率貸借対照表 （単位：％）

|  | X1年/3月期 | X2年/3月期 | 対前期比 |
|---|---|---|---|
| 現金及び預金 | 3.0 | 5.6 | ＋2.6 |
| 売上債権 | 14.0 | 15.0 | ＋1.0 |
| 棚卸資産 | 34.3 | 35.0 | ＋0.7 |
| その他の流動資産 | 3.3 | 2.7 | －0.6 |
| 　流動資産合計 | 54.6 | 58.3 | ＋3.7 |
| 有形固定資産 | 26.8 | 25.6 | －1.2 |
| 無形固定資産 | 1.3 | 1.4 | ＋0.1 |
| 投資その他の資産 | 17.3 | 14.7 | －2.6 |
| 　固定資産合計 | 45.4 | 41.7 | －3.7 |
| 　資産合計 | 100.00 | 100.00 | － |
| 流動負債 | 37.9 | 34.7 | －3.2 |
| 固定負債 | 15.9 | 15.3 | －0.6 |
| 　負債合計 | 53.8 | 50.0 | －3.8 |
| 株主資本 | 43.3 | 46.2 | ＋2.9 |
| その他の包括利益累計額 | 1.1 | 1.5 | ＋0.4 |
| 非支配株主持分 | 1.8 | 2.3 | ＋0.5 |
| 　純資産合計 | 46.2 | 50.0 | ＋3.8 |
| 　負債・純資産合計 | 100.00 | 100.00 | － |

## 4　生産性分析

　生産性分析とは、企業がその経営資源（人、物、金等）の稼動を通じて、生産活動をいかに効率よく行っているかを分析することをいう。具体的には、企業が外部から購入した財やサービスに対して、新たにどれだけの付加価値を生み出すことができたかで評価される。

## Point ① 付加価値の計算

　付加価値の計算方法には、加算法と控除法がある。

① 加算法

> 付加価値＝人件費＋賃借料＋税金＋他人資本利子＋親会社株主に帰属する当期純利益

　加算法では、企業成果の獲得に貢献した経営資源提供者への価値の分配側面に着目し、従業員などの労働に分配される人件費、土地や建物などの資本提供者に分配される賃借料、国や地方公共団体への分配としての税金、借入金や社債などの他人資本提供者に支払われる他人資本利子、及び配当や社内留保として最終的に親会社株主に帰属する利益から構成されている。

　なお、加算法では、下記の点について注意を要する。

　a．人件費には製造費用中の労務費、販管費中の役員報酬及び役員賞与引当金繰入額、従業員給料手当、賞与引当金繰入額、退職給付費用、福利厚生費などが含められる。

　b．人件費は利益計算を行う上で費用として控除される項目であると同時に、付加価値の構成要素でもある。人件費の増加は付加価値の増加要因となるが、他の費用が一定の場合、純利益をその分減少させる。したがって、人件費が増加しても全体の付加価値総額に影響を与えない。

　c．非支配株主持分は、分析上、固定負債として取り扱うことが多く、この場合長期借入金や社債と同様の性質とみなすことができる。非支配株主持分をこのように取り扱う場合、非支配株主に帰属する当期純利益も支払利息や社債利息と同様とみなし、付加価値の計算上、他人資本利子

に含めて処理することができる。

② 控除法

> 付加価値＝総生産高－前給付費用

控除法では、総生産高から、原材料費や商品売上原価など当社より前段階の企業から提供された価値の消費部分を控除して付加価値を計算する。

# Point ② 労働生産性

労働生産性とは、従業員１人当たりいくらの付加価値を上げているかをみる指標である。生産性を検討する比率の最も基本となるもので、企業の人的効率の程度を計るためのものである。

$$\text{労働生産性（円）}\uparrow = \frac{\text{付加価値}}{\text{従業員数}}$$

**※ 従業員数は、通常、期首と期末の平均を用いる。**

# Point ③ 労働生産性の分解

① 売上高を用いた分解

> 労働生産性＝付加価値率×１人当たり売上高
>
> $$\frac{\text{付加価値}}{\text{従業員数}}\text{（円）} = \frac{\text{付加価値}}{\text{売上高}} \times \frac{\text{売上高}}{\text{従業員数}}$$

② 有形固定資産を用いた分解

> 労働生産性＝労働装備率×設備生産性
>
> $$\frac{\text{付加価値}}{\text{従業員数}}\text{（円）} = \frac{\text{有形固定資産}}{\text{従業員数}} \times \frac{\text{付加価値}}{\text{有形固定資産}}$$

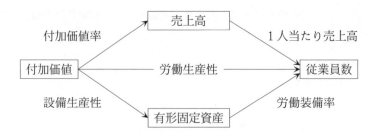

## Point ④　労働分配率・1人当たり人件費

前述の加算法でみたように、企業成果の獲得に貢献した経営資源提供者への価値の分配側面に着目して、付加価値を計算している。この中でも、人件費は付加価値に占めるウェイトが高く、その割合を示す労働分配率は生産性を分析するうえで重要性の高い指標となっている。また、この労働分配率に労働生産性を乗じることで、給与水準の目安となる1人当たり人件費を算定できる。

① 労働分配率

$$労働分配率（\%）= \frac{人件費}{付加価値}$$

② 1人当たり人件費

$$1人当たり人件費＝労働分配率×労働生産性$$
$$\frac{人件費}{従業員数}（円）= \frac{人件費}{付加価値} × \frac{付加価値}{従業員数}$$

| 例題 1 | 次の資料に基づいた場合、加算法による付加価値の額はいくらですか。 |
| --- | --- |

| | | | |
| --- | --- | --- | --- |
| 売上高 | 20,000 | その他販管費 | 500 |
| 売上原価 | 14,000 | 受取利息 | 200 |
| 広告宣伝費 | 700 | 支払利息 | 300 |
| 荷造発送費 | 600 | 税金費用 | 400 |
| 人件費 | 2,600 | 非支配株主に帰属する当期純利益 | 100 |
| 賃借料 | 500 | 親会社株主に帰属する当期純利益 | 500 |

A  3,200

B  4,000

C  4,300

D  4,400

E  4,600

解答 ▶  D

解 説

付加価値は、次のように求められる。

付加価値＝人件費＋賃借料＋税金＋他人資本利子（非支配株主に帰属する
当期純利益を含める。）＋親会社株主に帰属する当期純利益
＝2,600＋500＋400＋400（＝300＋100）＋500
＝4,400

## 5 安全性分析

安全性とは、企業の財務構造や資金繰りが健全であり、債務不履行などの形で倒産に陥る危険性がないことをいう。このような企業の「安全性」を評価するために行われるのが安全性分析である。

## Point ① 静的安全性指標（一時点におけるストック数値に基づく指標）による分析

① 短期的な指標

$$
流動比率（\%）\uparrow = \frac{流動資産}{流動負債} \times 100
$$

流動比率は、流動資産を処分したときに、流動負債を担保できるかどうかをみようとするもので、短期的な債務返済能力を表している。流動負債と少なくとも同額の流動資産が確保されている100％以上が目安となる。

$$
当座比率（\%）\uparrow = \frac{当座資産}{流動負債} \times 100
$$

当座資産＝現金預金＋売上債権＋有価証券－貸倒引当金

流動資産には短期に資金化されないものも含まれている。例えば、棚卸資産は生産販売活動を経て初めて資金化されるものであり、直ちに支払手段となるものではない。そこで、換金性の高い当座資産のみを支払手段として、支払能力をみようとするのが当座比率である。この比率は流動比率の補助的指標として用いられている。

② 長期的な指標

$$
負債比率（\%）\downarrow = \frac{他人資本}{自己資本} \times 100
$$

負債比率とは、自己資本に対する他人資本の割合を示すものである。資産を返済に充てる場合、他人資本の返済が優先されるので、自己資本の割合が大きく、他人資本の割合が小さいほど、他人資本の返済が確実となり、安全

性は高くなる。そのため、他人資本と同額の資産が喪失したとしても、自己資本と同額の資産が担保されることから、負債比率は100%以下が目安とされている。

$$自己資本比率(\%) \uparrow = \frac{自己資本}{総資本} \times 100$$

　自己資本比率は、総資本に対する自己資本の割合を示すものである。自己資本は返済を必要としないため、この比率が高いほど安全性は高くなる。逆に、この比率が低いと他人資本の割合が大きくなるので、借入金に依存した経営を行っていることになる。財務安全性の観点からすると、自己資本比率が高いほど資金繰りが良好であり、安定した経営を行うことができるため、自己資本比率は50%以上が目安とされている。

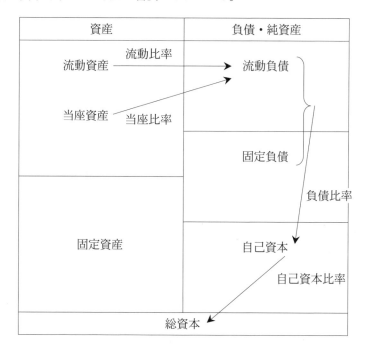

# Point ② 動的安全性指標（損益計算書の収益・費用などのフロー数値に基づく指標）による分析

$$\text{インタレスト・カバレッジ・レシオ（倍）↑} = \frac{\text{事業利益}}{\text{金融費用}}$$

金融費用＝支払利息＋社債利息＋CP利息

　インタレスト・カバレッジ・レシオは、金融費用の何倍の事業利益があるのか、言い換えれば、金融費用を支払うために十分な利益が獲得できているのかを示すものである。したがって、金融費用の支払能力あるいは支払の安全性を示すものといえる。

---

### 参考　キャッシュ・フロー計算書に基づく安全性指標

　前述の流動比率でみたように、仮にその指標が目安の100％を超えており、流動負債を上回る流動資産があっても、流動負債の返済時にすべての流動資産が現金化され支払いに充当できるとは限らない。また、インタレスト・カバレッジ・レシオが1倍を超え、金融費用を上回る事業利益があっても、金融費用をすべて支払えるとは限らない。そこで、貸借対照表や損益計算書を利用した安全性分析に加えて、より直接的に支払可能性を判断するためにキャッシュ・フロー計算書の情報に基づいた分析が必要となる。下記の3つの指標が代表的なものである。

① 経常収支比率

$$\text{経常収支比率} = \frac{\text{経常的収入}}{\text{経常的支出}}$$

② キャッシュ・フロー・ベースのインタレスト・カバレッジ・レシオ（収支 ICR）

$$\text{収支 ICR} = \frac{\text{営業活動によるキャッシュ・フローの小計－法人税等支払額＋金融収入}}{\text{利息支出}}$$

③ 有利子負債返済年数

$$\text{有利子負債返済年数} = \frac{\text{期末の有利子負債残高}}{\text{営業活動によるキャッシュ・フロー}}$$

---

## 6 不確実性分析

「不確実性」とは、企業の業績に関する変動幅が大きいことを意味する。また、業績の変動幅が大きく、将来の予測が困難になることを不確実性リスクが高いという。このような不確実性の要因としては、景気変動に伴う売上の変動、売上から控除される営業費用の構造、自己資本と他人資本（負債）の資本構成が挙げられる。本節では、この要因のうち、売上から控除される営業費用の構造について取り上げる。

なお、前述の安全性でみた倒産可能性に関する分析は、この不確実性の下振れの極端な場合である。したがって、不確実性は、倒産可能性ひいては安全性を含む広い概念といえる。

## Point ① 変動費と固定費の分解

① 総費用法

売上の対前年変化額に対する費用の対前年変化額の比率を計算することによって、変動費率を推定する方法である。

$$変動費率 = \frac{費用の対前年変化額}{売上の対前年変化額}$$

② 費目別法

費用項目の内訳情報に注目し、各項目をその性質に基づいて変動費と固定費に分類する方法である。問題文に指示がある場合には、その指示にしたがって分類するが、指示がない場合には、次のような分類が一般的である。

| | 変動費 | 固定費 | 変動費50%・固定費50% |
|---|---|---|---|
| 製造原価明細書 | 材料費<br>外注加工費 | 労務費<br>減価償却費 | その他の経費 |
| 販売費及び一般管理費 | 販売手数料<br>荷造費<br>運賃 | 人件費<br>減価償却費 | その他の費用 |

③　最小 2 乗法

　　過去数年間の売上高と費用のデータから売上高と費用の関係を表す一本の
直線（「費用＝変動費率×売上高＋固定費」の形の一次方程式）を推定し、
その係数をもって変動費率とみなす方法である。

## Point ② 損益分岐点売上高の計算

　　損益分岐点売上高は損益が 0 （売上高－変動費－固定費＝ 0 ）となる売上高
であり、次の算式により求めることができる。

$$
損益分岐点売上高(円)＝\frac{固定費}{1-\dfrac{変動費}{売上高}}＝\frac{固定費}{1-変動費率}＝\frac{固定費}{限界利益率}
$$

$$
限界利益＝売上高－変動費
$$

$$
限界利益率（\%）＝\frac{限界利益}{売上高}
$$

## Point ③ 損益分岐点比率と安全余裕度

$$
損益分岐点比率（\%）↓＝\frac{損益分岐点売上高}{実際売上高}×100
$$

　　損益分岐点比率とは、実際の売上高に対する損益分岐点売上高の割合をいう。
例えば、損益分岐点比率が75％の場合、損益分岐点は実際の売上高の75％の位
置に存在していることを意味する。損益分岐点比率が高く、実際の売上高が損
益分岐点の近くに存在している場合には、売上高が少し減少しただけで営業利
益がマイナスに転じる可能性がある。したがって、この比率が小さいほど安全
性は高くなる。

$$
安全余裕度（\%）↑＝\frac{実際売上高－損益分岐点売上高}{実際売上高}×100
$$

$$
＝1-損益分岐点比率
$$

安全余裕度とは、実際の売上高と損益分岐点売上高の差額を実際の売上高で除した割合であり、実際の売上高が損益分岐点に比べて、どの程度上回っているかをみる比率である。例えば、安全余裕度が25％の場合、実際の売上高は25％減少しても営業利益がマイナスにはならないという意味である。安全余裕度が大きく、実際の売上高が損益分岐点を大きく上回っている場合には、売上高が多少減少しても営業利益がマイナスにはならないので、この比率が大きいほど安全性は高くなる。

　また、計算式からもわかるように、損益分岐点比率と安全余裕度は、合計すると100％になる。

## Point ④　営業レバレッジ

① 営業レバレッジ

　　将来の営業利益を予測する場合、不確実性が存在するので、通常は実際の営業利益と予定の営業利益は一致しない。ここで、一致しない原因をリスクとして捉えれば、売上高の変化によって営業利益が大きく変化することは、リスクが大きいことを意味する。売上高の変化によって営業利益が変化することを営業レバレッジという。なお、下記の計算式から営業レバレッジは、固定費によって影響されていることがわかる。

$$営業レバレッジ（倍）= \frac{限界利益}{営業利益} = \frac{固定費＋営業利益}{営業利益}$$

② 損益分岐点比率と営業レバレッジの関係

　　損益分岐点比率と営業レバレッジの間には、次式で表される関係が存在している。

$$営業レバレッジ（倍）= \frac{営業利益変化率}{売上高変化率} = \frac{1}{1－損益分岐点比率}$$
$$= \frac{1}{安全余裕度}$$

　　この関係式は、損益分岐点比率が高く安全余裕度が低くなっているほど、売上高の変化に起因して利益がいっそう影響を受けることを意味している。

例題 2　次のデータに基づき、以下の各問に対する答えを、それぞれA～Eの中から1つ選びなさい。なお、変動費と固定費の分解については総費用法を用いることとし、費用の合計は売上原価と販売費及び一般管理費の合計として計算すること。

損益計算書抜粋　　　　　　（単位：千円）

| | 前期 | 当期 |
|---|---|---|
| 売上高 | 23,450 | 28,950 |
| 売上原価 | 13,150 | 15,450 |
| 販売費及び一般管理費 | 9,900 | 10,900 |
| 営業利益 | 400 | 2,600 |

問 1　変動費率はいくらですか。

A　0.42

B　0.55

C　0.60

D　0.72

E　0.80

問 2　固定費の金額はいくらですか。

A　3,190千円

B　8,980千円

C　10,885千円

D　15,465千円

E　17,370千円

解答　　問 1　C
　　　　問 2　B

問1

　総費用法とは、売上の対前年変化額に対する費用の対前年変化額の比率を計算することによって、変動費率を算定する方法である。

　変動費率は、下記のように求められる。

$$変動費率＝\frac{費用の対前年変化額}{売上の対前年変化額}$$

問題文の前期・当期のデータを上記式に代入して変動費率を求める。

$$変動費率＝\frac{費用の対前年変化額}{売上の対前年変化額}$$
$$＝\frac{(15,450千円＋10,900千円)－(13,150千円＋9,900千円)}{28,950千円－23,450千円}＝0.6$$

問2

　変動費は、売上高に変動費率を乗じて求める。

　変動費＝売上高×変動費率＝28,950千円×0.6＝17,370千円

　固定費は、費用合計から変動費を控除して求める。

　固定費＝費用合計－変動費

　　　　＝(15,450千円＋10,900千円)－17,370千円＝8,980千円

例題3

次のデータに基づき、以下の各問に対する答えを、それぞれA～Eの中から1つ選びなさい。

① 売上高　　1,000千円

② 変動費　　　600千円

③ 固定費　　　300千円

④ 営業利益　　100千円

**問 1**　損益分岐点比率はいくらですか。

A　0.55

B　0.60

C　0.65

D　0.70

E　0.75

**問 2**　営業レバレッジはいくらですか。

A　2.5倍

B　3.0倍

C　3.5倍

D　4.0倍

E　4.5倍

**問 3**　変動費率や固定費の金額は一定とした場合、目標営業利益200千円を達成するための売上高はいくらですか。

A　1,100千円

B　1,200千円

C　1,250千円

D　1,350千円

E　1,400千円

解答　▶　問 1　E
　　　　　問 2　D
　　　　　問 3　C

問1　損益分岐点比率は、以下のように求められる。

$$損益分岐点比率 = \frac{損益分岐点売上高^{※1}}{実際売上高} = \frac{750千円}{1,000千円} = 0.75$$

※1　$$損益分岐点売上高 = \frac{固定費}{1-変動費率^{※2}} = \frac{固定費}{限界利益率}$$

$$= \frac{300千円}{1-0.6} = \frac{300千円}{0.4} = 750千円$$

※2　$$変動費率 = \frac{変動費}{売上高} = \frac{600千円}{1,000千円} = 0.6$$

問2　営業レバレッジは、以下のように求められる。

$$営業レバレッジ = \frac{営業利益変化率}{売上高変化率} = \frac{限界利益}{営業利益}$$

$$= \frac{1}{1-損益分岐点比率} = \frac{1}{安全余裕度}$$

　上記式の計算要素のうち、限界利益はデータより400千円（＝売上高1,000千円－変動費600千円）と求められる。また、損益分岐点比率0.75は、問1で計算済みである。

$$営業レバレッジ = \frac{400千円}{100千円} = \frac{1}{1-0.75} = 4.0倍$$

問3　本問では、変動費率、固定費は一定とし、営業利益を目標の200千円として、式を展開する。

売上高－変動費－固定費＝営業利益

売上高－売上高×変動費率－固定費＝営業利益

売上高－売上高×（600千円÷1,000千円）－300千円＝200千円

0.4×売上高＝500千円

売上高＝1,250千円

## 7　成長性分析

　成長性分析では、企業全体としての成長性と既存の株主からの成長性の観点を明確に区別する必要がある。例えば、他の企業を合併したり、あるいは公募で新株式を発行して資金を調達すると、企業規模が拡大するので、企業全体としては成長したといえる。しかし、既存の株主の観点からみれば、新規の株主が参入しただけで、自己の財産の増加や収益性の向上を意味するものとは限らない。したがって、既存株主の観点からは、企業全体の成長性を評価するのではなく、1株当たり利益を基礎として評価することが重要となる。

　なお、指標の計算で用いる個別損益計算書の「当期純利益」は、連結損益計算書においては「親会社株主に帰属する当期純利益」となる。

### Point ① サステイナブル成長率

$$
\text{サステイナブル成長率} = \text{内部留保率} \times \text{ROE}^*
$$
$$
= (1 - \text{配当性向}) \times \text{ROE}^*
$$

　サステイナブル成長率とは、企業が新たな外部資金調達（増資）を行わず、内部留保のみで達成できる理論的な利益あるいは配当の成長率のことである。これは、2つの前提条件をもとに企業が長期的に持続する成長率を意味する。第1の前提条件は、新規の株式発行によって自己資本を増加させず、内部留保だけで自己資本を増加させることにある。つまり、既存の自己資本によって獲得した利益、すなわち内部留保によって1株当たり利益の成長を可能にすることである。第2の前提条件は、財務諸表のすべての項目が現在の相互関係を維持したまま、均等に成長する状態を想定する。つまり、資本構成をまったく変化させず、1株当たり利益の成長を可能にすることである。この2つの前提条件は、内部留保による長期的な達成可能な成長率であり、1株当たり利益の成長率を予測する場合の目安として使用することができる。

　※　サステイナブル成長率を計算する際のROE

$$
\frac{\text{当期純利益}}{\textbf{期首自己資本}}
$$

## Point ② 1株当たり当期純利益（Earnings Per Share：EPS）

① 1株当たり当期純利益

$$1株当たり当期純利益 = \frac{普通株式に係る当期純利益}{普通株式の期中平均株式数}$$

$$= \frac{損益計算書上の当期純利益－普通株主に帰属しない金額}{普通株式の期中平均発行済株式数－普通株式の期中平均自己株式数}$$

　将来の1株当たり利益の成長率を予測するもう1つの手がかりとして、過去の1株当たり利益の成長がある。これは、損益計算書の当期純利益を発行済普通株式の期中平均株式数で除して算定し、時系列にその趨勢を比較することによって、1株当たり利益の成長性を判断するものである。

　また、株価を1株当たり当期純利益で除した株価収益率（PER：Price Earnings Ratio）を用いることで、株価の水準を評価することができる。

　なお、指標の計算で用いる個別損益計算書の「当期純利益」は、連結損益計算書においては「親会社株主に帰属する当期純利益」となる。

② 分子分母の調整

　分子の普通株主に係る当期純利益については、当期純利益から普通株主に帰属しない金額（配当優先株式に係る優先配当額）を控除する。

　また、分母の普通株式の期中平均株式数は、普通株式の期中平均発行済株式数から普通株式の期中平均自己株式を控除する。なお、普通株式と同等の株式が存在する場合には、株式数に含めて計算する。

## Point ③ 潜在株式調整後1株当たり当期純利益

$$潜在株式調整後1株当たり当期純利益 = \frac{普通株式に係る当期純利益＋当期純利益調整額}{普通株式の期中平均株式数＋普通株式増加数}$$

　1株当たり利益の情報は、基本的には企業が実際に発行している株式数に基づいた数値である。しかし、企業が新株予約権や転換社債型新株予約権付社債などを発行している場合には、その保有者が権利行使を行うと発行済株式数が増加し、新たに参入した新株主によって、既存株主の持ち株シェアが低下する

ことになる。つまり、希薄化が生じる可能性が存在する。したがって、新株予約権や転換社債型新株予約権付社債の残高がある場合、潜在株式（将来において株式数を増加させる可能性のある株式のこと）が存在することになり、この潜在株式を考慮した1株当たり当期純利益を考慮しなければならない。

## Point ④　株式分割における調整

　株式分割とは、既存の株主に無償で新たに株式を交付し、株式数を増加させることである。例えば、当期中に株式分割を行って1株を2株にする場合、新たな資金の払込みがないため、1株当たりの価値が半減する。しかし、既存の株主は株式分割後に2株を保有することになり、全体としての価値は変化しない。そこで、株式分割前も2株に相当する価値を持っていたとして、株式数を2倍に修正して計算する（最初から2株保有していたと仮定する）のが整合的である。

　そこで、期中に株式分割が行われた場合には、表示された財務諸表の最も古い期間の期首に1株が2株に分割されたと仮定する。この仮定は、株式分割が既存の株主に一律に影響すること及び時系列比較を確保することを考慮したものである。

> **例題 4**
>
> **次の資料に基づいた場合、サステイナブル成長率はいくらですか。**
>
> （資料）

| 株主資本 | 1,200億円 |
|---|---|
| 親会社に帰属する当期純利益 | 90億円 |
| 配当 | 36億円 |

A　3.0%

B　4.5%

C　5.5%

D　6.0%

E　7.5%

解　説

サステイナブル成長率は、次の式で求めることができる。

サステイナブル成長率＝株主資本純利益率[※1]×（1－配当性向[※2]）

$$=7.5\% \times (1-40\%)=4.5\%$$

[※1]　株主資本純利益率＝親会社株主に帰属する当期純利益÷株主資本

$$=90億円÷1,200億円×100=7.5\%$$

[※2]　配当性向＝配当÷親会社に帰属する当期純利益

$$=36億円÷90億円×100=40\%$$

例題5　　　後掲の資料は、写真事業を主として営む日本のA社の当期までの4期分の連結財務データである。このデータによる財務分析に基づいて記述された下記の文章の空欄（ア）～（シ）に入れるべき数値、および空欄（①）～（⑬）に入れるべき語句はどれですか。それぞれ与えられた数値群および語群の中から選びなさい。

（注意事項）

1．空欄（ア）～（シ）に入れるべき数値は、それぞれの空欄ごとに与えられた「数値群」の中から正しいものを選ぶこと。

2．空欄（①）～（⑬）に入れるべき語句は、文章(1)～(5)の区分ごとに与えられた「語群」の中から最も適切なものを選ぶこと。なお、同じ語句を繰り返し選んでもよいが、同じ番号の空欄には同じ語句を入れるものとする。

(1)　国内景気が先行き不透明であり、個人消費も停滞感が続く中で、A社は、当期大幅な減収減益となっている。そこで、過去3年にわたるROEを算定し、これをデュポン・システムにもとづいて3つの要因に分解した結果は次のとおりである。なお、この計算における純資産の項目について、自己資本は株主資

本と（　①　）の合計とし、（　②　）は固定負債として取り扱う（以下、同じ）。また、使用する貸借対照表の金額は期首と期末の平均値によっている。

|  | 前々期 | 前　期 | 当　期 |
|---|---|---|---|
| ＲＯＥ　（％） | 2.30 | 0.36 | （　ア　） |
| （　③　）（％） | 0.29 | 0.05 | （　イ　） |
| （　④　）（回） | 2.34 | 2.43 | （　ウ　） |
| （　⑤　）（倍） | 3.36 | 3.28 | （　エ　） |

　この計算結果によれば、（　⑤　）はわずかに上昇しているものの、（　③　）の低下が、ROE の変化の主因であることがわかる。

〔数値群〕

ア　A　△12.01　B　△11.87　C　△11.69　D　△10.99　E　△10.36

イ　A　△ 1.41　B　△ 1.35　C　△ 1.27　D　△ 1.13　E　△ 1.04

ウ　A　　2.13　B　　2.29　C　　2.36　D　　2.47　E　　2.52

エ　A　　3.10　B　　3.33　C　　3.66　D　　3.87　E　　4.13

〔語　群〕

A　売上高事業利益率　　　　B　売上高純利益率　　C　営業レバレッジ

D　財務レバレッジ　　　　　E　総資本回転率　　　F　総資本事業利益率

G　その他の包括利益累計額　H　長期借入金　　　　I　非支配株主持分

J　流動負債

(2) 次に、売上高を100%として収益や費用の割合を観察したところ、次の百分
率損益計算書が得られた。

|  | 前々期 | 前　期 | 当　期 |
|---|---|---|---|
| 売上高 | 100.0% | 100.0% | 100.0% |
| 売上原価 | 65.0 | 63.9 | （　　） |
| 販売費・一般管理費 | 33.9 | 35.5 | （　　） |
| 営業損益（△損失） | 1.1 | 0.6 | （　　） |
| 持分法による投資利益 | 0.0 | 0.0 | （　　） |
| 受取利息・配当金 | 0.0 | 0.0 | （　　） |
| 支払利息 | 0.1 | 0.1 | （　　） |
| その他の営業外損益 | 0.3 | 0.2 | （　　） |
| 特別利益 | 0.0 | 0.0 | （　　） |
| 特別損失 | 0.3 | 0.2 | （　　） |
| （うち、減損損失） | (0.2) | (0.1) | （　　） |
| 税金費用 | 0.6 | 0.5 | （　　） |
| 非支配株主に帰属する当期純利益 | 0.0 | 0.0 | （　　） |
| 親会社株主に帰属する当期純損益（△損失） | 0.3 | 0.0 | （　　） |

　　この結果によれば、（　⑥　）が売上高利益率の低下の最も大きな原因であ
ることがわかる。次いで、事業構造改革の一環として利用設備を見直したため
に発生した（　⑦　）をはじめとする特別損失の影響が一因であることも判明
する。

〔語　群〕

A　受取利息・配当金　B　売上原価　　　　C　減損損失

D　支払利息　　　　　E　税金費用　　　　F　その他の営業外損益

G　特別利益　　　　　H　販売費・一般管理費

I　非支配株主に帰属する当期純利益　　　　J　持分法による投資利益

294

(3)　このような売上高利益率の低迷は、損益分岐点にも悪影響を及ぼしたものと思われる。そこで、営業利益を対象としてこの状況を明らかにするために、売上原価と販売費・一般管理費を変動費と固定費に区分し、損益分岐点比率を算定した。この結果、当期における損益分岐点比率は 1 を超え、損益構造の改善が急務であることを明らかにしている。

|  | 前々期 | 前　期 | 当　期 |
|---|---|---|---|
| 売上原価 | 99,560 | 98,492 | （　　　） |
| 販売費・一般管理費 | 51,994 | 54,781 | （　　　） |
| 合計 | 151,554 | 153,273 | （　　　） |
| 変動費 | 101,169 | 100,619 | 91,265 |
| 固定費 | 50,385 | 52,654 | （　　　） |
| 変動費率 | 0.660 | 0.652 | （　オ　） |
| 損益分岐点売上高 | 148,191 | 151,305 | （　カ　） |
| 損益分岐点比率 | 0.967 | 0.981 | （　キ　） |

〔数値群〕

| | A | B | C | D | E |
|---|---|---|---|---|---|
| オ | 0.628 | 0.634 | 0.640 | 0.646 | 0.652 |
| カ | 142,333 | 143,521 | 144,881 | 145,968 | 146,834 |
| キ | 1.014 | 1.025 | 1.039 | 1.047 | 1.058 |

(4) さらに、貸借対照表の主要な資産をとりあげて、投下資本の利用効率を分析した財務指標は次のとおりであった。なお、この計算でも、使用する貸借対照表の金額は期首と期末の平均値によっている。

| | 前々期 | 前　期 | 当　期 |
|---|---|---|---|
| （　⑧　）比率（月） | 0.58 | 0.54 | （　ク　） |
| （　⑨　）回転期間（日） | 32.7 | 32.0 | 32.2 |
| （　⑩　）回転期間（日） | 25.0 | 21.0 | （　ケ　） |
| 有形固定資産回転率（回） | 11.39 | 10.28 | （　コ　） |

　この結果、前期に比べ当期においては、（　⑨　）についてはほぼ変化がないが、（　⑧　）と有形固定資産については、わずかではあるが利用効率が低下していることがわかる。


〔数値群〕

| | A | B | C | D | E |
|---|---|---|---|---|---|
| ク | 0.76 | 0.81 | 0.87 | 0.92 | 0.98 |
| ケ | 20.0 | 20.7 | 21.3 | 21.9 | 22.6 |
| コ | 8.33 | 8.64 | 8.98 | 9.21 | 9.69 |

〔語　群〕

A　売上債権　　B　現金及び預金　　C　固定資産

D　自己資本　　E　その他の流動資産　　F　棚卸資産

G　手元流動性　　H　投資その他の資産　　I　無形固定資産

J　流動資産

(5)　最後に、A社の財務的な安全性を確認するため、財務指標の推移を観察した
　　結果は次のとおりである。なお、貸借対照表項目については、期末数値により
　　計算する。

|              | 前々期 | 前　期 | 当　期 |
|--------------|--------|--------|--------|
| （ ⑪ ）（％） | 54     | 51     | 91     |
| （ ⑫ ）（％） | 231    | 225    | （ サ ） |
| （ ⑬ ）（倍） | 10.3   | 7.3    | （ シ ） |

　　上記の結果から、短期的な債務返済能力を示す（　⑪　）は、前期に比べ改
　善傾向を示している。一方、（　⑫　）は固定負債の内訳項目である長期借入
　金の増加および親会社株主に帰属する当期純損失の計上に伴う株主資本の減少、
　（　⑬　）は営業損失の影響により、大幅に悪化している。

〔数値群〕

サ　A　272　　　　B　286　　　　C　298　　　　D　304　　　　E　313

シ　A　△9.0　　　B　△8.7　　　C　△8.4　　　D　△8.1　　　E　△7.8

〔語　群〕

A　安全余裕度　　　　B　インタレスト・カバレッジ・レシオ

C　固定比率　　　　　D　サステイナブル成長率　　E　自己資本比率

F　損益分岐点比率　　G　手元流動性比率　　　　　H　当座比率

I　負債比率　　　　　J　流動比率

「資料」A社の財務データ　　　　　　　　　　　　（金額単位：百万円）

| | ３期前 | 前々期 | 前　期 | 当　期 |
|---|---|---|---|---|
| 要約　連結貸借対照表 | | | | |
| 現金及び預金 | 7,486 | 7,388 | 6,590 | 16,579 |
| 売上債権 | 11,047 | 9,961 | 7,743 | 7,769 |
| 棚卸資産 | 13,822 | 13,598 | 13,413 | 11,537 |
| その他の流動資産 | 4,719 | 4,076 | 4,680 | 4,686 |
| 　流動資産合計 | 37,074 | 35,023 | 32,426 | 40,571 |
| 有形固定資産 | 12,690 | 14,195 | 15,814 | 15,644 |
| 無形固定資産 | 2,522 | 2,396 | 2,151 | 2,137 |
| 投資その他の資産 | 13,894 | 13,106 | 12,029 | 11,952 |
| 　固定資産合計 | 29,106 | 29,697 | 29,994 | 29,733 |
| 　資産合計 | 66,180 | 64,720 | 62,420 | 70,304 |
| 流動負債 | 32,643 | 31,886 | 28,320 | 26,848 |
| 固定負債 | 14,024 | 13,170 | 14,811 | 26,319 |
| （うち、長期借入金） | (7,896) | (5,534) | (6,336) | (18,227) |
| 　負債合計 | 46,667 | 45,056 | 43,131 | 53,167 |
| 株主資本 | 19,504 | 19,655 | 19,367 | 17,017 |
| その他の包括利益累計額 | △73 | △79 | △173 | 14 |
| 非支配株主持分 | 82 | 88 | 95 | 106 |
| 　純資産合計 | 19,513 | 19,664 | 19,289 | 17,137 |
| 　負債・純資産合計 | 66,180 | 64,720 | 62,420 | 70,304 |
| | | | | |
| 要約　連結損益計算書 | | | | |
| 売上高 | 152,077 | 153,174 | 154,219 | 141,322 |
| 売上原価 | 99,230 | 99,560 | 98,492 | 89,543 |
| 販売費・一般管理費 | 50,311 | 51,994 | 54,781 | 53,010 |
| 　営業損益（△損失） | 2,536 | 1,620 | 946 | △1,231 |
| 持分法による投資利益 | 9 | 14 | 0 | 0 |
| 受取利息・配当金 | 24 | 30 | 27 | 26 |
| 支払利息 | 204 | 162 | 133 | 138 |
| その他の営業外損益 | 310 | 395 | 302 | 275 |
| 特別利益 | 118 | 0 | 0 | 17 |
| 特別損失 | 336 | 456 | 324 | 1,261 |
| （うち、減損損失） | (151) | (337) | (109) | (846) |
| 税金費用 | 1,352 | 986 | 742 | △331 |
| 非支配株主に帰属する当期純利益 | 7 | 6 | 6 | 10 |
| 親会社株主に帰属する当期純損益（△損失） | 1,098 | 449 | 70 | △1,991 |

（以上）

298

解答 ▶

〔数値群〕

| | | | | |
|---|---|---|---|---|
| ア　D | イ　A | ウ　A | エ　C | オ　D |
| カ　C | キ　B | ク　E | ケ　A | コ　C |
| サ　E | シ　B | | | |

〔語　群〕

| | | | | |
|---|---|---|---|---|
| ①　G | ②　I | ③　B | ④　E | ⑤　D |
| ⑥　H | ⑦　C | ⑧　G | ⑨　F | ⑩　A |
| ⑪　H | ⑫　I | ⑬　B | | |

**解　説**

(1)　資本利益率の分析（ROE、自己資本純利益率）

ROE については、親会社株主に帰属する当期純利益（純損失）を自己資本で除して算定する。なお、自己資本については、純資産項目のうち、株主資本とその他の包括利益累計額の合計とし、非支配株主持分については固定負債として取り扱う。

さらに、ROE は、デュポン・システムにもとづいて、売上高純利益率、総資本回転率、財務レバレッジの 3 つに分解して分析する。

なお、この計算で使用する貸借対照表項目は、期首と期末の平均値を用いることに注意する。

当期の計算過程を示すと次のとおりである。

ROE（自己資本純利益率）＝売上高純利益率×総資本回転率

×財務レバレッジ

（ア）$ROE = \dfrac{親会社株主に帰属する当期純利益}{自己資本^{※}}$

$= \dfrac{\triangle 1,991}{(19,367 + (\triangle 173) + 17,017 + 14) \div 2} \times 100 \fallingdotseq \triangle 10.99\%$ …（D）

※　自己資本＝株主資本＋その他の包括利益累計額

（イ）売上高純利益率＝$\dfrac{\text{親会社株主に帰属する当期純利益}}{\text{売上高}}$

$$=\dfrac{\triangle 1,991}{141,322}\times 100 ≒ \triangle 1.41\%\ \cdots\cdots\cdots\cdots\text{（A）}$$

（ウ）総資本回転率＝$\dfrac{\text{売上高}}{\text{総資本}}$

$$=\dfrac{141,322}{(62,420+70,304)\div 2}≒2.13回\ \cdots\cdots\cdots\text{（A）}$$

（エ）財務レバレッジ＝$\dfrac{\text{総資本}}{\text{自己資本}}$

$$=\dfrac{(62,420+70,304)\div 2}{(19,367+(\triangle 173)+17,017+14)\div 2}≒3.66倍\cdots\text{（C）}$$

＜参考：解法メモ（矢印の先が分母）＞

当期・ROEの分解

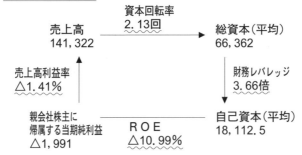

300

(2)　売上高利益率の分析

　百分率損益計算書は、売上高を100％とした場合の各費用項目あるいは収益・利益の項目の割合を示したものである。A社の百分率損益計算書を示すと次のとおりである。

| | 前々期 | 前　期 | 当　期 | 対前期差異 |
|---|---|---|---|---|
| 売上高 | 100.0% | 100.0% | 100.0% | － |
| 売上原価 | 65.0 | 63.9 | 63.4 | 0.5% |
| 販売費・一般管理費 | 33.9 | 35.5 | 37.5 | 2.0 |
| 営業損益（△損失） | 1.1 | 0.6 | △0.9 | 1.5 |
| 持分法による投資利益 | 0.0 | 0.0 | 0.0 | 0.0 |
| 受取利息・配当金 | 0.0 | 0.0 | 0.0 | 0.0 |
| 支払利息 | 0.1 | 0.1 | 0.1 | 0.0 |
| その他の営業外損益 | 0.3 | 0.2 | 0.2 | 0.0 |
| 特別利益 | 0.0 | 0.0 | 0.0 | 0.0 |
| 特別損失 | 0.3 | 0.2 | 0.9 | 0.7 |
| （うち、減損損失） | (0.2) | (0.1) | (0.6) | (0.5) |
| 税金費用 | 0.6 | 0.5 | △0.2 | 0.7 |
| 非支配株主に帰属する当期純利益 | 0.0 | 0.0 | 0.0 | 0.0 |
| 親会社株主に帰属する当期純損益(△損失) | 0.3 | 0.0 | △1.4 | 1.4 |

　百分率損益計算書が示すように、前期に比べ、当期の売上高利益率低下の最も大きな原因は、販売費・一般管理費であることがわかる。次に、特別損失の内訳項目である減損損失が影響したことがわかる。

(3)　損益分岐点分析

　本問では、指示どおり「売上原価と販売費・一般管理費の合計額を、固定費と変動費に区分」して、各数値を求める。

　　売上原価＋販売費・一般管理費＝変動費＋固定費

　　89,543＋53,010＝91,265＋固定費

　　固定費＝51,288

（オ）変動費率＝$\dfrac{変動費}{売上高}$

$\qquad\qquad\quad =\dfrac{91,265}{141,322}≒0.646$ ‥‥‥‥‥‥‥‥‥‥‥‥（D）

（カ）損益分岐点売上高＝$\dfrac{固定費}{1-変動費率}$

$\qquad\qquad\qquad\quad =\dfrac{51,288}{1-0.646}≒144,881$ ‥‥‥‥‥‥‥（C）

（キ）損益分岐点比率＝$\dfrac{損益分岐点売上高}{実際売上高}$

$\qquad\qquad\qquad =\dfrac{144,881}{141,322}≒1.025$ ‥‥‥‥‥‥‥‥‥‥（B）

(4) 資本回転率（回転期間）の分析

　資本回転率（回転期間）は投下資本をどの程度効率的に利用しているか
を示す指標である。なお、資本回転率（回転期間）についても、問題文に
指示があるように、貸借対照表項目は期首と期末の平均値を用いることに
注意する。

　（⑧）（⑨）（⑩）は、前期または前々期の指標を検算することで、それ
ぞれ、手元流動性、棚卸資産、売上債権と判断できる。

　なお、（⑧）については、「～比率（月）」とあるため、手元流動性であ
ると推定することができる。また、（⑨）（⑩）については、主要な資産か
ら選択することになるため、有形固定資産が指定されていることを踏まえ
ると、売上債権または棚卸資産のいずれかまでは絞り込むことができる。

　各指標の計算過程を示すと次のとおりである。

（ク）手元流動性比率＝$\dfrac{手元流動性^{※}}{売上高÷12月}$

$\qquad\qquad\qquad =\dfrac{(6,590+16,579)÷2}{141,322÷12月}≒0.98月$ ‥‥‥‥‥（E）

　※　手元流動性＝現金及び預金＋有価証券（なお、A社は有価証券
　を計上していない。）

$$棚卸資産回転期間 = \frac{棚卸資産}{売上高 \div 365日}$$

$$= \frac{(13,413 + 11,537) \div 2}{141,322 \div 365日} \fallingdotseq 32.2日$$

（ケ）$$売上債権回転期間 = \frac{売上債権}{売上高 \div 365日}$$

$$= \frac{(7,743 + 7,769) \div 2}{141,322 \div 365日} \fallingdotseq 20.0日 \quad \cdots\cdots\cdots\cdots （A）$$

（コ）$$有形固定資産回転率 = \frac{売上高}{有形固定資産}$$

$$= \frac{141,322}{(15,814 + 15,644) \div 2} \fallingdotseq 8.98回 \quad \cdots\cdots\cdots （C）$$

＜参考：解法メモ（矢印の先が分母）＞

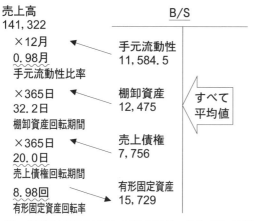

※　単位が「月」「日」の場合には、それぞれ12月、365日を乗じること。

(5)　安全性の分析

　　まず、「短期的な債務返済能力」を示す指標としては、当座比率と流動比率が挙げられる。これ以上は問題文から判別できないため、明示されている前期もしくは前々期の比率を検算することで（⑪）は当座比率と判断する。

　　また、（⑫）（⑬）は、前述と同様に検算することで、それぞれ、負債比

率、インタレスト・カバレッジ・レシオと判断する。なお、（⑬）については、単位が「倍」であることから、インタレスト・カバレッジ・レシオと推定できる。

さらに、純資産項目のうち非支配株主持分は、固定負債として取り扱うことに注意する。

各指標の計算過程を示すと次のとおりである。

$$当座比率＝\frac{当座資産^{※1}}{流動負債}$$

$$＝\frac{16,579＋7,769}{26,848}×100≒91\%$$

※1　当座資産＝現金及び預金＋売上債権＋有価証券$^{※2}$－貸倒引当金$^{※2}$

※2　本問では、有価証券、貸倒引当金ともに明示されていない。

（サ）負債比率$＝\dfrac{負債^{※1}}{自己資本^{※2}}$

$$＝\frac{53,167＋106}{17,017＋14}×100≒313\%　\cdots\cdots\cdots\cdots\cdots\cdots（E）$$

※1　非支配株主持分は、問題文の指示より固定負債として計算する。

※2　自己資本＝株主資本＋その他の包括利益累計額

（シ）インタレスト・カバレッジ・レシオ$＝\dfrac{事業利益^{※}}{金融費用}$

$$＝\frac{△1,231＋0＋26}{138}≒△8.7倍　\cdots\cdots（B）$$

※　事業利益＝営業利益＋持分法による投資利益＋受取利息・配当金

＜参考：解法メモ（矢印の先が分母）＞

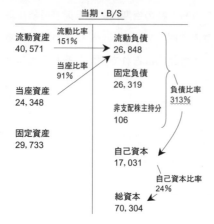

**例題6**

後掲の資料は、百貨店業界に属する日本のＡ社とＢ社の連結財務データである。これら２社の当期に関する財務分析に基づいて記述された下記の文章の空欄（ア）〜（シ）に入れるべき数値、および空欄（①）〜（⑫）に入れるべき語句はどれですか。それぞれ与えられた数値群および語群の中から選ぶこと。

> （注意事項）
>
> １．空欄（ア）〜（シ）に入れるべき数値は、それぞれの空欄ごとに与えられた「数値群」の中から正しいものを選ぶこと。
>
> ２．空欄（①）〜（⑫）に入れるべき語句は、文章(1)〜(5)の区分ごとに与えられた「語群」の中から最も適切なものを選ぶこと。なお、同じ語句を繰り返し選んでもよいが、同じ番号の空欄には同じ語句を入れるものとする。

(1) 政府や日本銀行の政策により、企業収益や雇用環境は回復が見込まれる一方で、個人消費は将来不安や節約志向の高まりによって力強さを欠く状況となっている。このような影響を受け、業界を牽引する両社の売上は前期比で微減の状況となっている。そこで、この状況を計数的に把握するため、企業の投下資本全体の観点からみた収益性の指標である（　①　）を算定し、（　②　）と（　③　）に分解した結果が次のとおりである。この計算に際し、使用する貸借対照表の金額は期首と期末の平均値によることとする。

|  | Ａ　社 | Ｂ　社 |
|---|---|---|
| （　①　）(%) | 4.41 | （　ア　） |
| （　②　）(%) | 4.12 | （　イ　） |
| （　③　）(回) | 1.07 | （　ウ　） |

この分析結果から、Ａ社の（　①　）の高さは、（　②　）に起因していることがわかる。

〔数値群〕

| | | | | | | | | | | |
|---|---|---|---|---|---|---|---|---|---|---|
| ア | A | 2.17 | B | 2.28 | C | 2.35 | D | 2.46 | E | 2.59 |
| イ | A | 2.36 | B | 2.42 | C | 2.53 | D | 2.67 | E | 2.72 |
| ウ | A | 0.87 | B | 0.90 | C | 0.93 | D | 0.96 | E | 0.99 |

〔語　群〕

A　売上高営業利益率　　B　売上高事業利益率　　　C　売上高純利益率

D　営業レバレッジ　　　E　経営資本営業利益率　　F　経営資本回転率

G　財務レバレッジ　　　H　自己資本純利益率　　　I　総資本回転率

J　総資本事業利益率

(2)　両社の収益力をさらに分析するため、本業の観点から見た経営資本営業利益率を算定し、売上高営業利益率と経営資本回転率に分解した結果が次のとおりである。この計算に際し、本業の投下資本である経営資本は、総資本から余剰資金運用資本を控除して導出する。なお、余剰資金運用資本は、流動資産のうちの現金及び預金と有価証券、および固定資産のうちの投資その他の資産を合計して算定する。ただし、連結経営を構成する企業への事業投資として把握される（　④　）は、投資その他の資産ではなく経営資本に含めることとする。また、本業の利益については、営業利益に（　⑤　）を含めて計算する。この計算に際し、使用する貸借対照表の金額は期首と期末の平均値によることとする。

|  | A　社 | B　社 |
|---|---|---|
| 総資本（百万円） | 1,034,628 | 1,301,410 |
| 余剰資金運用資本（百万円） | 136,029 | 186,210 |
| 経営資本（百万円）（a） | 898,599 | （　　　） |
| 営業利益（百万円） | 44,580 | 23,935 |
| 持分法による投資利益（百万円） | 308 | 4,263 |
| 本業の利益（百万円）（b） | 44,888 | （　　　） |
|  |  |  |
| 経営資本営業利益率（%）（b÷a） | 5.00 | （　エ　） |
| 売上高営業利益率（%） | 4.05 | （　オ　） |
| 経営資本回転率（回） | 1.23 | （　　　） |

　この分析結果によると、A社の収益性がB社に比べ良好な原因は、本業の収益性の高さを反映したものであることがわかる。


〔数値群〕

エ　A　2.15　　B　2.25　　C　2.34　　D　2.47　　E　2.53

オ　A　1.91　　B　2.03　　C　2.12　　D　2.25　　E　2.36

〔語　群〕

A　売上債権　　　　B　株主資本　　　C　関連会社株式

D　固定負債　　　　E　支払利息　　　F　棚卸資産

G　特別利益　　　　H　非支配株主に帰属する当期純損益

I　無形固定資産　　J　持分法による投資利益

(3)　次に百分率損益計算書を作成して両社の収益や費用の割合を観察した結果は、
以下のとおりである。

|  | A 社 | B 社 |
|---|---|---|
| 売上高 | 100.0% | 100.0% |
| 売上原価 | 78.8 | （　　） |
| 販売費・一般管理費 | 17.2 | （　　） |
| 持分法による投資利益 | 0.0 | （　　） |
| 受取利息・配当金 | 0.1 | （　　） |
| 支払利息 | 0.1 | （　　） |
| その他の営業外損益(△損失) | △0.0 | （　　） |
| 特別利益 | 0.3 | （　　） |
| 特別損失 | 0.7 | （　　） |
| 税金費用 | 0.9 | （　　） |
| 非支配株主に帰属する当期純損益(△損失) | 0.3 | （　　） |
| 親会社株主に帰属する当期純利益 | 2.4 | （　　） |

　この結果によれば、最大の差異となる（　⑥　）はA社の方が低くなってい
る。一方で、それに次ぐ差異である（　⑦　）はA社の方が高くなっている。
したがって、高い（　⑦　）に対して（　⑥　）を低減した効果が、B社に比
べA社の売上高利益率を押し上げる要因となっている。

〔語　群〕

A　受取利息・配当金　B　売上原価　C　支払利息

D　税金費用　　　　　E　その他の営業外損益

F　特別損失　　　　　G　特別利益　H　販売費・一般管理費

I　非支配株主に帰属する当期純損益　J　持分法による投資利益

(4)　さらに、主要な資産別に期首と期末の平均値を用いて回転状況の比較を行った結果は次のとおりである。

|  | A　社 | B　社 |
|---|---|---|
| （　⑧　）比率（月） | 0.36 | （　カ　） |
| 売上債権回転期間（日） | 22.49 | （　キ　） |
| 棚卸資産回転期間（日） | 10.32 | （　ク　） |
| （　⑨　）回転率（回） | 1.64 | （　ケ　） |

　上記の結果から、（　⑨　）に関する指標以外は、A社の方が良好な状況であることがわかる。なお、（　⑧　）に関する指標については、低いほど資産が有効に活用されていると判断される反面、あまりに低すぎると支払能力の点で懸念される場合がある。


〔数値群〕

| カ | A | 0.60 | B | 0.63 | C | 0.71 | D | 0.78 | E | 0.82 |
|---|---|---|---|---|---|---|---|---|---|---|
| キ | A | 37.35 | B | 42.12 | C | 53.64 | D | 61.47 | E | 74.71 |
| ク | A | 16.98 | B | 17.36 | C | 17.62 | D | 18.41 | E | 18.64 |
| ケ | A | 1.64 | B | 1.66 | C | 1.68 | D | 1.70 | E | 1.72 |

〔語　群〕

| A | 現金及び預金 | B | 総資産 | C | 固定資産 | D | 手元流動性 |
|---|---|---|---|---|---|---|
| E | 当座資産 | F | 投資その他の資産 | G | 無形固定資産 | | |
| H | 有価証券 | I | 有形固定資産 | J | 流動資産 | | |

(5)　最後に、両社の財務的な安全性を評価するための財務指標を観察した結果は、次のとおりである。なお、この計算では、新株予約権と非支配株主持分を固定負債として取扱うこととする。

| | A 社 | B 社 |
|---|---|---|
| （ ⑩ ）（％） | （ コ ） | 44 |
| （ ⑪ ）（％） | 39 | （ サ ） |
| （ ⑫ ）（倍） | 39 | （ シ ） |

　上記の結果から、短期的な債務返済能力である（　⑩　）、長期的な安全性を示す（　⑪　）をみると、B社の方が良好な状況を示している。なお、A社については、B社と大きな乖離もなく、安全性に関して即座に悲観する状況とはいえない。金利支払能力を示す（　⑫　）についても、両社とも良好な水準を示している。

〔数値群〕

| コ | A | 33 | B | 44 | C | 57 | D | 62 | E | 70 |
|---|---|---|---|---|---|---|---|---|---|---|
| サ | A | 26 | B | 37 | C | 43 | D | 56 | E | 67 |
| シ | A | 24 | B | 26 | C | 28 | D | 30 | E | 32 |

〔語　群〕

A　安全余裕度　　　B　インタレスト・カバレッジ・レシオ　　C　固定比率
D　自己資本比率　　E　損益分岐点比率　　F　手元流動性比率
G　当座比率　　　　H　負債比率　　　　　I　変動費率
J　流動比率

## 「資料」A社とB社の財務データ　　　　　　　　　　　　　（単位：百万円）

| | A 社 | | B 社 | |
|---|---|---|---|---|
| | 前　期 | 当　期 | 前　期 | 当　期 |
| 要約　連結貸借対照表 | | | | |
| 現金及び預金 | 30,039 | 33,018 | 67,971 | 61,722 |
| 売上債権 | 67,876 | 68,748 | 125,453 | 131,095 |
| 有価証券 | 1,233 | 1,500 | 5 | 953 |
| 棚卸資産 | 28,205 | 34,499 | 61,364 | 59,626 |
| その他の流動資産 | 53,538 | 55,064 | 51,538 | 58,037 |
| 　流動資産合計 | 180,891 | 192,829 | 306,331 | 311,433 |
| 有形固定資産 | 668,651 | 684,063 | 731,302 | 728,471 |
| 無形固定資産 | 41,444 | 41,647 | 58,583 | 77,477 |
| 投資その他の資産 | 128,161 | 131,570 | 196,827 | 192,396 |
| 　（うち、関連会社株式） | (26,930) | (26,533) | (73,937) | (73,517) |
| 　固定資産合計 | 838,256 | 857,280 | 986,712 | 998,344 |
| 　資産合計 | 1,019,147 | 1,050,109 | 1,293,043 | 1,309,777 |
| 流動負債 | 302,944 | 312,568 | 420,167 | 443,399 |
| 固定負債 | 275,609 | 271,701 | 298,560 | 286,595 |
| 　負債合計 | 578,553 | 584,269 | 718,727 | 729,994 |
| 株主資本 | 392,236 | 411,868 | 552,312 | 558,925 |
| その他の包括利益累計額 | △8,536 | △5,531 | 10,952 | 9,935 |
| 新株予約権 | 14 | 0 | 1,681 | 1,946 |
| 非支配株主持分 | 56,880 | 59,503 | 9,371 | 8,977 |
| 　純資産合計 | 440,594 | 465,840 | 574,316 | 579,783 |
| 　負債・純資産合計 | 1,019,147 | 1,050,109 | 1,293,043 | 1,309,777 |
| 要約　連結損益計算書 | | | | |
| 売上高 | 1,163,564 | 1,108,512 | 1,287,253 | 1,253,457 |
| 売上原価 | 918,031 | 873,727 | 925,484 | 887,848 |
| 販売費・一般管理費 | 197,495 | 190,205 | 328,662 | 341,674 |
| 　営業利益 | 48,038 | 44,580 | 33,107 | 23,935 |
| 持分法による投資利益 | 1,886 | 308 | 5,521 | 4,263 |
| 受取利息・配当金 | 734 | 744 | 1,535 | 1,411 |
| 支払利息 | 1,419 | 1,181 | 1,089 | 986 |
| その他の営業外損益(△損失) | △1,329 | △28 | △2,371 | △1,205 |
| 特別利益 | 1,091 | 3,609 | 1,267 | 1,228 |
| 特別損失 | 14,304 | 7,483 | 9,590 | 13,922 |
| 税金費用 | 4,835 | 10,164 | 2,956 | △64 |
| 非支配株主に帰属する当期純損益(△損失) | 3,549 | 3,435 | △1,082 | △188 |
| 親株主に帰属する当期純利益 | 26,313 | 26,950 | 26,506 | 14,976 |

（以上）

解答 ▶

〔数値群〕

| ア | B | イ | A | ウ | D | エ | E | オ | D |
|---|---|---|---|---|---|---|---|---|---|
| カ | B | キ | A | ク | C | ケ | E | コ | A |
| サ | C | シ | D | | | | | | |

〔語　群〕

| ① | J | ② | B | ③ | I | ④ | C | ⑤ | J |
|---|---|---|---|---|---|---|---|---|---|
| ⑥ | H | ⑦ | B | ⑧ | D | ⑨ | I | ⑩ | G |
| ⑪ | D | ⑫ | B | | | | | | |

## 解　説

(1)　資本利益率の分析（総資本事業利益率、ＲＯＡ）

　　（①）については、「企業の投下資本全体の観点～」とあることから、総資本事業利益率が該当する。総資本事業利益率（①）については、売上高事業利益率（②）と総資本回転率（③）に分解することができる。なお、この計算で使用する貸借対照表項目は、期首と期末の平均値を用いることに注意する。

　　Ｂ社の当期の計算過程を示すと次のとおりである。

　　　総資本事業利益率（ROA）＝売上高事業利益率×総資本回転率

（ア）総資本事業利益率 $= \dfrac{\text{事業利益}^{※}}{\text{総資本}}$

$$= \frac{23,935+4,263+1,411}{(1,293,043+1,309,777)\div2}\times100 \fallingdotseq 2.28\% \quad\cdots\cdots（B）$$

　※　事業利益＝営業利益＋持分法による投資利益＋受取利息・配当金

313

（イ）売上高事業利益率 ＝ $\dfrac{\text{事業利益}}{\text{売上高}}$

$$= \dfrac{23,935＋4,263＋1,411}{1,253,457} \times 100 ≒ 2.36\% \quad \cdots（A）$$

（ウ）総資本回転率 ＝ $\dfrac{\text{売上高}}{\text{総資本}}$

$$= \dfrac{1,253,457}{(1,293,043＋1,309,777)÷2} ≒ 0.96回 \quad \cdots\cdots（D）$$

＜参考：解法メモ（矢印の先が分母）＞

Ｂ社・総資本事業利益率（ROA）の分解

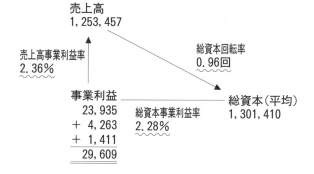

(2)　資本利益率の分析（経営資本営業利益率）

　　経営資本営業利益率を算定するとともに、売上高営業利益率と経営資本
回転率に分解する。この計算にあたっては、本業の観点からみた資本や利
益の計算に特有の処理が求められるため、問題文の指示に注意する必要が
ある。ポイントは以下のとおりである。

　　経営資本については、総資本から余剰資金運用資本を控除する。余剰資
金運用資本は、現金及び預金と有価証券、および投資その他の資産を合計
する。なお、投資その他の資産のうち関連会社株式（④）については、連
結経営を構成する企業への事業投資として経営資本に含める。また、持分
法による投資利益（⑤）は営業利益に含めて計算する。最後に、貸借対照

表項目は、期首と期末の平均値を用いることに注意する。

B社の当期の計算過程を示すと次のとおりである。

|  | 前期 | 当期 | 平均 |
|---|---|---|---|
| 総資本 | 1,293,043 | 1,309,777 | 1,301,410 |
| 余剰資金運用資本 | 190,866 | 181,554 | 186,210 |
| 　現金及び預金 | （　67,971） | （　61,722） |  |
| 　有価証券 | （　　　5） | （　　953） |  |
| 　投資その他の資産 | （　196,827） | （　192,396） |  |
| 　関連会社株式 | （△73,937） | （△73,517） |  |
| 経営資本 | 1,102,177 | 1,128,223 | 1,115,200 |

経営資本営業利益率＝売上高営業利益率×経営資本回転率

（エ）経営資本営業利益率 $= \dfrac{\text{営業利益＋持分法による投資利益}}{\text{経営資本}}$

$$= \frac{23,935 + 4,263}{(1,102,177 + 1,128,223) \div 2} \times 100 \fallingdotseq 2.53\% \cdots (\text{E})$$

（オ）売上高営業利益率 $= \dfrac{\text{営業利益＋持分法による投資利益}}{\text{売上高}}$

$$= \frac{23,935 + 4,263}{1,253,457} \times 100 \fallingdotseq 2.25\% \cdots\cdots (\text{D})$$

経営資本回転率 $= \dfrac{\text{売上高}}{\text{経営資本}}$

$$= \frac{1,253,457}{(1,102,177 + 1,128,223) \div 2} \fallingdotseq 1.12\text{回}$$

<参考：解法メモ（矢印の先が分母）>

B社・経営資本営業利益率の分解

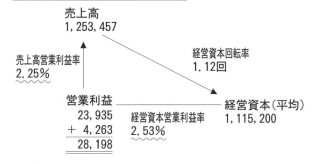

売上高
1,253,457

売上高営業利益率
2.25%

経営資本回転率
1.12回

営業利益
23,935
+ 4,263
28,198

経営資本営業利益率
2.53%

経営資本（平均）
1,115,200

(3) 売上高利益率の分析

　　百分率損益計算書は、売上高を100％とした場合の各費用項目あるいは
収益・利益の項目の割合を示したものである。B社の空欄を算定し、両社
の差異を分析する。両社の百分率損益計算書を示すと次のとおりである。

|  | A 社 | B 社 | 差異 |
|---|---|---|---|
| 売上高 | 100.0% | 100.0% | － |
| 売上原価 | 78.8 | 70.8 | 8.0 |
| 販売費・一般管理費 | 17.2 | 27.3 | 10.1 |
| 持分法による投資利益 | 0.0 | 0.3 | 0.3 |
| 受取利息・配当金 | 0.1 | 0.1 | 0.0 |
| 支払利息 | 0.1 | 0.1 | 0.0 |
| その他の営業外損益（△損失） | △0.0 | △0.1 | 0.1 |
| 特別利益 | 0.3 | 0.1 | 0.2 |
| 特別損失 | 0.7 | 1.1 | 0.4 |
| 税金費用 | 0.9 | △0.0 | 0.9 |
| 非支配株主に帰属する当期純損益（△損失） | 0.3 | △0.0 | 0.3 |
| 親会社株主に帰属する当期純利益 | 2.4 | 1.2 | 1.2 |

　　この結果によれば、最大の差異となる販売費・一般管理費（⑥）はA社
の方が低くなっている。一方で、それに次ぐ差異である売上原価（⑦）は
A社の方が高くなっている。したがって、高い売上原価（⑦）に対して

316

販売費・一般管理費（⑥）を低減した効果が、Ｂ社に比べＡ社の売上高利益率を押し上げる要因となっている。

(4) 資本回転率（回転期間）の分析

　資本回転率（回転期間）は投下資本をどの程度効率的に利用しているかを示す指標である。なお、資本回転率（回転期間）についても、問題文に指示があるように、貸借対照表項目は期首と期末の平均値を用いることに注意する。

　（⑧）については、名称の「比率」および単位の「月」より、手元流動性と推定できる。また、Ａ社の比率を検算することで判断できる。次に（⑨）については、名称の「回転率」より、主要な資産のうち、売上債権と棚卸資産は既出のため、有形固定資産と推定できる。また、Ａ社の比率を検算することで判断できる。

　Ｂ社の計算過程を示すと次のとおりである。

（カ）手元流動性比率 $= \dfrac{\text{手元流動性}^{※}}{\text{売上高} \div 12\text{月}}$

$$= \dfrac{(67,971 + 5 + 61,722 + 953) \div 2}{1,253,457 \div 12\text{月}} ≒ 0.63\text{月} \cdots (\text{B})$$

　※　手元流動性＝現金及び預金＋有価証券

（キ）売上債権回転期間 $= \dfrac{\text{売上債権}}{\text{売上高} \div 365\text{日}}$

$$= \dfrac{(125,453 + 131,095) \div 2}{1,253,457 \div 365\text{日}} ≒ 37.35\text{日} \cdots\cdots (\text{A})$$

（ク）棚卸資産回転期間 $= \dfrac{\text{棚卸資産}}{\text{売上高} \div 365\text{日}}$

$$= \dfrac{(61,364 + 59,626) \div 2}{1,253,457 \div 365\text{日}} ≒ 17.62\text{日} \cdots\cdots\cdots (\text{C})$$

（ケ）有形固定資産回転率 $= \dfrac{\text{売上高}}{\text{有形固定資産}}$

$$= \dfrac{1,253,457}{(731,302 + 728,471) \div 2} ≒ 1.72\text{回} \cdots\cdots\cdots (\text{E})$$

＜参考：解法メモ（矢印の先が分母）＞

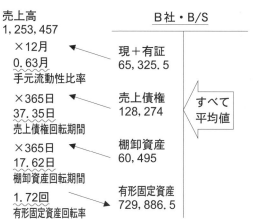

売上高
1,253,457
B社・B/S

| | 現＋有証 |
| ×12月 | 65,325.5 |
| 0.63月 | |
| 手元流動性比率 | |

| | 売上債権 |
| ×365日 | 128,274 |
| 37.35日 | |
| 売上債権回転期間 | |

| | 棚卸資産 |
| ×365日 | 60,495 |
| 17.62日 | |
| 棚卸資産回転期間 | |

| | 有形固定資産 |
| 1.72回 | 729,886.5 |
| 有形固定資産回転率 | |

すべて
平均値

※　単位が「月」「日」の場合には、それぞれ12月、365日を乗じること。

(5)　安全性の分析

本問では、「短期的な債務返済能力」、「長期的な安全性」といったキーワードから該当する指標を絞り込む。

まず、「短期的な債務返済能力」を示す指標としては、当座比率と流動比率が挙げられる。これ以上は問題文から判別できないため、明示されているB社の比率を検算することで（⑩）は当座比率と判断する。

次に、「長期的な安全性」を示す指標としては、負債比率と自己資本比率が挙げられる。前述と同様に検算することで、（⑪）は自己資本比率と判断する。

さらに、（⑫）は、金利支払能力を示す指標である点及び単位が「倍」であることから、インタレスト・カバレッジ・レシオと判断できる。

なお、純資産項目のうち新株予約権と非支配株主持分は、固定負債に準ずるものとして取り扱うことに注意する。

各指標の計算過程を示すと次のとおりである。

（コ）当座比率＝$\dfrac{\text{当座資産}^{※}}{\text{流動負債}}$

$$=\dfrac{33,018＋68,748＋1,500}{312,568}×100≒33\%\ \cdots\cdots\cdots（A）$$

※　当座資産＝現金及び預金＋売上債権＋有価証券

（サ）自己資本比率＝$\dfrac{\text{自己資本}^{※}}{\text{総資本}}$

$$=\dfrac{558,925＋9,935}{1,309,777}×100≒43\%\ \cdots\cdots\cdots\cdots（C）$$

※　自己資本＝株主資本＋その他の包括利益累計額

（シ）インタレスト・カバレッジ・レシオ＝$\dfrac{\text{事業利益}^{※}}{\text{金融費用}}$

$$=\dfrac{23,935＋4,263＋1,411}{986}≒30倍\ \cdots（D）$$

※　事業利益＝営業利益＋持分法による投資利益＋受取利息・配当金

＜参考：解法メモ（矢印の先が分母）＞

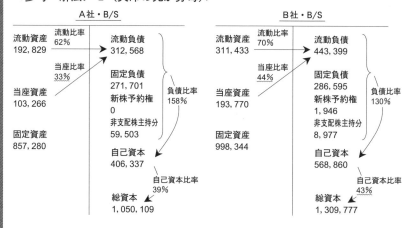

# MEMO

第 **8** 章

コーポレート・ファイナンス

1．傾向と対策 ……………………………………322
2．ポイント整理と実戦力の養成 ……………325
　　1　株式価値評価／325
　　2　企業価値評価／341
　　3　投資決定／365
　　4　リスク管理／377
　　5　経営戦略／393
　　6　コーポレートガバナンス／405

# 1. 傾向と対策

　コーポレート・ファイナンスは、2022年度の本試験より、「科目Ⅱ」の１分野として追加された。科目Ⅱの配点は100点であり、「財務分析：コーポレート・ファイナンス」で概ね「3：1」となっている。

　企業価値評価、投資決定、リスク管理の内容は、計算問題として出題される可能性が高く、公式や効率的な処理方法を修得しておく必要がある。また、経営戦略やコーポレートガバナンスは、正誤選択問題に対応すべく理論的なフレームワークや制度の規定を整理しておきたい。

| 項　　　目 | 過　去　の　出　題 | 重要度 |
|---|---|---|
| 株式価値評価 | 2022年（春）・第５問・Ⅱ・問6　（正誤） | B |
| | 2023年（秋）・第５問・Ⅱ・問3　（正誤） | |
| 企業価値評価 | 2022年（春）・第５問・Ⅱ・問1　（計算） | A |
| | 2022年（春）・第５問・Ⅱ・問2　（正誤） | |
| | 2022年（春）・第５問・Ⅱ・問3　（計算） | |
| | 2022年（春）・第５問・Ⅱ・問4　（正誤） | |
| | 2022年（春）・第５問・Ⅱ・問5　（計算） | |
| | 2022年（春）・第５問・Ⅱ・問6　（正誤） | |
| | 2022年（秋）・第５問・Ⅰ・問5　（計算） | |
| | 2022年（秋）・第５問・Ⅰ・問6　（計算） | |
| | 2023年（春）・第５問・Ⅰ・問5　（計算） | |
| | 2023年（春）・第５問・Ⅰ・問6　（計算） | |
| | 2023年（秋）・第５問・Ⅱ・問1　（正誤） | |
| | 2023年（秋）・第５問・Ⅱ・問2　（計算） | |
| | 2023年（秋）・第５問・Ⅱ・問3　（正誤） | |
| | 2023年（秋）・第５問・Ⅱ・問4　（計算） | |
| | 2023年（秋）・第５問・Ⅱ・問5　（正誤） | |
| | 2023年（秋）・第５問・Ⅱ・問6　（計算） | |
| | 2024年（春）・第５問・Ⅰ・問5　（正誤） | |

| | | |
|---|---|---|
| 投資決定 | 2022年(春)・第5問・Ⅰ・問5 （計算）<br>2022年(秋)・第5問・Ⅰ・問4 （計算）<br>2023年(春)・第5問・Ⅰ・問4 （計算）<br>2023年(秋)・第5問・Ⅰ・問4 （計算）<br>2024年(春)・第5問・Ⅱ・問1 （正誤）<br>2024年(春)・第5問・Ⅱ・問2 （計算）<br>2024年(春)・第5問・Ⅱ・問3 （計算）<br>2024年(春)・第5問・Ⅱ・問4 （計算）<br>2024年(春)・第5問・Ⅱ・問5 （計算）<br>2024年(春)・第5問・Ⅱ・問6 （正誤） | A |
| リスク管理 | 2022年(春)・第5問・Ⅰ・問6 （計算）<br>2022年(春)・第5問・Ⅰ・問7 （正誤）<br>2022年(秋)・第5問・Ⅰ・問7 （計算）<br>2023年(春)・第5問・Ⅱ・問1 （計算）<br>2023年(春)・第5問・Ⅱ・問2 （計算）<br>2023年(春)・第5問・Ⅱ・問3 （計算）<br>2023年(春)・第5問・Ⅱ・問4 （計算）<br>2023年(春)・第5問・Ⅱ・問5 （計算）<br>2023年(春)・第5問・Ⅱ・問6 （正誤）<br>2023年(秋)・第5問・Ⅰ・問6 （計算）<br>2024年(春)・第5問・Ⅰ・問6 （正誤）<br>2024年(春)・第5問・Ⅰ・問7 （正誤）<br>2024年(春)・第5問・Ⅰ・問8 （計算） | A |

| | | |
|---|---|---|
| 経営戦略 | 2022年(春)・第5問・Ⅰ・問4 （正誤） | A |
| | 2022年(秋)・第5問・Ⅰ・問8 （正誤） | |
| | 2022年(秋)・第5問・Ⅰ・問9 （正誤） | |
| | 2022年(秋)・第5問・Ⅱ・問1 （計算） | |
| | 2022年(秋)・第5問・Ⅱ・問2 （正誤） | |
| | 2022年(秋)・第5問・Ⅱ・問3 （正誤） | |
| | 2022年(秋)・第5問・Ⅱ・問4 （正誤） | |
| | 2023年(春)・第5問・Ⅰ・問1 （正誤） | |
| | 2023年(春)・第5問・Ⅰ・問2 （正誤） | |
| | 2023年(秋)・第5問・Ⅰ・問1 （正誤） | |
| | 2023年(秋)・第5問・Ⅰ・問2 （正誤） | |
| | 2023年(秋)・第5問・Ⅰ・問3 （正誤） | |
| | 2024年(春)・第5問・Ⅰ・問3 （正誤） | |
| | 2024年(春)・第5問・Ⅰ・問4 （正誤） | |
| コーポレートガバナンス | 2022年(春)・第5問・Ⅰ・問1 （正誤） | A |
| | 2022年(春)・第5問・Ⅰ・問2 （正誤） | |
| | 2022年(春)・第5問・Ⅰ・問3 （正誤） | |
| | 2022年(秋)・第5問・Ⅰ・問1 （正誤） | |
| | 2022年(秋)・第5問・Ⅰ・問2 （正誤） | |
| | 2022年(秋)・第5問・Ⅰ・問3 （正誤） | |
| | 2023年(春)・第5問・Ⅰ・問3 （正誤） | |
| | 2023年(秋)・第5問・Ⅰ・問4 （正誤） | |
| | 2024年(春)・第5問・Ⅰ・問1 （正誤） | |
| | 2024年(春)・第5問・Ⅰ・問2 （正誤） | |

# 2. ポイント整理と実戦力の養成

## 1　株式価値評価

### Point ① 価値評価の概要

① 貨幣の時間価値

　　1次レベルで学ぶコーポレート・ファイナンスの中では、株式価値や企業価値をはじめとして現時点における理論的な価値を計算することが多い。ここでは、その価値計算の前提となる貨幣の時間価値について確認する。

　　貨幣には、時間の経過とともに価値が増加する性質がある。例えば、「現在の100万円」と「1年後の100万円」は等価値ではなく、現在の100万円の方が1年後の100万円よりも価値が高いと考える。なぜなら、現在100万円を受け取り、利子率（年利）1％の定期預金で運用したとすれば、1年後には、100万円に利子を加えた101万円（100万円×（1＋0.01））を受け取ることができるからである。このように時間の経過により価値が増加する考え方を**貨幣の時間価値**と呼ぶ。

　　上記のように、利子率1％を想定した場合、現在の100万円を**現在価値**（Present Value；PV）、1年後の101万円を**将来価値**（Future Value；FV）と呼ぶ。2つの価値の関係は、下記のように定式化される。

　　　将来価値＝現在価値×(1＋利子率)＝100万円×(1＋0.01)＝101万円

$$現在価値 = \frac{将来価値}{(1＋利子率)} = \frac{将来価値}{(1＋割引率)} = \frac{101万円}{(1＋0.01)} = 100万円$$

　　なお、将来価値を（1＋利子率）で除して現在価値を求める計算を割引計算といい、この場合の利子率を割引率と呼ぶ。

　　さらに、複利計算を前提として、2年間運用した場合には、下記のように計算される。

　　　2年後の将来価値＝現在価値×（1＋利子率）$^2$
　　　　　　　　　　　＝100万円×（1＋0.01）$^2$＝102.01万円

$$現在価値 = \frac{2年後の将来価値}{(1＋割引率)^2} = \frac{102.01万円}{(1＋0.01)^2} = 100万円$$

以上のように、現在価値と将来価値の関係は、利子率（割引率）を介在させることにより、期間を t 年として拡張することができる。

> t 年後の将来価値＝現在価値×（ 1 ＋利子率）$^t$
>
> 現在価値 ＝ $\dfrac{\text{t 年後の将来価値}}{（ 1 ＋割引率）^t}$

② 資産価値の評価法

株式を保有すれば配当収入や売却額というキャッシュフローを得ることができ、社債を保有すればクーポン収入や売却額（満期まで保有すれば償還額）というキャッシュフローを得ることができる。このように、資産を保有することによって将来のキャッシュフローを得ることができるため、資産の価値はこうして得られる将来のキャッシュフローを適切な割引率（投資家が要求する必要収益率）で割り引いた割引現在価値の合計として評価するのが、ファイナンス分野における標準的な手法となっている。

いま、t 期末のキャッシュフローが $C_t$（t＝1, 2,…, T）であるような資産を考える。t 年後のキャッシュフローに対する割引率（年率）を $r_t$（t＝1, 2,…, T）とすれば、この資産の現在（ 0 時点）における割引現在価値 $V_0$ は次のように表される。

> 資産価値の基本公式
>
> $$V_0 = \frac{C_1}{1+r} + \frac{C_2}{(1+r)^2} + \cdots + \frac{C_T}{(1+r_T)^T} = \sum_{t=1}^{T} \frac{C_t}{(1+r_t)^t}$$
>
> 資産価値＝将来のキャッシュフローの割引現在価値の合計

この方法では、資産が将来のキャッシュフローの割引現在価値の合計に等しいことを表しているが、この場合、①割引率をどのように推定するか、②将来のキャッシュフローをどのように予測するか、が重要になる。これらを推定することは実際上きわめて難しい問題であるが、アナリスト試験では簡単化のために、

① 割引率は時間を通じて一定の r （年率）、

② 将来のキャッシュフローは一定の成長率 g （年率）で永久に成長

と仮定する、定率成長割引キャッシュフロー法が用いられることが多い。定率成長割引キャッシュフロー法によれば、次のように書き直される。

---

資産価値の基本公式：定率成長割引キャッシュフロー法

$$V_0 = \frac{C_1}{1+r} + \frac{C_1(1+g)}{(1+r)^2} + \frac{C_1(1+g)^2}{(1+r)^3} + \cdots = \sum_{t=1}^{\infty} \frac{C_1(1+g)^{t-1}}{(1+r)^t} = \frac{C_1}{r-g}$$

資産価値 $= \dfrac{1\text{期後のキャッシュフロー}}{\text{割引率}-\text{キャッシュフロー成長率}}$

---

# Point ② 配当割引モデル

① 配当割引モデル

　配当割引モデル（Dividend Discount Model：DDM）とは、「株式価値は、投資家が株式を持ち続けた場合に将来得られると予想される配当を、一定の割引率（株主の要求収益率、以下では株主資本コストと呼ぶ）で割り引いた現在価値（Present Value）に等しくなる」とする考え方で、株式投資では株価を算出する手法の1つとされている。

　株式会社が事業活動で得た利益は、株主・債権者などに分配されるが、株主に対しては配当（インカムゲイン）という形で還元される。また、将来において株式を売却すれば、キャピタルゲインあるいはキャピタルロスとしてこれも株主に帰属する。株主は株式会社に出資しているわけだから、この投資に対して何らかの収益率を要求しているはずである。したがって、株主資本コストを割引率として、将来のキャッシュフローを現在価値に割り引けば、現在の理論上の株価が計算できると考えられる。なお、ここでは、株主資本コストは所与とし、詳細については後述する。

② ゼロ成長モデル

　配当割引モデルにしたがって株式価値を評価する場合、将来の配当を予想する必要がある。そこで、確率変数である将来の配当に関して仮定を置いて考える。最も単純な仮定は、配当が毎期一定であり成長しないとするもので、これをゼロ成長モデルと呼んでいる。ゼロ成長モデルを式で表すと、次のようになる。

$P_0$＝株価、D＝1株当たり配当、r＝株主資本コスト

$$P_0 = \frac{D}{1+r} + \frac{D}{(1+r)^2} + \frac{D}{(1+r)^3} + \cdots\cdots$$

$$= \frac{D}{r}$$

＝各期の1株当たり配当÷株主資本コスト

> 仮定1　各期の株主資本コストは、時間を通じて一定である。
>
> 仮定2　各期の1株当たり配当は、時間を通じて一定である。

（注）ここでは、$\displaystyle \lim_{T \to \infty} \frac{E[P_T]}{(1+r)^T} = 0$ と仮定している。（$E[P_T]$：売却時の期待株価）

③　定率成長モデル

　　ゼロ成長モデルにおける仮定を少し緩めて1株当たり配当が一定率で成長するケースを考える。これを定率成長モデルと呼んでいる。定率成長モデルを式で表すと、次のようになる。

　　$P_0$＝株価、$D_1$＝今期末の1株当たり予想配当、

　　r＝株主資本コスト、g＝配当成長率

$$P_0 = \frac{D_1}{(1+r)} + \frac{D_1(1+g)}{(1+r)^2} = \frac{D_1(1+g)^2}{(1+r)^3} + \cdots\cdots$$

$$= \sum_{t=1}^{\infty} \frac{D_1(1+g)^{t-1}}{(1+r)^t}$$

$$= \frac{D_1}{r-g} = \frac{今期末の1株当たり予想配当}{株主資本コスト-配当成長率}$$

$$= \frac{D_0(1+g)}{r-g} \quad ただし、(0 < g < r)$$

> 仮定1　各期の株主資本コストは、時間を通じて一定である。
>
> 仮定2　各期の1株当たり配当は、毎期一定率で成長する。

④　予測期間と継続価値（ターミナル・バリュー）

　　配当割引モデルは、将来の1株当たり配当をどのように予想するかに帰着する。仮に3期間で企業が清算する場合を想定すれば、1株当たり配当や分

配金の現在価値を計算することは容易である。また、現時点から予想される
1株当たり配当が永久に定額もしくは一定率で成長する場合を想定すれば、
成長モデルによって容易に計算できる。しかし、このような想定はあくまで
極端な例示といえる。

　一般的には、今後数期間については財務データをもとに1株当たり配当を
予測し、それ以後については成長モデルを組み込んで推定するのが合理的で
ある。

　そこで、今後3年間に予想される1株当たり配当をD₁、D₂、D₃、4年
目以降は成長率gで永久に成長するとすれば、下記のような1株当たり配当
の流列となる。

$$D_1 \qquad D_2 \qquad D_3 \qquad D_3 \times (1+g) \sim$$

　株主資本コストをrとした場合、現時点における理論株価は、D₁〜D₃の
現在価値と3年目末時点で4年目以降の1株当たり配当を定率成長モデルで
計算した価値（この価値を**継続価値**もしくは**ターミナル・バリュー**と呼ぶ）
の現在価値の合計として計算される。なお、継続価値は、将来時点の価値で
あるため、その計算時点からさらに割引計算を行って現在価値を計算する必
要がある。なお、継続価値の詳細については、企業価値評価の中で再度確認
する。

　　理論株価＝3年目までの現在価値＋継続価値の現在価値

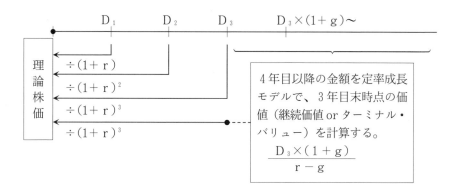

**参考　配当の推定**

配当割引モデルで用いる配当について、下記の計算方法を用いる場合がある。

① 配当性向から導く場合

　　配当性向は、当期純利益に対する配当の割合を示す指標であることから、当期純利益200、配当性向30%とすると、下記のように配当が求められる。

$$配当性向＝\frac{配当}{当期純利益}$$

配当＝当期純利益×配当性向

　　　＝200×30%

　　　＝60

② クリーン・サープラス関係から導く場合

　　クリーン・サープラス関係とは、一会計期間における株主資本の変動額が当期純利益から配当を控除した額に等しい関係をいう。この関係が成立しているもとでは、株主資本の変動と当期純利益から、配当を求めることができる。

| 前期末（当期首）B/S | 当期P/L | 当期末B/S |
|---|---|---|
| 純資産<br>（株主資本）<br>1,000 | 当期純利益：200 | 純資産<br>（株主資本）<br>1,150 |

　　上記の想定のもとでは、前期末純資産（株主資本）1,000で当期純利益200ならば、当期末純資産（株主資本）は、1,000＋200＝1,200となるはずである。しかし、当期末純資産（株主資本）は150しか増加していない。つまり、当期純利益から配当が控除されたと想定する。したがって、配当は下記のように求められる。

当期末純資産（株主資本）1,150＝前期末純資産（株主資本）1,000

　　　　　　　　　　　　　　　　＋当期純利益200－配当？

配当＝50

| 例題1 | A社の当期のEPSは24円であると予想されている。A社の株主資本コストは8％である。将来にわたって、A社のROEは10％であり、配当性向は40％であるとする。現時点を当期首として、A社の理論株価はいくらですか。 |

A　　120円

B　　240円

C　　480円

D　　720円

E　1,200円

解答　▶　　C

### 解　説

　A社は、将来にわたりROE10％、配当性向40％とあるため、内部留保される利益の60％に相当する額が新たな事業へ投資され、利益が一定率で成長すると考えられる。したがって、将来の配当も一定率で成長すると予想されるため、定率成長モデルにより理論株価を求める。なお、将来の配当の成長率には、サステイナブル成長率を使用する。

　定率成長モデルによる理論株価は、次の式により求められる。

$$\text{理論株価} = \frac{\text{今期末の１株当たり予想配当}}{\text{株主資本コスト} - \text{サステイナブル成長率}}$$

上記算式に数値を代入すると、次のとおりである。

$$\text{理論株価} = \frac{9.6\text{円}^{※1}}{8\% - 6\%^{※2}} = 480\text{円}$$

※1　今期末の１株当たり予想配当＝当期予想EPS24円×配当性向40％＝9.6円

※2　サステイナブル成長率＝ROE10％×（１－配当性向0.4）＝６％

**例題 2**

　　A社の今後 3 年間に予想される 1 株当たりの配当は、400円、420円、441円であり、 4 年後からは 3 年目の配当441円が年率 2 ％の成長率で永久に成長するものと想定した。株主資本コストは 7 ％とする。この場合の現時点における理論株価はいくらですか。

A　　7,344円

B　　8,444円

C　　9,672円

D　10,097円

E　11,236円

解答　▷　B

　現時点における理論株価は、3年目までの配当である400円、420円、441円の現在価値と3年目末時点で4年目以降の配当を定率成長モデルで計算した価値（この価値を継続価値もしくはターミナル・バリューと呼ぶ）の現在価値の合計として計算される。なお、継続価値は、将来時点の価値であるため、その計算時点からさらに割引計算を行って現在価値を計算する必要がある。

　理論株価＝3年目までの配当の現在価値＋継続価値の現在価値

$$理論株価 = \frac{400}{1+0.07} + \frac{420}{(1+0.07)^2} + \frac{441}{(1+0.07)^3} + \frac{\dfrac{441\times(1+0.02)}{0.07-0.02}}{(1+0.07)^3}$$

$$\fallingdotseq 8,444$$

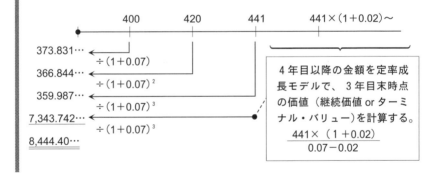

## Point ③　残余利益モデル

① 残余利益

　　残余利益（Residual Income：RI）とは、企業が獲得した当期純利益か
ら、期首株主資本簿価に株主資本コストを乗じた数値を差し引いたものであ
り、企業が株主のために創造した経済的な利益を示す指標である。これは、
株主資本簿価と将来の残余利益から株式価値を評価するモデルとして開発さ
れたものである。残余利益を式で示すと、次のようになる。なお、個別損益
計算書の「当期純利益」は、連結損益計算書においては「親会社株主に帰属
する当期純利益」となる。本試験では、指示にしたがって解答する。

---

$RI_t = E_t - r_t B_{t-1}$

**残余利益＝当期純利益－株主資本コスト×期首株主資本簿価**

　　　　　＝ＲＯＥ×期首株主資本簿価－株主資本コスト×期首株主資本簿価

　　　　　＝（ＲＯＥ－株主資本コスト）×期首株主資本簿価

　　ＲＯＥ：当期純利益÷期首株主資本簿価

---

② 残余利益モデルによる株式価値評価

　　上記の式をみる限りでは、残余利益は貸借対照表と損益計算書に依存して
いることがわかる。また、この残余利益モデルは、将来の会計利益が**クリー
ン・サープラス関係**を充たしていることが前提となっている。

---

クリーン・サープラス関係

$B_t = B_{t-1} + E_t - D_t$

　　$B$：株主資本簿価

　　$E$：当期純利益

　　$D$：配当額

---

　　したがって、最終的な残余利益モデルの公式は、次のとおりである。なお、
配当割引モデルと同様に、残余利益モデルの割引率は、株主資本コストを用
いる。

$$V_0 = B_0 + \sum_{t=1}^{\infty} \frac{RI_t}{(1+r)^t} = B_0 + \sum_{t=1}^{\infty} \frac{E_t - rB_{t-1}}{(1+r)^t}$$

**株式価値＝株主資本簿価＋将来各期における残余利益の現在価値合計**

$RI$：残余利益

$E$： 当期純利益

$B$： 株主資本簿価

$r$： 株主資本コスト

　　上記の式は次のように導かれる。クリーン・サープラス関係を充たす配当額を配当割引モデルに当てはめると、現在の株式価値 $V_0$ は、

$$V_0 = \frac{D_1}{1+r} + \frac{D_2}{(1+r)^2} + \frac{D_3}{(1+r)^3} + \frac{D_4}{(1+r)^4} + \cdots$$

$$= \frac{B_0 + E_1 - B_1}{1+r} + \frac{B_1 + E_2 - B_2}{(1+r)^2} + \frac{B_2 + E_3 - B_3}{(1+r)^3} + \frac{B_3 + E_4 - B_4}{(1+r)^4} + \cdots$$

$$= \frac{B_0 + E_1 - B_1 + rB_0 - rB_0}{1+r} + \frac{B_1 + E_2 - B_2 + rB_1 - rB_1}{(1+r)^2}$$

$$+ \frac{B_2 + E_3 - B_3 + rB_2 - rB_2}{(1+r)^3} + \frac{B_3 + E_4 - B_4 + rB_3 - rB_3}{(1+r)^4} + \cdots$$

$$= \frac{(1+r)B_0}{1+r} + \frac{E_1 - rB_0}{1+r} - \frac{B_1}{1+r} + \frac{(1+r)B_1}{(1+r)^2} + \frac{E_2 - rB_1}{(1+r)^2} - \frac{B_2}{(1+r)^2}$$

$$+ \frac{(1+r)B_2}{(1+r)^3} + \frac{E_3 - rB_2}{(1+r)^3} - \frac{B_3}{(1+r)^3}$$

$$+ \frac{(1+r)B_3}{(1+r)^4} + \frac{E_4 - rB_3}{(1+r)^4} - \frac{B_4}{(1+r)^4} + \cdots$$

配当が今後 t 年間続くときの株式価値は、

$$V_0 = B_0 + \frac{E_1 - rB_0}{1+r} + \frac{E_2 - rB_1}{(1+r)^2} + \frac{E_3 - rB_2}{(1+r)^3} + \frac{E_4 - rB_3}{(1+r)^4} + \cdots - \frac{B_t}{(1+r)^t}$$

$\displaystyle\lim_{t \to \infty} \frac{B_t}{(1+r)^t} = 0$ とすると、

336

$$V_0 = B_0 + \frac{E_1 - rB_0}{1+r} + \frac{E_2 - rB_1}{(1+r)^2} + \frac{E_3 - rB_2}{(1+r)^3} + \frac{E_4 - rB_3}{(1+r)^4} + \cdots$$

$$V_0 = B_0 + \sum_{t=1}^{\infty} \frac{E_t - rB_{t-1}}{(1+r)^t}$$

　残余利益モデルの特徴は、現在の株式価値を現時点の株主資本簿価と将来の残余利益の現在価値の総和との合計として表している。この残余利益モデルによれば、株式価値を高めるためには、株主資本に対して株主が要求する利益を上回る利益を生み出さなければならないことになる。

**例題 3**

残余利益に関する次の記述のうち、正しいものはどれですか。

A 残余利益の算出には当期末の株主資本簿価を用いる。

B 残余利益がマイナスということは、ROEが株主資本コストより低いことを示している。

C 将来の残余利益がプラスであるとき、PBRは1より小さくなる。

D 当期純利益がプラスであれば、残余利益もプラスである。

**解答** ▶ B

**解 説**

A 正しくない。残余利益の算出には当期首の株主資本簿価を用いる。

B 正しい。

残余利益の定義式は、次のように展開できる。

残余利益＝当期純利益－株主資本コスト×期首株主資本簿価

＝ROE×期首株主資本簿価－株主資本コスト

×期首株主資本簿価

＝（ROE－株主資本コスト）×期首株主資本簿価

上記より、残余利益がプラスであれば、ROE＞株主資本コストの関係が成り立つ。逆に、残余利益がマイナスであれば、ROE＜株主資本コストの関係が成り立つ。

C 正しくない。残余利益モデルに基づく株式価値は以下のように算定される。

株式価値＝期首株主資本簿価＋残余利益の現在価値合計

この式の両辺を期首株主資本簿価で割ると、

$$\frac{株式価値}{期首株主資本簿価} = 1 + \frac{残余利益の現在価値合計}{期首株主資本簿価}$$

$$\frac{PBR}{（株価対簿価比率）} = 1 + \frac{残余利益の現在価値合計}{期首株主資本簿価}$$

上記より、右辺の将来の残余利益がプラスであれば、PBRは1より大きくなる。

D　正しくない。選択肢Bより、当期純利益がプラスであっても、ROE＜株主資本コストであれば、残余利益はマイナスになる。

**例題4**

A社の今期の期首株主資本は2,000億円で、毎年のROEは10％、配当性向は30％と想定されている。株主資本コストが8％の場合、残余利益モデルにより計算される株式価値はいくらですか。

A　2,000億円

B　3,000億円

C　4,000億円

D　5,000億円

E　6,000億円

解答　▶　E

**解　説**

残余利益モデルとは、株主資本簿価と将来の残余利益を用いて株式の内在価値を表すモデルである。残余利益モデルの公式は、次のとおりである。

株式価値＝期首株主資本簿価＋将来各期における残余利益の現在価値合計

なお、残余利益とは、企業が獲得した当期純利益から、期首の株主資本簿価に株主資本コストを乗じた数値を差し引いたものであり、企業が株主のために創造した経済的な利益を示す指標である。残余利益は次の公式に基づいて計算する。

　残余利益＝当期純利益－株主資本コスト×期首株主資本簿価

　上記２つの式に問題で与えられた数値を代入すると、次のとおりである。

残余利益
＝当期純利益200億円※－株主資本コスト８％
　×期首株主資本簿価2,000億円＝40億円
※　当期純利益＝ROE 10％×期首株主資本簿価2,000億円
　　　　　　　＝200億円


株式価値
＝期首株主資本簿価2,000億円＋$\dfrac{残余利益40億円}{株主資本コスト８％－サステイナブル成長率７％※}$
＝6,000億円
※　サステイナブル成長率＝株主資本純利益率10％×（１－配当性向0.3)
　　　　　　　　　　　　＝７％
なお、本問は、配当割引モデルによっても、同様の解答が得られる。
株式価値＝$\dfrac{配当60億円※}{8％－7％}$＝6,000億円

※　配当＝当期純利益200億円×配当性向30％＝60億円

## 2　企業価値評価

## Point ① 企業価値の考え方

　前述のように、資産の価値は、その資産が生み出す将来キャッシュフローの期待値を、投資家が要求する収益率で割り引いた現在価値に等しいと考えることができる。この資産を企業と置き替えると、企業の価値は、企業が生み出す将来キャッシュフローの期待値を投資家が要求する収益率で割り引いた現在価値によって表すことができる。証券アナリスト試験では、企業が生み出す将来キャッシュフローをフリー・キャッシュフロー（FCF）、投資家が要求する収益率を資本コストと捉えて企業価値を計算する。

## Point ② 資本コスト

　「資本コスト」は、資本提供者（投資家）が要求する収益率である。この資本コストには、①資本提供者が要求する収益率と、②企業が事業から上げるべき収益率、という2つの側面がある。企業が事業から資本コストを上回る収益率を上げれば、企業価値や株価が高まることになる（価値を創造している）。企業における資本提供者は**債権者と株主**であるが、それぞれが負担するリスクが違うため、要求収益率（資本コスト）は異なる。

　　債権者：「債権者の要求収益率」は**負債コスト**（金利）である。企業の上げた収益の一部を金利として受け取るが、その金額は契約で定められており、債権者はリスクをあまり負担しない。

　　株　主：「株主の要求収益率」は**株主資本コスト**である。株主に帰属するリターンは、債権者に支払う金利や税金などを支払った後に残る純利益であり、これは事業環境や経営戦略によって変動する。また、株主は事業の成果が配分される順番が債権者より劣後している。株主は債権者より多くのリスクを負担しており、そのため、負債コストよりも株主資本コストが高くなる。

企業全体の資本コストは、負債コストと株主資本コストを加重平均することにより計算できる。企業全体の資本コストは、**加重平均資本コスト**（Weighted Average Cost of Capital、**WACC**）と呼ばれる。投資家は、当該企業でなくとも、類似のリスクを有する他の投資機会に資本を投じることができる。したがって、WACCは、企業が直面する投資家の資本の機会費用であると考えることもできる。なお、負債のない株主資本100％の企業では、株主資本コストが企業全体の資本コストになる。

## Point ③　資本コストの決定

① 負債コストの計算

　　負債コストは、負債の金利を用いる。現時点の負債コストは、企業がこれまでに借り入れた負債の金利でなく、現在借入れを行う場合の金利である。仮に、企業が社債を発行している場合には、債券（社債）の最終利回りを用いる方法や格付を用いる方法によって推定する。

　a．債券（社債）の最終利回り（YTM：Yield to Maturity）を用いる方法

　　　企業が社債を発行しており、その市場価格がわかる場合には、以下の式から導出される最終利回りを負債コストと考える。

---

**負債コストの計算（社債の市場価格がわかる場合）**

$$P＝\frac{C}{1+r}+\frac{C}{(1+r)^2}+\cdots+\frac{C}{(1+r)^n}+\frac{F}{(1+r)^n}$$

P：社債の市場価格　　　C：クーポン金額
F：償還金額　　　　　　r：複利最終利回り（負債コスト）

---

　b．格付を用いる方法

　　　負債コストは、格付を用いて求めることができる。格付けに応じた社債と国債の最終利回りの差である信用スプレッドを求めたうえで、対応する年限の国債の最終利回りに、この信用スプレッドを加算して求めることができる。例えば、国債の最終利回りが1.0％、信用スプレッドが0.2％であるとすれば、企業の負債コストは、1.2％（＝1.0％＋0.2％）と推定する。

　また、負債利子は税控除の対象となるので、加重平均資本コストの計算においては、**税引後負債コスト**を用いる。

---

**税引後負債コストの計算**

　税引後負債コスト＝$(1-T) \times r_D$

　$r_D$：負債コスト（負債利子率）、T：法人税率（実効税率）

---

②　株主資本コストの推計

　株主資本コストは、負債の金利と異なり、明示的に決められていないので、資本資産評価モデル（CAPM）や配当割引モデル（DDM）を用いて推定することになる。

a．資本資産評価モデル（CAPM）による方法

　　リスクフリー・レートと市場リスクプレミアムに$\beta$を乗じた値を合計して、株主資本コストを推計する。

---

**株主資本コストの計算：資本資産評価モデル（CAPM）**

　$r_E = r_F + \beta_E(r_M - r_F)$

　$r_E$：株主資本コスト、

　$r_F$：リスクフリー・レート

　$r_M$：市場ポートフォリオの期待収益率

　$\beta_E$：当該株式のベータ値

　$r_M - r_F$：市場リスクプレミアム

---

b．配当割引モデル（DDM）による方法

　　現在の株価、将来の配当成長パターンをもとに配当割引モデルを利用して逆算し、株主資本コストを推計する。

> **株主資本コストの計算：配当割引モデル（DDM）**
>
> $$r_E = \frac{D_1}{P} + g$$
>
> $r_E$：株主資本コスト、P：現在の株価、
>
> $D_1$：1年後の期待配当、g：配当の期待成長率

③ 加重平均資本コストの計算

　　負債コストの計算と株主資本コストの推計ができると、資本構成で加重平均することによって、企業全体の資本コストが計算できる。この企業全体の資本コストを**加重平均資本コスト**（WACC）という。式を示すと以下のようになる。

> **加重平均資本コスト（WACC）**
>
> $$WACC = \frac{E}{E+D} \times r_E + \frac{D}{E+D} \times (1-T) \times r_D$$
>
> WACC：加重平均資本コスト
>
> E：株式時価総額、D：負債の価値
>
> $r_E$：株主資本コスト、$r_D$：負債コスト（負債利子率）、T：法人税率

　加重平均資本コストを計算するときの注意点は次の通りである。

1）　加重平均資本コストの計算では、簿価でなく時価を用いる。株式は、株主資本簿価でなく、株式時価総額を用いる。また、負債については、有利子負債を用いることが多い。

2）　加重平均については、前述のような株式時価総額や有利子負債の金額が判明しなくても、企業全体に占める株式や負債の割合がわかればよい。本試験では、金額の代替として、負債の価値を株式の価値で除した負債比率が用いられる場合がある。

# Point ④　フリー・キャッシュフロー（FCF）

①　フリー・キャッシュフローの計算

　　企業が生み出すフリー・キャッシュフローは、様々な定義があるものの、証券アナリスト試験においては、下記の計算式にもとづいて求める。なお、企業が生み出すフリー・キャッシュフローは、「Free Cash Flow to Firm」の略で、FCFF と表記されることもある。

---

**フリー・キャッシュフロー**

**＝営業利益×（1－法人税率）＋減価償却費－正味運転資本増加額－設備投資額**

---

　　上の式で表されるように、フリー・キャッシュフローは、営業利益から法人税相当分を差し引いた利益に減価償却費を加え、そこから売上債権及び棚卸資産と買入債務の差額である正味運転資本の増加額を控除した営業キャッシュフローから、さらに、固定資産に対する投資である設備投資額を控除して計算する。

②　フリー・キャッシュフロー計算時の注意点

　　a．企業価値を求める際には、事業全体の（債権者と株主に分配可能な）キャッシュフローを計算する必要があるので、支払利息を差し引いてはならない。

　　b．減価償却費などの現金支出を伴わない費用は、キャッシュフローに加算する。

　　c．法人税額は投資家には還元されない部分であり、キャッシュフローにおける控除項目であるが、実際の税額を引くのではなく、営業利益に（1－法人税率）をかけて算出する。負債がある企業では支払利息の節税効果が発生し、債権者と株主に対するキャッシュフローが増加するが、この節税効果は資本コストで調整する。つまり、負債の有無に関わらず、株主資本100％の場合のキャッシュフローを用いることになる。

③　節税効果

　　前述のように、負債がある企業では支払利息の節税効果が発生し、債権者と株主に対するキャッシュフローが増加する。下記の設例をもとに確認する。

[設例]

> 　負債がないＡ社と負債のあるＢ社（負債5,000、負債利子率2％）を検討する。両社の簡略化した損益項目は下記のとおりであり、法人税率30％、税引後利益は全額配当とする。
>
> |  | A社 | B社 |
> |---|---|---|
> | 営業利益 | 1,000 | 1,000 |
> | 支払利息 | <u>0</u>　←債権者 | <u>100</u>　←債権者 |
> | 税引前利益 | 1,000 | 900 |
> | 法人税 | <u>300</u> | <u>270</u> |
> | 税引後利益 | <u>700</u>　←株主 | <u>630</u>　←株主 |

　上記の設例では、負債のないＡ社は、株主のみに税引後利益700がキャッシュフローとして配分される。一方、負債のあるＢ社は、債権者に支払利息100、株主に税引後利益630がキャッシュフローとして配分される。

　したがって、投資家全体に対するキャッシュフローとしては、Ａ社の700に対し、Ｂ社は730（＝100＋630）であり、Ｂ社の方が30多くなる。また、法人税でみるとＡ社の300に対し、Ｂ社は270であり、Ｂ社の方が30低くなっている。つまり、節税効果とは、税金が低く抑えられるとともに、投資家への配分が多くなる効果といえる。

　　節税効果＝支払利息（＝負債×負債利子率）×法人税率
　　　　　　＝100×30％＝30

　割引キャッシュ・フロー法に基づく企業評価の際には、この節税効果の影響を分子のフリー・キャッシュフローの計算では反映させず、分母の加重平均資本コストの計算において「負債コスト×（1－法人税率）」として反映させる。

## Point ⑤　割引キャッシュ・フロー法（DCF法）

　企業価値評価の方法は、企業が生み出す期待キャッシュフローを加重平均資本コストで割り引いて算出する方法であり、**割引キャッシュフロー法（DCF**

法：Discounted Cash Flow Model)、または**フリー・キャッシュフロー割引モデル**と呼ばれ、次のように表される。

---

**割引キャッシュフロー法による企業価値評価**

　**企業価値＝企業が生み出すフリー・キャッシュフローの期待値を**
　　　　　　　**加重平均資本コスト（WACC）で割り引いた現在価値**

---

　なお、フリー・キャッシュフローを計算する際に考慮していない受取利息や受取配当金に対応する金融資産を保有している場合には、フリー・キャッシュフローを割り引いた現在価値に金融資産を加算した金額が企業価値となる。

　さらに、企業の存続が永続的であると想定する場合には、成長モデルにより企業価値を計算することになる。フリー・キャッシュフローが「一定」または「定率で成長する」と仮定すると、企業価値は以下のように算定される。

---

**フリー・キャッシュフローが一定（ゼロ成長）**

$$V = \frac{FCF}{WACC}$$

**フリー・キャッシュフローが定率成長**

$$V = \frac{FCF_1}{WACC - g}$$

　V：企業価値、FCF：フリー・キャッシュフロー

　WACC：加重平均資本コスト、g：フリー・キャッシュフロー成長率

---

## Point ⑥　フリー・キャッシュフローの予測と継続価値

① フリー・キャッシュフローの予測と継続価値

　　割引キャッシュフロー法を用いて、企業価値を推計するためには、フリー・キャッシュフローを予測する必要がある。フリー・キャッシュフローの予測において、ある一定期間については精密な予測を行い、それ以降は、「一定」または「定率で成長する」と仮定することが多い。下記の設例を利用して、予測されたフリー・キャッシュフローをベースに、割引キャッシュフロー法

（DCF法）により企業価値を求める。

[設例]

フリー・キャッシュフロー（FCF）の予測

|  | 1 期後 | 2 期後 | 3 期後 |
|---|---|---|---|
| FCF（億円） | 80 | 50 | 60 |

・加重平均資本コスト（WACC）は 6 ％とする。
・4 期後以降のフリー・キャッシュフローは、毎年一定成長率の 1 ％で永久に成長する。

この設例における企業価値の計算にあたっては、FCF を 3 期後までと 4 期後以降を分けて考える。 1 期後から 3 期後までの FCF は、$(1+\text{WACC})^{期間}$ を使って割引計算し、現在価値を求める。また、 4 期後以降のFCFは、定率成長モデルによって 3 期後時点の価値を計算する。この 3 期後時点で一旦集計された価値のことを**継続価値（ターミナル・バリュー）**という。最後に継続価値を現在価値に割り引いて、 1 期後から 3 期後までの FCF の現在価値と合計して現時点の企業価値を求める。

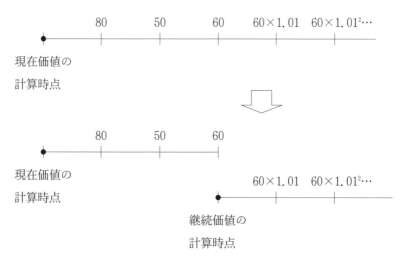

348

　継続価値（3期後時点における4期後以降のFCFの合計価値）は次の式で計算される。

$$継続価値 = \frac{予測期間の次年度のフリー・キャッシュフロー}{加重平均資本コスト-永久成長率}$$

$$= \frac{60 \times 1.01}{0.06-0.01} = 1,212億円$$

　1期後から3期後までのフリー・キャッシュフローと予測期間最終年度の継続価値を、加重平均資本コストで割引けば、現時点の企業価値が計算される。なお、継続価値は、3期後時点において集計された価値であるため、現時点まで割り引くことに注意する。

**企業価値＝予測期間のフリー・キャッシュフローの現在価値**

**＋継続価値の現在価値**

$$企業価値 = \frac{80}{1.06} + \frac{50}{1.06^2} + \frac{60}{1.06^3} + \frac{1,212}{1.06^3} ≒ 1,188億円$$

② 　継続価値の考え方

　設例では、3期後までを予測期間として捉え、4期後以降は定率成長モデルにより継続価値を求めている。図で確認すると下記の＜ケース①＞のように計算される。

　また、＜ケース②＞のように2期後までを予測期間として捉え、3期後以降は定率成長モデルにより継続価値を求めても、最終的な現在価値合計は一致する。

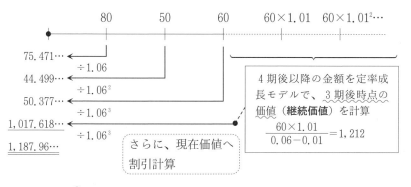

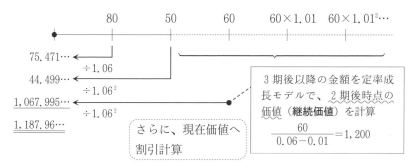

上記の＜ケース①＞と＜ケース②＞を式で示すと以下のようになる。

$$企業価値 = \frac{80}{1.06} + \frac{50}{1.06^2} + \frac{60}{1.06^3} + \frac{1,212}{1.06^3} \quad \cdots\cdots\cdots\cdots ＜ケース①＞$$

$$企業価値 = \frac{80}{1.06} + \frac{50}{1.06^2} + \frac{1,200}{1.06^2} \quad \cdots\cdots\cdots\cdots\cdots\cdots ＜ケース②＞$$

＜ケース①＞の右辺第3項目と第4項目の合計が＜ケース②＞の右辺第3項目に等しければ、それぞれで算定された企業価値が同値であるといえる。

$$\frac{60}{1.06^3} + \frac{1,212}{1.06^3} = \frac{1,200}{1.06^2}$$

ここで、左辺を展開すると、以下のように整理される。

$$\frac{60}{1.06^3} + \frac{\dfrac{60 \times 1.01}{0.06 - 0.01}}{1.06^3} = \frac{60}{1.06^3} + \frac{1}{1.06^3} \times \frac{60 \times 1.01}{0.06 - 0.01}$$

$$= \frac{60}{1.06^3} + \frac{60}{1.06^3} \times \frac{1.01}{0.06 - 0.01} = \frac{60}{1.06^3} \times \left(1 + \frac{1.01}{0.06 - 0.01}\right)$$

$$= \frac{60}{1.06^3} \times \frac{1.06}{0.05} = \frac{1,200}{1.06^2}$$

　したがって、最終的な現在価値のみを計算するのであれば、どちらでも結果は一致する。なお、どの時点から成長モデル（定率成長もしくはゼロ成長）を組み込むかには注意して計算する。

　ちなみに、継続価値そのものについては、ゼロ成長モデルの場合には計算時点に関わらず同値となるが、定率成長モデルの場合には計算時点が異なれば上記のように異なる結果となる。継続価値そのものが解答として要求される場合には、下記のように予測最終年度等の指示が設定される。

＜ケース①＞　３期後を予測最終年度として（３期後期末時点において）、４期後以降の将来FCFの継続価値を求めなさい（継続価値は1,212）。

＜ケース②＞　２期後を予測最終年度として（２期後期末時点において）、３期後以降の将来FCFの継続価値を求めなさい（継続価値は1,200）。

例題5　以下の設問に答えなさい。なお、株主資本コストは、CAPM（資本資産評価モデル）により算出すること。

① 株主資本コストはいくらですか。

＜資料＞

| | |
|---|---|
| リスクフリー・レート | 1.0% |
| 市場ポートフォリオの期待収益率 | 6.5% |
| 株式ベータ | 1.2 |

A　7.4%

B　7.6%

C　7.8%

D　8.0%

E　8.2%

② 株式ベータはいくらですか。

＜資料＞

| | |
|---|---|
| 株主資本コスト | 7.2% |
| リスクフリー・レート | 1.0% |
| 市場ポートフォリオの期待収益率 | 6.0% |

A　1.18

B　1.21

C　1.24

D　1.27

E　1.30

解答　　① B　② C

解　説

　CAPM が成立しているとき、株主資本コストは次のように計算する。なお、「市場ポートフォリオの期待収益率　−　リスクフリー・レート」（$r_M - r_F$）が、市場リスクプレミアムである。

$r_E = r_F + \beta_E \times (r_M - r_F)$
$r_E$：株主資本コスト、$r_F$：リスクフリー・レート、
$r_M$：市場ポートフォリオの期待収益率、$\beta_E$：当該企業のベータ値。

① 株主資本コスト＝1.0%＋1.2×（6.5%−1.0%）＝7.6%
② 7.2%＝1.0%＋株式ベータ×（6.0%−1.0%）
　　株式ベータ＝1.24

例題 6

以下の資料をもとに加重平均資本コストを求めなさい。

＜資料＞

　有利子負債：8,000億円

　株主資本（簿価）：1,800億円

　株式時価総額：2,000億円

　有利子負債利子率：5％

　株主資本コスト：8％

　法人税率：30%

A　4.0%

B　4.4%

C　4.8%

D　5.2%

E　5.6%

## 解 説

　加重平均資本コスト計算に用いるのは株主資本簿価ではなく、株式時価総額の2,000億円であることに注意する。

　加重平均資本コスト（WACC）は負債コストと株主資本コストをそれぞれの時価で加重平均したものとなり、負債の価値を D、負債コストを $r_D$、株式時価総額をE、株主資本コストを $r_E$、法人税率を T とすると次の式で表される。

$$WACC = \frac{E}{E+D} \times r_E + \frac{D}{E+D} \times (1-T) \times r_D$$

$$= \frac{2,000}{8,000+2,000} \times 8\% + \frac{8,000}{8,000+2,000} \times (1-0.3) \times 5\% = 4.4\%$$

| 例題 7 | A社の負債コストは 4 ％、株主資本コストは 8 ％、時価ベースの負債比率（負債÷株主資本）は0.5である。この場合の加重平均資本コストを求めなさい。なお、法人税率は30％とする。 |

A　5.55%

B　6.27%

C　7.54%

D　8.38%

E　9.40%

解答　▶　　B

解　説

　本問では、負債や株主資本の金額が不明であるが、時価ベースの負債比率（負債÷株主資本）が0.5であることから、負債0.5、株主資本1.0として、加重平均資本コストを計算する。

$$\text{WACC} = \frac{E}{E+D} \times r_E + \frac{D}{E+D} \times (1-T) \times r_D$$

$$= \frac{1.0}{1.0+0.5} \times 8\% + \frac{0.5}{1.0+0.5} \times (1-0.3) \times 4\% = 6.27\%$$

**例題8** 下記のフリー・キャッシュフロー（FCF）に関する予測データに基づいて、空欄①～③の金額を答えなさい。なお、法人税率は30％とする。

<FCFに関する予測データ>　　　　　　　　　　（単位：億円）

|  | 1期 | 2期 | 3期 |
|---|---|---|---|
| 営業利益 | 300 | 330 | ③ |
| 減価償却費 | 270 | 285 | 330 |
| 設備投資額 | 240 | ② | 330 |
| 正味運転資本増加額 | 60 | 66 | 0 |
| FCF | ① | 201 | 252 |

①FCF

A　180億円

B　210億円

C　240億円

D　270億円

E　300億円


②設備投資額

A　249億円

B　348億円

C　444億円

D　572億円

E　651億円

③営業利益

A　252億円

B　360億円

C　408億円

D　546億円

E　840億円

解答　▶　　① A　② A　③ B

**解　説**

フリー・キャッシュフロー（FCF）は、下記の式に基づいて計算する。

　FCF＝営業利益×(1−法人税率)＋減価償却費−設備投資額−正味運転資本増加額

各期のデータを上記式に当てはめて計算する。

①：FCF＝300億円×(1−0.3)＋270億円−240億円−60億円＝180億円

②：FCF＝330億円×(1−0.3)＋285億円−設備投資額−66億円＝201億円

　　設備投資額＝249億円

③：FCF＝営業利益×(1−0.3)＋330億円−330億円−0＝252億円

　　営業利益＝$\dfrac{252億円}{1−0.3}$＝360億円

## 参考　正味運転資本

　前述の例題のようにフリー・キャッシュフロー（FCF）の計算において用いる正味運転資本は、フローの数値である正味運転資本増加額である。一方、本試験では、ストックの数値である正味運転資本残高が資料として出題される場合がある。この場合には、正味運転資本残高の変化額を求め、FCFの計算で用いる正味運転資本増加額を算定する必要がある。

　前述の例題に基づくと、下記のような出題が想定される。

　　＜FCFに関する予測データ＞　　　　　　　　　　　（単位：億円）

| | 1期 | 2期 | 3期 |
|---|---|---|---|
| 営業利益 | 300 | 330 | ③ |
| 減価償却費 | 270 | 285 | 330 |
| 設備投資額 | 240 | ② | 330 |
| 正味運転資本残高※ | 60 | 126 | 126 |
| FCF | ① | 201 | 252 |

　※　1期期首の正味運転資本残高は、ゼロである。

　このような場合には、下記のように正味運転資本増加額を算定し、FCFの計算に用いることになる。

　　正味運転資本増加額
　　　＝当期末正味運転資本残高－当期首（前期末）正味運転資本残高
　　1期：正味運転資本増加額＝60億円－0＝60億円
　　2期：正味運転資本増加額＝126億円－60億円＝66億円
　　3期：正味運転資本増加額＝126億円－126億円＝0

**例題9**

以下のA社に関する文章にもとづいて、各問に答えなさい。

割引キャッシュフロー法を用いて、A社の企業価値を求める。A社の今期予想営業利益は200億円である。また、今期の設備投資額は100億円、正味運転資本増加額は40億円、減価償却費は80億円になると予想されている。なお、加重平均資本コストは8％、法人税率は30％とする。

① 来期以降もすべての金額が同一であると想定して、現時点（当期首）のA社の企業価値を求めなさい。

A　　500億円
B　　750億円
C　1,000億円
D　1,250億円
E　1,500億円

② 来期以降、フリー・キャッシュフローが毎年3％成長すると想定して、現時点（当期首）のA社の企業価値を求めなさい。

A　1,200億円
B　1,300億円
C　1,400億円
D　1,500億円
E　1,600億円

解答　　　① C　② E

企業価値を求める際のフリー・キャッシュフロー（FCF）は、下記のように求める。

FCF ＝営業利益×（1－法人税率）＋減価償却費－設備投資額－正味運転資本増加額

＝200億円×（1－0.3）＋80億円－100億円－40億円

＝80億円

①では、来期以降もすべての金額が同一であると想定していることから、FCFも80億円で永続する。

したがって、ゼロ成長モデルを用いて企業価値を算定する。

$$企業価値＝\frac{予想FCF}{加重平均資本コスト}$$

$$＝\frac{80億円}{0.08}$$

$$＝1,000億円$$

②では、来期以降、FCFが毎年3％成長すると想定していることから、定率成長モデルを用いて企業価値を算定する。

$$企業価値＝\frac{予想FCF}{加重平均資本コスト－成長率}$$

$$＝\frac{80億円}{0.08－0.03}$$

$$＝1,600億円$$

以下のA社に関する業績予測から、次の値を計算しなさい。

例題10

（単位：百万円）

|  | 1期後 | 2期後 | 3期後 |
|---|---|---|---|
| 営業利益 | 3,000 | 4,000 | 4,500 |
| 減価償却費 | 500 | 520 | 550 |
| 設備投資額 | 1,000 | 1,100 | 1,200 |
| 正味運転資本増加額 | 400 | 450 | 500 |

なお、A社の加重平均資本コストは10％であり、法人税率は30％とする。

① 1期後のフリー・キャッシュフロー（FCF）を求めなさい。

A　900百万円

B　1,200百万円

C　1,500百万円

D　1,800百万円

E　2,100百万円

② 4期後以降もすべての金額が同一で永続するものとした場合、1期期首時点の企業価値を求めなさい。

A　18,219百万円

B　18,919百万円

C　19,083百万円

D　19,383百万円

E　19,783百万円

③　4期後以降のフリー・キャッシュフロー（FCF）は、年率2％で永久成長

するものとした場合、1期期首時点の企業価値を求めなさい。

A　20,062百万円

B　21,473百万円

C　22,549百万円

D　23,215百万円

E　24,764百万円

解答　▶　　① B　② C　③ D

解　説

①

　企業価値を求める際のフリー・キャッシュフロー（FCF）は、下記のよう

に求める。

　　FCF＝営業利益×（1－法人税率）＋減価償却費－設備投資額－正味運転資本増加額

　　1期後FCF＝3,000×（1－0.3）＋500－1,000－400＝1,200百万円

　　2期後FCF＝4,000×（1－0.3）＋520－1,100－450＝1,770百万円

　　3期後FCF＝4,500×（1－0.3）＋550－1,200－500＝2,000百万円

②

　＜継続価値を3期後時点で求める場合＞

　　継続価値（3期後時点）＝$\dfrac{2,000}{0.1}$＝20,000百万円

　　企業価値＝予測期間のFCFの現在価値＋継続価値の現在価値

　　　　　　＝$\dfrac{1,200}{1.1}$＋$\dfrac{1,770}{1.1^2}$＋$\dfrac{2,000}{1.1^3}$＋$\dfrac{20,000}{1.1^3}$≒19,083百万円

＜継続価値を 2 期後時点で求める場合＞

$$継続価値（2期後時点）＝\frac{2,000}{0.1}＝20,000百万円$$

企業価値＝予測期間の FCF の現在価値＋継続価値の現在価値

$$＝\frac{1,200}{1.1}＋\frac{1,770}{1.1^2}＋\frac{20,000}{1.1^2}≒19,083百万円$$

③

＜継続価値を 3 期後時点で求める場合＞

$$継続価値（3期後時点）＝\frac{2,000×1.02}{0.1－0.02}＝25,500百万円$$

企業価値＝予測期間の FCF の現在価値＋継続価値の現在価値

$$＝\frac{1,200}{1.1}＋\frac{1,770}{1.1^2}＋\frac{2,000}{1.1^3}＋\frac{25,500}{1.1^3}≒23,215百万円$$

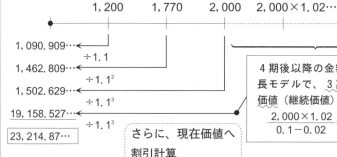

1,200　　　1,770　　　2,000　　　2,000×1.02…

1,090.909…　←　÷1.1

1,462.809…　←　÷1.1²

1,502.629…　←　÷1.1³

19,158.527…　←　÷1.1³

23,214.87…

さらに、現在価値へ割引計算

4 期後以降の金額を定率成長モデルで、3 期後時点の価値（継続価値）を計算
$$\frac{2,000×1.02}{0.1－0.02}＝25,500$$

＜継続価値を 2 期後時点で求める場合＞

$$継続価値（2期後時点）＝\frac{2,000}{0.1－0.02}＝25,000百万円$$

企業価値＝予測期間の FCF の現在価値＋継続価値の現在価値

$$＝\frac{1,200}{1.1}＋\frac{1,770}{1.1^2}＋\frac{25,000}{1.1^2}≒23,215百万円$$

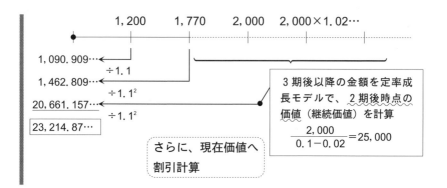

## 3　投資決定

## Point ① 投資決定に関する手法

　経営者は、株主のエージェント（代理人）として、企業活動におけるさまざまな意思決定を行う際、株主の利益を最大化するべく行動を取ると仮定する。企業の重要な意思決定のひとつは「投資プロジェクト」や「事業」への投資で、株主にとっての価値創造が目的になる。

　本節では、企業が行う「投資プロジェクト」や「事業」の代表的な評価方法として、正味現在価値（NPV）、内部収益率（IRR）、回収期間、収益性指標（PI）、会計上の収益率について学ぶ。

## Point ② 正味現在価値（NPV；Net Present Value）

① 正味現在価値（NPV）

　正味現在価値（NPV）とは、「投資プロジェクト」や「事業」（以下、投資プロジェクトとする）が生み出す将来キャッシュフロー $C_t$ をそのリスクに見合った適当な割引率 $r$ で割り引いた現在価値 $V_0$ から、投資額の現在価値 $I$ を差し引いたものをいう。投資プロジェクトが生み出すキャッシュフローの不確実性が高い場合、その割引率は高くなる。

　いま、ある投資プロジェクトが $t$ 年後に生み出すキャッシュフローを $C_t$（$t = 1, 2, \cdots, n$）とし、各時点のキャッシュフローに対する割引率（資本コスト）を $r$ とすると、その資産の現在価値 $V_0$ は次の式で表される。

$$V_0 = \frac{C_1}{1+r} + \frac{C_2}{(1+r)^2} + \frac{C_3}{(1+r)^3} + \cdots + \frac{C_n}{(1+r)^n}$$

　また、この資産への投資額は、現在 $I$ だけ負担すればよいものとすると、この資産に投資することによって得られる正味現在価値（NPV）は次の式で表される。

$$NPV = -I + \frac{C_1}{1+r} + \frac{C_2}{(1+r)^2} + \frac{C_3}{(1+r)^3} + \cdots + \frac{C_n}{(1+r)^n}$$

正味現在価値（NPV）は、投資によって生み出される価値（キャッシュフローの現在価値）から、初期投資額を引いたものなので、投資によってどれだけの価値が新たに創造されるかを表している。したがって、NPVがプラスならこの投資は企業価値を増加させるため、採用すべきであることがわかる。逆にNPVがマイナスになる場合は、企業価値を減少させるため、この投資は採用すべきではないと判断することができる。なお、NPV＝0の場合は、投資すべきか否かは無差別である。

NPV＞0 …… 投資すべき

NPV＝0 …… 投資すべきか否かは無差別

NPV＜0 …… 投資すべきでない

［設例］

A社は投資額90億円の投資プロジェクトを検討している。このプロジェクトに関するキャッシュフローは下記のように予測されている。プロジェクトの資本コストは10％としたとき、このプロジェクトに投資すべきか正味現在価値（NPV）によって判断しなさい。

キャッシュ・フローの予測　　　　　（単位：億円）

| 現時点 | 1期後 | 2期後 | 3期後 |
|---|---|---|---|
| −90 | 30 | 40 | 50 |

この投資プロジェクトの正味現在価値（NPV）は、次のように計算される。

$$NPV = -I + \frac{C_1}{1+r} + \frac{C_2}{(1+r)^2} + \frac{C_3}{(1+r)^3}$$

$$= -90 + \frac{30}{1.1} + \frac{40}{1.1^2} + \frac{50}{1.1^3} ≒ 7.9億円$$

投資判断：NPVがプラス7.9億円のため、投資すべきである。

② 投資決定の際に考慮すべきキャッシュフロー

投資決定の際に考慮すべきキャッシュフローは、「投資プロジェクト」や「事業」（以下、投資プロジェクトとする）の実施に伴って発生するキャッシュフローで、フリー・キャッシュフローと呼ばれる。フリー・キャッシュフローの計算方法は次の通りである。

---

フリー・キャッシュフロー

　＝営業利益×（1－法人税率）＋減価償却費－正味運転資本増加額－設備投資額

---

また、投資決定の際には、上記計算式に示された項目以外に下記の項目に注意する。

a．サンクコスト（埋没費用）

サンクコストは既に使ってしまった費用で、投資プロジェクトの採用の有無にかかわらず戻ってこない。したがって、投資プロジェクトの採否の意思決定には無関係であり、投資決定の際のキャッシュフローには考慮しない。市場調査会社に支払った費用やテスト・マーケティング費用などが、サンクコストに該当する。

b．機会費用

投資プロジェクトで既存の資産（設備、建物、土地等）を使う場合、その資産を別の用途に使用したり、売却する場合に入るキャッシュフローをコストとして考慮する必要がある。例えば、ある投資プロジェクトで、その企業が保有している遊休土地を利用する場合、当該プロジェクトのためにこの土地を利用することで、土地を売却するなどその他の収益機会が奪われることになる。したがって、この土地の価値は機会費用であり、投資プロジェクトの費用として勘案されるべきである。

c．外部性

投資プロジェクトの採用により新製品を発売すると、自社の既存製品が影響を受け、売上高が減少してしまうようなケースがある（カニバリゼーション）。このような場合、その減少分だけ、プロジェクトのキャッシュフローを減らすべきである。逆に、新製品を発売することにより、業界で

の競争力が高まり、既存製品の売上高を押し上げるような場合は、増加分だけ、プロジェクトのキャッシュフローを増やすべきである。

---

[設例]

A社は、投資額240億円、期間3年の投資プロジェクトの評価を行っている。この投資プロジェクトは、次のようなキャッシュフローが生まれると予想され、資本コストは10%、法人税率30%である。この投資プロジェクトを採用すべきか判断しなさい。

(単位：億円)

|  | 現時点 | 1期後 | 2期後 | 3期後 |
|---|---|---|---|---|
| 営業利益 |  | 20 | 40 | 60 |
| 減価償却費 |  | 80 | 80 | 80 |
| 正味運転資本増加額 |  | 20 | 10 | −30 |
| 設備投資額 | 240 | 0 | 0 | 0 |

1）毎年のフリー・キャッシュフロー（FCF）を計算する。

FCF＝営業利益×（1－法人税率）＋減価償却費－正味運転資本増加額
　　　－設備投資額

$FCF_1 = 20 \times (1-0.3) + 80 - 20 = 74$億円

$FCF_2 = 40 \times (1-0.3) + 80 - 10 = 98$億円

$FCF_3 = 60 \times (1-0.3) + 80 - (-30) = 152$億円

2）毎期のFCFをもとにNPVを計算する。

$$NPV = -240 + \frac{74}{1+0.1} + \frac{98}{(1+0.1)^2} + \frac{152}{(1+0.1)^3} ≒ 22.5$$億円

投資判断：NPVがプラス22.5億円なので、この投資プロジェクトを採用すべきである。

# Point ③ 内部収益率（IRR）

内部収益率（IRR、Internal Rate of Return）とは、「投資額の現在価値と将来キャッシュフローの現在価値を等しくするような割引率」をいう。または、正味現在価値（NPV）がゼロの割引率である。

投資額（の現在価値）が I で、t 年後のキャッシュフローが $C_t$（t＝1, 2, …, T）であるような投資プロジェクトを考える。この投資プロジェクトの内部収益率 r は次の式によって求められる。

$$I=\frac{C_1}{1+r}+\frac{C_2}{(1+r)^2}+\cdots+\frac{C_T}{(1+r)^T}$$

$$NPV=0=-I+\frac{C_1}{1+r}+\frac{C_2}{(1+r)^2}+\cdots+\frac{C_T}{(1+r)^T}$$

IRRは複利ベースの投資収益率であるから、この投資資金の資本コストと比較して大きいかどうかで、投資判断する方法も考えられる。IRR が資本コストより高い場合には、超過収益を得られるので投資を採用し、逆に IRR が資本コストより低い場合には、投資を採用しないという方法である。なお、IRR＝資本コストの場合は、投資すべきか否かは無差別である。また、正味現在価値（NPV）で触れたように、資本コストは、プロジェクトや事業のリスクに依存する。

IRR＞資本コスト…… 投資すべき

IRR＝資本コスト…… 投資すべきか否かは無差別

IRR＜資本コスト…… 投資すべきでない

[設例]

　ある投資プロジェクトに、現在10億円を投資すると、1年後に5億円、2年後に6億円のキャッシュフローが生まれるとする。この投資の資本コストは6％とすると、税金を考慮外とした場合、このプロジェクトに投資すべきかどうかを内部収益率法によって判断しなさい。

　まず、内部収益率 $r$ は次の式で求めることができる。

$$10＝\frac{5}{1+r}+\frac{6}{(1+r)^2}$$

この式を変形すると、

$$10(1+r)^2-5(1+r)-6＝0$$

2次方程式の解の公式に当てはめて計算する。

2次方程式を $aX^2+bX+c=0$ とすると、X は次の公式によって計算される。

$$X=\frac{-b\pm\sqrt{b^2-4ac}}{2a}$$

なお、本設例では、解答に必要となる $\sqrt{\ }$ の前の±のうち＋の方だけを考え、

$$X=\frac{-b+\sqrt{b^2-4ac}}{2a}$$ の式を使用する。

ここで、$1+r=X$ とおくと、

$$10X^2-5X-6＝0$$

と表される。数値を代入してXを解くと、

$$X=\frac{-(-5)+\sqrt{(-5)^2-4\times10\times(-6)}}{2\times10}=1.06394\cdots\fallingdotseq1.064$$

となる。そして $1+r=X$ とおいたため、$r=X-1=1.064-1=0.064=6.4$％と計算できる。

　IRRは6.4％であり、資本コスト6％を上回るため、この投資を実行すべきである。

## Point ④　回収期間

　回収期間は、投資額を何年間のキャッシュフローで回収できるかを見る方法である。あらかじめ決められた回収期限に、投資回収ができるプロジェクトを採択することになる。例えば、100億円が投資額で、キャッシュフローが1年目と2年目それぞれ50億円の場合、回収期間は2年になる。

　回収期間は考え方がわかりやすく、計算も簡単であるが、次のような問題点がある。第1の問題点は、貨幣の時間価値を考慮していないことである。第2の問題点は回収期限以降のキャッシュフローが無視されることである。第3の問題点は、プロジェクトの採否を決める回収期限の決定を恣意的に行わざるを得ないことである。

---

［設例］

　A社は投資額200億円の投資プロジェクトを検討しており、キャッシュフローの予測は次の通りである。このプロジェクトの割引率は10％とする。

（単位：億円）

|  | 現時点 | 1期後 | 2期後 | 3期後 |
|---|---|---|---|---|
| キャッシュフロー | −200 | 80 | 120 | 150 |

　回収期限を3年とする場合、このプロジェクトへ投資すべきか判断しなさい。

---

　キャッシュフローの累計が、投資額の200億円に達するのは2年である（80＋120＝200億円）。

　回収期間は2年で、目標の3年以内のため、投資すべきである。

## Point ⑤　収益性指標（Profitability Index；PI）

　収益性指標（PI）は、次の式で表される。NPVがプラスであれば、PIは0より大きくなる。したがって、PI>0のプロジェクトは実施すべきということになる。このため、プロジェクトを単独で判断する場合には、PIとNPVで同様の結果となる。一方、PIは、比率であるため、投資の規模を考慮しない

という問題点がある。

　なお、分子のNPVについて、投資額を控除する前の投資プロジェクトの現在価値とする場合がある。この場合には、PI＞1のプロジェクトは実施すべきということになる。

$$収益性指標＝\frac{NPV}{投資額}$$

［設例］

　A社は投資額200億円の投資プロジェクトを検討しており、キャッシュフローの予測は次の通りである。このプロジェクトの収益性指標（PI）を求めなさい。なお、割引率は10％とする。

（単位：億円）

| | 現時点 | 1期後 | 2期後 | 3期後 |
|---|---|---|---|---|
| キャッシュフロー | −200 | 100 | 100 | 150 |

　投資プロジェクトのNPV

$$＝−200＋\frac{100}{1＋0.1}＋\frac{100}{(1＋0.1)^2}＋\frac{150}{(1＋0.1)^3}≒86.3（億円）$$

$$PI＝\frac{NPV}{投資額}＝\frac{86.3}{200}≒0.43$$

　なお、PI≒0.43＞0であるため、この投資プロジェクトは実施すべきである。

## Point 6 　会計上の収益率（Book Rate of Return）

　会計上の収益率（もしくは、投下資本利益率：Return on Investment）は、投資額に対する会計上の利益の割合を示し、次の式で表される。これは、会計上の収益率を目標とする収益率と比較することで、事業の実施を判断する方法である。

　会計上の数値を用いることから、わかり易く、計算も簡単であるが、次のような問題点がある。第1の問題点は、貨幣の時間価値を考慮していないことで

ある。第2の問題点は比較対象基準が曖昧であることである。なお、この指標は、分子分母の数値に明確なものはなく、投資プロジェクトの期間を通じての平均値を用いて計算するケースや各年度の収益率を計算するケースがある。

---

$$会計上の収益率 = \frac{会計上の利益}{投資額（簿価）}$$

　分子：投資プロジェクト期間の平均純利益

　分母：投資プロジェクト期間の平均投資残高

　（※各年度ごとに収益率が計算されることもある）

---

**例題11**　A社は投資額120億円の投資プロジェクトを検討している。この プロジェクトに関するフリー・キャッシュフロー（FCF）は下記の ように予測されている。プロジェクトの資本コストは8％とすると、 NPVはいくらですか。

FCF の予測　　　　　　　　　　　　　　（単位：億円）

| 現時点 | 1 期後 | 2 期後 | 3 期後 |
|--------|--------|--------|--------|
| −120 | 40 | 50 | 60 |

A　　−1億円

B　　7.5億円

C　　15.5億円

D　　30億円

E　　47億円

解答 ▷　　B

**解　説**

　　この投資プロジェクトの正味現在価値（NPV）は、次のように計算され る。

$$NPV = -I + \frac{C_1}{1+r} + \frac{C_2}{(1+r)^2} + \frac{C_3}{(1+r)^3}$$

$$= -120 + \frac{40}{1.08} + \frac{50}{1.08^2} + \frac{60}{1.08^3} \fallingdotseq 7.5億円$$

例題12

A社は、期間 3 年の投資プロジェクトを検討している。このプロジェクトに関するフリー・キャッシュフロー（FCF）は下記のように予測されており、正味現在価値（NPV）が11.7億円であるとき、現時点における初期投資額はいくらですか。なお、資本コストは 7 ％とする。

FCFの予測　　　　　　　　　　　　（単位：億円）

| 現時点 | 1 期後 | 2 期後 | 3 期後 |
|---|---|---|---|
| ? | 45 | 55 | 100 |

A　143億円

B　155億円

C　160億円

D　172億円

E　187億円

解答　▶　C

解　説

この投資プロジェクトの初期投資額は、次のように計算される。

$$NPV = -I + \frac{C_1}{1+r} + \frac{C_2}{(1+r)^2} + \frac{C_3}{(1+r)^3}$$

$$11.7億円 = -I + \frac{45}{1.07} + \frac{55}{1.07^2} + \frac{100}{1.07^3}$$

$$I = \frac{45}{1.07} + \frac{55}{1.07^2} + \frac{100}{1.07^3} - 11.7億円 ≒ 160億円$$

例題13　A社は、投資額300億円、期間３年の投資プロジェクトの評価を行っている。この投資プロジェクトは、次のようなキャッシュフローが生まれると予想され、資本コストは９％、法人税率30％である。この投資プロジェクトのNPVはいくらですか。

（単位：億円）

| | 現時点 | １期後 | ２期後 | ３期後 |
|---|---|---|---|---|
| 営業利益 | | 50 | 60 | 80 |
| 減価償却費 | | 100 | 100 | 100 |
| 正味運転資本増加額 | | 20 | 40 | −60 |
| 設備投資額 | 300 | 0 | 0 | 0 |

A　23.4億円

B　31.6億円

C　47.7億円

D　58.1億円

E　62.5億円

解答　▶　D

解　説

この投資プロジェクトの正味現在価値（NPV）は次のようになる。

FCF＝営業利益×（1−法人税率）＋減価償却費−正味運転資本増加額
　　　−設備投資額

$FCF_1＝50×（1−0.3）＋100−20＝115億円$

$FCF_2＝60×（1−0.3）＋100−40＝102億円$

$FCF_3＝80×（1−0.3）＋100−（−60）＝216億円$

$NPV＝−300＋\dfrac{115}{1.09}＋\dfrac{102}{1.09^2}＋\dfrac{216}{1.09^3}≒58.1億円$

## 4　リスク管理

### Point ① 企業価値評価におけるリスクとレバレッジ

　企業評価を行う際に、利益やキャッシュフローを予測することになるが、これらは企業の費用構造に影響される。この費用構造とは変動費と固定費の割合のことである。変動費とは売上高（生産量）の増減に応じて変動する費用項目であり、生産に伴う原材料費や販売に伴う販売手数料等が該当する。また、固定費とは、売上高（生産量）の増減に関わらず、短期的に一定額発生する費用項目である。この固定費は、企業の営業活動に照らせば、従業員の給料や設備の減価償却費が該当し、財務活動であれば、負債調達に伴い定額の支払いが要求される支払利息が該当する。

　企業の費用構造に含まれる固定費の割合が高まることで、売上高の変化に対する利益の変化が大きくなり、この固定費の作用をレバレッジと呼ぶ。レバレッジが高まることで、利益の変動性が大きくなり、企業のリスクを高めることになる。リスクが高まれば、企業評価の際に用いる割引率（資本コスト）も高くなる。

　このリスクについては、その源泉によって、事業リスク（売上リスク、営業リスク）、財務リスクに分けられる。

### Point ② 事業リスク

　事業リスクとは、企業の事業活動に起因して負担するリスクのことである。企業は事業活動を通じて収益を獲得するが、これは様々な要因によって変動する。例えば、景気変動による売上高の変動や費用構造による営業利益の変動として表れる。事業リスクは、売上高の変動に伴う売上リスクと営業利益の変動に伴う営業リスクに分けられる。

① 売上リスク

　企業の業績を変動させて不確実性をもたらす第1の要因は、景気変動等に伴う売上高の変動性であり、これを売上リスクと呼ぶ。これは企業の事業内容自体の特性に起因するもので、例えば、生活必需品の生産企業よりも設備

投資財の生産企業の方が景気変動の影響を大きく受け、売上高の変動も大きくなる傾向がある。各企業に内在する不確実性を評価する際には、事業の特性を明確に把握しておかなければならない。

② 営業リスク

　景気変動に伴う売上高の変動性をさらに増幅させて利益をより大きく変動させる要因の１つは、固定費と変動費からなる企業の費用構造である。固定費は、売上高や生産高で測定した操業度が変化しても毎期一定額が発生する費用で、変動費は操業度や売上高の変化に比例して発生額が増減する費用である。すなわち、売上高が増減すると変動費は売上高に比例して増減するが、固定費は増減しないため費用総額の増減率の大きさは売上高の増減率の大きさより小さくなる。

　したがって、売上高から費用総額を差し引いた利益の増減率の大きさは、売上高の増減率の大きさよりも大きくなる。このように、費用構造に占める固定費の割合から生じるリスクのことを**営業リスク**と呼ぶ。また、費用構造を原因として売上高の変化率が増幅されることで営業利益が大きく変動する増幅作用を**営業レバレッジ**と呼び、その測定指標を**営業レバレッジ度**（Degree of Operating Leverage；ＤＯＬ）と呼ぶ。ＤＯＬは、売上高の変動に対する営業利益の変動比を表わし、次の式で求める。

$$ＤＯＬ＝\frac{営業利益の変化率}{売上高の変化率}＝\frac{限界利益}{営業利益}$$

［設例］

　下記の資料に基づいて、営業レバレッジ度（ＤＯＬ）を求めなさい。なお、変動費率と固定費は変わらないものとする。

（単位：億円）

| | |
|---|---|
| 売 上 高 | 1,000 |
| 変 動 費 | 800 |
| 限 界 利 益 | 200 |
| 固 定 費 | 100 |
| 営 業 利 益 | 100 |

$$DOL = \frac{営業利益の変化率}{売上高の変化率} = \frac{限界利益}{営業利益}$$

$$= \frac{200}{100} = 2.0$$

　ちなみに、売上高が20％増加した場合の変化後の営業利益については、ＤＯＬの式から、下記のように求めることができる。

　　営業利益の変化率＝売上高の変化率×ＤＯＬ

　　　　　　　　　　＝＋20％×2.0＝＋40％

　　変化後の営業利益＝変化前の営業利益×（１＋変化率）

　　　　　　　　　　＝100×（１＋0.4）＝140

（単位：億円）

|  | 変化前 | 変化率 | 変化後 |
|---|---|---|---|
| 売　上　高 | 1,000 | ＋20％ | 1,200 |
| 変　動　費 | 800 |  | 960 |
| 限　界　利　益 | 200 |  | 240 |
| 固　定　費 | 100 |  | 100 |
| 営　業　利　益 | 100 | ＋40％ | 140 |

# Point ③　財務リスク

　企業業績の変動を増幅させる要因として、負債に対する固定的な利息の支払いがある。負債については、本業の収益性に関係なく固定的な金利支払いが必要であり、これにより企業業績が左右されることになる。負債の割合が高まることによって、支払利息を控除した後の利益の変動性を高める効果がある。そのため、総資本に占める負債の割合が企業のリスクの決定要因の１つとなる。このような、資本構成における負債の利用によって生じるリスクのことを**財務リスク**と呼ぶ。また、負債の割合が高まることによって純利益が大きく変動する増幅作用を**財務レバレッジ**と呼び、その測定指標を**財務レバレッジ度**（Degree of Financial Leverage；ＤＦＬ）と呼ぶ。ＤＦＬは、営業利益の変動に対する税引前当期純利益の変動比を表わし、次の式で求める。

$$DFL = \frac{税引前当期純利益の変化率}{営業利益の変化率} = \frac{営業利益}{税引前当期純利益}$$

[設例]

　下記の資料に基づいて、財務レバレッジ度（ＤＦＬ）を求めなさい。なお、変動費率と固定費は変わらないものとし、負債利子率は４％とする。表中に記載のない項目は考慮しないこと。

（単位：億円）

|  | 変化前 |
|---|---|
| 営業利益 | 100 |
| 支払利息 | 20 |
| 税引前当期純利益 | 80 |
| 負　　債 | 500 |
| 株主資本 | 500 |
| 総 資 本 | 1,000 |

$$DFL = \frac{税引前当期純利益の変化率}{営業利益の変化率} = \frac{営業利益}{税引前当期純利益}$$

$$= \frac{100}{80} = 1.25$$

　ちなみに、営業利益が40％増加した場合の変化後の税引前当期純利益については、ＤＦＬの式から、下記のように求めることができる。

　　　税引前当期純利益の変化率＝営業利益の変化率×ＤＦＬ

　　　　　　　　　　　　　　　＝＋40％×1.25＝＋50％

　　　変化後の税引前当期純利益＝変化前の税引前当期純利益×（１＋変化率）

　　　　　　　　　　　　　　　＝80×（１＋0.5）＝120

（単位：億円）

| | 変化前 | 変化率 | 変化後 |
|---|---|---|---|
| 営業利益 | 100 | ＋40% | 140 |
| 支払利息 | 20 | | 20 |
| 税引前当期純利益 | 80 | ＋50% | 120 |
| 負　債 | 500 | | 500 |
| 株主資本 | 500 | | 500 |
| 総 資 本 | 1,000 | | 1,000 |
| Ｒ Ｏ Ｅ* | 16% | ＋50% | 24% |

※　ＲＯＥ＝税引前当期純利益÷株主資本として計算している。

## Point ④　トータル・レバレッジ

前述の**営業レバレッジ度**（ＤＯＬ）と**財務レバレッジ度**（ＤＦＬ）を掛け合わせた指標を**トータル・レバレッジ度**（Degree of Total Leverage；ＤＴＬ）と呼ぶ。売上高の変動に対する税引前当期純利益の変動比を表している。

$$ＤＴＬ＝\frac{税引前当期純利益の変化率}{売上高の変化率}$$

$$＝\frac{営業利益の変化率}{売上高の変化率}×\frac{税引前当期純利益の変化率}{営業利益の変化率}$$

$$＝ＤＯＬ×ＤＦＬ$$

$$＝\frac{限界利益}{営業利益}×\frac{営業利益}{税引前当期純利益}＝\frac{限界利益}{税引前当期純利益}$$

[設例]

下記の資料に基づいて、営業レバレッジ度（ＤＯＬ）、財務レバレッジ度（ＤＦＬ）、トータル・レバレッジ度（ＤＴＬ）を求めなさい。なお、変動費率と固定費は変わらないものとし、負債利子率は４％とする。表中に記載のない項目は考慮しないこと。

（単位：億円）

| 売 上 高 | 1,000 |
|---|---|
| 変 動 費 | 800 |
| 限 界 利 益 | 200 |
| 固 定 費 | 100 |
| 営 業 利 益 | 100 |
| 支 払 利 息 | 20 |
| 税引前当期純利益 | 80 |
| 負 債 | 500 |
| 株 主 資 本 | 500 |
| 総 資 本 | 1,000 |

$$\mathrm{ＤＯＬ} = \frac{\text{営業利益の変化率}}{\text{売上高の変化率}} = \frac{\text{限界利益}}{\text{営業利益}}$$

$$= \frac{200}{100} = 2.0$$

$$\mathrm{ＤＦＬ} = \frac{\text{税引前当期純利益の変化率}}{\text{営業利益の変化率}} = \frac{\text{営業利益}}{\text{税引前当期純利益}}$$

$$= \frac{100}{80} = 1.25$$

$$\mathrm{ＤＴＬ} = \mathrm{ＤＯＬ} \times \mathrm{ＤＦＬ}$$

$$= 2.0 \times 1.25 = 2.5$$

ちなみに、売上高が20％増加した場合の変化後の税引前当期純利益については、ＤＴＬの式から、下記のように求めることができる。

税引前当期純利益の変化率＝売上高の変化率×ＤＴＬ

$$＝＋20\％×2.5＝＋50\％$$

変化後の税引前当期純利益＝変化前の税引前当期純利益×（1＋変化率）

$$＝80×（1＋0.5）＝120$$

（単位：億円）

|  | 変化前 | 変化率 | 変化後 |
|---|---|---|---|
| 売 上 高 | 1,000 | ＋20％ | 1,200 |
| 変 動 費 | 800 |  | 960 |
| 限 界 利 益 | 200 |  | 240 |
| 固 定 費 | 100 |  | 100 |
| 営 業 利 益 | 100 | ＋40％ | 140 |
| 支 払 利 息 | 20 |  | 20 |
| 税引前当期純利益 | 80 | ＋50％ | 120 |
| 負　　　債 | 500 |  | 500 |
| 株 主 資 本 | 500 |  | 500 |
| 総 資 本 | 1,000 |  | 1,000 |
| Ｒ Ｏ Ｅ* | 16％ | ＋50％ | 24％ |

※　ＲＯＥ＝税引前当期純利益÷株主資本として計算している。

---

**参考　営業レバレッジ度（ＤＯＬ）と財務レバレッジ度（ＤＦＬ）の導出**

① 営業レバレッジ度（ＤＯＬ）

$$ＤＯＬ＝\frac{営業利益の変化率}{売上高の変化率}＝\frac{限界利益}{営業利益}$$

まず、$\dfrac{営業利益の変化率}{売上高の変化率}$ について「変化額」を用いて修正する。

$$\frac{営業利益の変化率}{売上高の変化率}＝\frac{\dfrac{営業利益の変化額}{営業利益}}{\dfrac{売上高の変化額}{売上高}}$$

$$= \frac{\text{営業利益の変化額}}{\text{営業利益}} \div \frac{\text{売上高の変化額}}{\text{売上高}}$$

$$= \frac{\text{営業利益の変化額}}{\text{営業利益}} \times \frac{\text{売上高}}{\text{売上高の変化額}}$$

ここで、「営業利益＝限界利益−固定費」であり、売上高の変化に対する変化額に注目すると下記が導ける。なお、固定費は、売上高が変化しても一定額であることから、変化額はゼロである。また、限界利益は売上高に限界利益率を乗じた金額である。

営業利益＝限界利益−固定費

営業利益の変化額＝限界利益の変化額

＝売上高の変化額×限界利益率

この関係式を前述式に代入する。

$$\frac{\text{営業利益の変化率}}{\text{売上高の変化率}} = \frac{\text{売上高の変化額×限界利益率}}{\text{営業利益}} \times \frac{\text{売上高}}{\text{売上高の変化額}}$$

$$= \frac{\text{売上高×限界利益率}}{\text{営業利益}} = \frac{\text{限界利益}}{\text{営業利益}}$$

② 財務レバレッジ度（ＤＦＬ）

$$\text{ＤＦＬ} = \frac{\text{税引前当期純利益の変化率}}{\text{営業利益の変化率}} = \frac{\text{営業利益}}{\text{税引前当期純利益}}$$

まず、$\dfrac{\text{税引前当期純利益の変化率}}{\text{営業利益の変化率}}$ について「変化額」を用いて修正する。

$$\frac{\text{税引前当期純利益の変化率}}{\text{営業利益の変化率}} = \frac{\dfrac{\text{税引前当期純利益の変化額}}{\text{税引前当期純利益}}}{\dfrac{\text{営業利益の変化額}}{\text{営業利益}}}$$

$$= \frac{\text{税引前当期純利益の変化額}}{\text{税引前当期純利益}} \div \frac{\text{営業利益の変化額}}{\text{営業利益}}$$

$$= \frac{\text{税引前当期純利益の変化額}}{\text{税引前当期純利益}} \times \frac{\text{営業利益}}{\text{営業利益の変化額}}$$

ここで、「税引前当期純利益＝営業利益−支払利息」であり、売上高

の変化に対する変化額に注目すると下記が導ける。なお、支払利息は、売上高が変化しても一定額であることから、変化額はゼロである。

税引前当期純利益＝営業利益－支払利息

税引前当期純利益の変化額＝営業利益の変化額

この関係式を前述式に代入する。

$$\frac{税引前当期純利益の変化率}{営業利益の変化率}=\frac{営業利益の変化額}{税引前当期純利益}\times\frac{営業利益}{営業利益の変化額}$$

$$=\frac{営業利益}{税引前当期純利益}$$

ちなみに、税金を考慮して、税引前当期純利益に（1－税率）を乗じて式を展開しても、ＤＦＬは、「営業利益/税引前当期純利益」となる。

# Point ⑤　運転資本管理

① 運転資本管理

運転資本（Working Capital）とは、企業が事業を継続する際に必要となる短期の資本（資産）のことである。通常は、短期に投下された項目として流動資産が近似する。この流動資産から流動負債を差し引いた項目を正味運転資本（Net Working Capital；ＮＷＣ）という。

正味運転資本＝流動資産－流動負債

売上債権や棚卸資産といった流動資産の増加は、資金が回収されていない状態を意味し、資金繰りの悪化要因となる。一方、仕入債務や短期借入金といった流動負債の増加は、資金流出の抑制や借入による資金流入によって、資金繰りの改善要因となる。したがって、正味運転資本の増加は、資金繰りが悪化することを意味する。運転資本管理とは、企業が事業に必要な資金を適切に調達することであると同時に、資産と負債をバランスのとれた状態で保有することである。

② キャッシュ・コンバージョン・サイクル（Cash Conversion Cycle；ＣＣＣ）

運転資本を管理するうえで目安となる代表的な指標が、**キャッシュ・コン**

バージョン・サイクル（ＣＣＣ）である。これは、企業が棚卸資産を購入するために現金を支払った時点から商品や製品を販売して現金化するまでの期間を表している。この指標が短くなるほど運転資本は少なくなり、事業活動を行うための保有資金も少なくて済むことになる。

なお、企業が棚卸資産を購入してから商品や製品を販売して現金化するまでに要する期間を**営業サイクル**という。営業サイクルは、棚卸資産を購入してから販売するまでの期間を表す棚卸資産回転期間と販売してから現金化するまでに要する期間を表す売上債権回転期間の合計となる。

営業サイクル＝棚卸資産回転期間＋売上債権回転期間

棚卸資産を購入する際に、掛けで購入すると、実際の支払いまでに期間が猶予される。この棚卸資産を購入してから代金を支払う期間を仕入債務回転期間という。

したがって、ＣＣＣは、営業サイクルから仕入債務回転期間を差し引いた期間として表される。

この計算の際に、分子分母の対応関係（売価と原価）から、売上債権回転期間は売上高を、棚卸資産回転期間と仕入債務回転期間は売上原価を用いることに注意する。

ＣＣＣ＝営業サイクル－仕入債務回転期間

　　　＝棚卸資産回転期間＋売上債権回転期間－仕入債務回転期間

$$=\frac{棚卸資産（期中平均）}{売上原価÷365日}+\frac{売上債権（期中平均）}{売上高÷365日}-\frac{仕入債務（期中平均）}{売上原価÷365日}$$

＜取引の流れとＣＣＣ＞

[設例]

次の資料に基づいて、営業サイクルおよびキャッシュ・コンバージョン・サイクル（ＣＣＣ）を求めなさい。

| 貸借対照表項目抜粋 | |
|---|---|
| 売上債権（期中平均） | 1,500 |
| 棚卸資産（期中平均） | 1,000 |
| 仕入債務（期中平均） | 900 |

| 損益計算書項目抜粋 | |
|---|---|
| 売上高 | 10,000 |
| 売上原価 | 8,000 |

$$棚卸資産回転期間 = \frac{棚卸資産（期中平均）}{売上原価 \div 365日}$$

$$= \frac{1,000}{8,000 \div 365日} \fallingdotseq 45.63日$$

$$売上債権回転期間 = \frac{売上債権（期中平均）}{売上高 \div 365日}$$

$$= \frac{1,500}{10,000 \div 365日} \fallingdotseq 54.75日$$

$$仕入債務回転期間 = \frac{仕入債務（期中平均）}{売上原価 \div 365日}$$

$$= \frac{900}{8,000 \div 365日} \fallingdotseq 41.06日$$

営業サイクル ＝ 棚卸資産回転期間 ＋ 売上債権回転期間

$$= 45.63日 + 54.75日 = 100.38日$$

ＣＣＣ ＝ 営業サイクル － 仕入債務回転期間

$$= 100.38日 - 41.06日 = 59.32日$$

③　現金の管理

　企業が、現金を保有する代表的な目的に**取引動機**と**予備的動機**がある。ま
ず、日々の支払いを円滑に行うために現金を保有する動機を取引動機という。
次に、予期しない現金需要への備えのために現金を保有する動機を予備的動
機（もしくは現金を保有することを予備的貯蓄ともいう）という。また、現
金を管理する際の財務指標として、第7章の財務諸表分析で取扱った当座比
率や手元流動性比率に加えて、現金預金と短期の有価証券の合計額を流動負
債で除した現金比率も利用されている。

④　売上債権の管理

　売上債権は、製品やサービスを販売した場合、取引先からまだ代金の受領
が完了していない未回収額である。企業間取引についてみれば、製品やサー
ビスを販売した企業は、購入した企業に代金の支払いを猶予していることか
ら、事実上の資金貸付けとみなされ、これを**企業間信用**と呼んでいる。企業
間信用は、購入企業からみれば、支払いが猶予された分、資金を保有するこ
とにつながり、資金調達手段の1つとなる。また、企業間信用については、
売上高や売上債権と貸倒損失の関係に注意する。信用供与の範囲を広げると、
売上と売上債権の増加が見込まれるとともに、貸倒損失の発生が高まる可能
性がある。一方、信用供与の範囲を狭めると売上と売上債権の減少が見込ま
れるとともに、貸倒損失の発生が低まる可能性がある。

⑤　棚卸資産の管理

　棚卸資産は、原材料、仕掛品、製品、商品等といった生産・販売に必要と
なる在庫を意味し、適正な水準を維持することが求められる。棚卸資産の保
有が過多になると老朽化、紛失や破損、貯蔵するためのコストの増加をもた
らし、過少になると販売機会の喪失や顧客の満足度低下を引き起こす。棚卸
資産に関する主なコストについては、次の3つが挙げられる。

| | |
|---|---|
| 発注コスト<br>(Ordering Cost) | 運搬、搬入、事務手続きにかかる諸経費等、棚卸資産の発注、補充に係るコストであり、発注回数が多くなるほど増加する。 |
| 保管コスト<br>(Carrying Cost) | 貯蔵、破損、保険料等、棚卸資産の保持にかかるコストであり、通常は在庫水準が多くなるほど増加する。 |
| 在庫切れコスト<br>(Stock-out Cost) | 販売機会の喪失、入荷待ちにかかるコスト、代替品を使用するコスト等、在庫切れに起因するコストであり、在庫水準が少なくなるほど増加する。 |

　なお、棚卸資産にかかるコストを管理するための手法として、経済的発注量（Economic Order Quantity；EOQ）モデルがある。EOQは、1回あたり発注量が多くなるほど小さくなる発注コストと1回あたり発注量が多くなるほど大きくなる保管コストの合計を最小化する発注量を意味する。このモデルにより、1回あたりの最適な（コストが最小化となる）発注量が求められる。

A社とB社の営業レバレッジ度（DOL）、財務レバレッジ度（DFL）、トータル・レバレッジ度（DTL）は以下のとおりである。負債＝有利子負債を仮定し、他の条件を一定とするとき、A社とB社に関する次の記述のうち、正しくないものはどれですか。

|  | A社 | B社 |
|---|---|---|
| DOL | 1.2 | 7.0 |
| DFL | ☆ | 1.0 |
| DTL | 6.0 | ☆ |

☆は設問の関係で伏せてある。

A　両社の売上高が同じ割合で増加するとき、純利益の増加する割合が大きいのはB社である。

B　両社の売上高が同じ割合で増加するとき、営業利益の増加する割合が大きいのはB社である。

C　両社の営業利益が同じ割合で増加するとき、純利益の増加する割合が大きいのはB社である。

D　両社のB社は100％株式で資金調達を行っている。

解答　▶　C

### 解 説

A　正しい。B社のDTLは7.0×1.0＝7.0であり、両社の売上高が同じ割合で増加するとき、純利益の増加する割合が大きいのはB社である。

B　正しい。B社の方がDOLが高いため、両社の売上高が同じ割合で増加するとき、営業利益の増加する割合が大きいのはB社である。

C　正しくない。DTL＝DOL×DFLである。A社のDFLは6.0÷1.2＝5.0であることから、両社の営業利益が同じ割合で増加するとき、純利益

の増加する割合が大きいのはA社である。

D　正しい。B社のDFLは1.0であるため、営業利益＝税引前当期純利益
が成り立つ。したがって、支払利息がないことから、負債を保有しておら
ず、B社は100％株式で資金調達を行っている。

| 例題15 | A社の財務諸表が次のように与えられている。このとき、A社のキャッシュ・コンバージョン・サイクル（CCC）はいくらですか。 |

A社の財務諸表（要約）（単位：百万円）

| 売上高 | 10,000 |
| 売上原価 | 8,000 |
| 売上債権（期中平均） | 2,000 |
| 棚卸資産（期中平均） | 1,000 |
| 仕入債務（期中平均） | 700 |

A　31.9日

B　45.6日

C　73.0日

D　86.7日

E　118.6日

解答　▷　D

　A社の棚卸資産回転期間、売上債権回転期間、仕入債務回転期間は以下のとおりとなる。

$$棚卸資産回転期間 = \frac{棚卸資産（期中平均）}{売上原価 \div 365日}$$

$$= \frac{1,000}{8,000 \div 365日} ≒ 45.6日$$

$$売上債権回転期間 = \frac{売上債権（期中平均）}{売上高 \div 365日}$$

$$= \frac{2,000}{10,000 \div 365日} = 73.0日$$

$$仕入債務回転期間 = \frac{仕入債務（期中平均）}{売上原価 \div 365日}$$

$$= \frac{700}{8,000 \div 365日} ≒ 31.9日$$

営業サイクル＝棚卸資産回転期間＋売上債権回転期間

　　　　　　＝45.6日＋73.0日＝118.6日

ＣＣＣ＝営業サイクル－仕入債務回転期間

　　　　＝118.6日－31.9日＝86.7日

## 5 経営戦略

### Point ① 経営戦略

　コーポレート・ファイナンスでは、中心的な目的を企業価値の向上とし、そのための投資政策や財務政策を模索する。このような政策の実行は、企業の保有する内部の経営資源や外部の事業環境と密接に結びつく。経営戦略とは、このような経営資源や事業環境に照らして長期間にわたり持続的な成長を維持するための構想である。

　企業は、経営戦略を策定することで、経営資源や事業環境を分析し、次いで、進むべき事業領域の選択と資源配分に関する方針を決定する。この事業領域の選択と資源配分に関する方針は全社戦略と呼ばれ、事業ごとの運営方針を事業戦略と呼ぶ。さらに、全社戦略や事業戦略は、同業他社との競争に打ち勝つための方針でもあるため、競争戦略と呼ばれることがある。

　企業は、このような戦略を策定し、実践することで、競争優位を確立し、企業価値の向上を目指すことになる。競争優位とは、企業が競争に成功し、同様の行動をとっているライバル企業よりも有利な状態を表し、高い収益性（資本利益率）が期待できる。

　経営戦略の考え方には、業界ごとに収益性が異なることに着目し、外部環境や立ち位置に注目する**ポジショニングアプローチ**と企業のコントロールしている内部の経営資源の相違に注目する**経営資源アプローチ**がある。企業は、この2つのアプローチを組み合わせながら、収益性や企業価値の向上を図ることになる。なお、ポジショニングアプローチの代表的な分析手法としてポーターの5フォース・モデル、経営資源アプローチの代表的な分析手法としてバーニーのVRIO（VRIN）分析が挙げられる。

### Point ② ポーターの競争戦略論

① 5つの要因

　　ポーターの競争戦略論では、業界の収益性に影響する5つの要因として、
　a．新規参入の脅威、b．競合の脅威、c．代替品の脅威、d．買い手の脅

威（交渉力）、e.売り手の脅威（交渉力）が挙げられている。これらの要因に基づいて業界の収益性や自社の立ち位置を分析する方法は、**5フォース・モデル**と呼ばれる。

a．新規参入の脅威

　　新規参入が容易な業界では、業界の収益性が上がると参入企業が増加し、競争の激化により、収益性が低下する可能性がある。

b．競合の脅威

　　業界内に同業者数が多い場合、市場シェアの獲得競争が激しくなり、収益性が低下する可能性がある。

c．代替品の脅威

　　代替品とはユーザーのニーズを満たす、既存製品以外の製品をいう。より費用対効果の高い代替品が存在する場合、高い価格設定が難しくなり、収益性が低下する可能性がある。

d．買い手の脅威（交渉力）

　　買い手の購入量が多く、総取引量に占める割合が高い場合や、製品の差別化が難しく他企業も類似製品を作っている場合などでは、希望する価格での販売が難しくなり、収益性が低下する可能性がある。

e．売り手の脅威（交渉力）

　　売り手の業界が少数の企業に集中化している場合、また売り手が供給する製品が重要な部品となっている場合などでは、高い価格で購入しなければならなくなり、コスト上昇により収益性が低下する可能性がある。

② 競争優位を築く3つの基本戦略

　　ポーターは、競争力を獲得、維持するための基本的戦略を3つに分類・整理した。

a．コスト・リーダーシップ戦略

　　コスト・リーダーシップ戦略は、規模の経済などを通してコスト削減に努め、製品やサービスを安い価格で多く販売することで、競争優位を確立しようとする戦略である。このため、コスト・リーダーシップ戦略を採用する企業には、資産回転率は高いが、売上高利益率（マージン）は低いと

いう特徴がある。なお、規模の経済とは、企業規模の拡大や生産量の増加に伴って、製品の単位当たりのコストが低減することである。そのため、固定費の負担が重い産業では、生産量の増大によって単位当たりの固定費が低下する場合、規模の経済がコスト・リーダーシップに結び付くと考えられる。

b．差別化戦略

　差別化戦略は、コスト以外のブランド、製品、顧客サービス、販売チャネルなどで他社よりも高い付加価値を生み出して競争優位を確立しようとする戦略である。このため、差別化戦略を採用する企業は、売上高利益率（マージン）は高いが、資産回転率は低いという特徴がある。

c．集中化戦略（フォーカス戦略）

　特定の顧客層や市場、販売チャネルなどに集中する戦略である。集中化戦略には、特定の分野でコスト競争力を強化し、高収益を狙う**コスト集中戦略**と、特定の分野での差別化によって製品の付加価値を高め、採算向上を通じて収益力の維持・改善を図る**差別化集中戦略**の2つがある。

競争優位の源泉

|  |  | 低コスト | 差別化 |
|---|---|---|---|
| 競争の範囲 | 広い対象 | コスト・リーダーシップ戦略 | 差別化戦略 |
|  | 狭い対象 | 集中化戦略<br>コスト集中 | 差別化集中 |

## Point ③ バーニーの競争戦略論

前述のポーターの5フォース・モデルに代表されるポジショニングアプローチでは、業界ごとの収益性に着目していた。一方、同じ業界内でも個別の企業間では収益性が異なる場合があり、これは企業の経営資源や能力に依存するというのが経営資源アプローチである。

経営資源アプローチの代表的な考え方として、バーニーにより、企業の経営資源を財務資源、物的資源、人的資源、知的資源に分類して考察するリソース・ベースト・ビュー（RBV：Resource Based View）が提唱されている。また、持続的な競争優位の源泉となる経営資源を分析する手法として**VRIO（VRIN）分析**が挙げられる。バーニーは、経営資源に関する要素として、資源の価値（Value）、希少性（Rarity）、模倣困難性（Inimitability）、組織（Organization）を挙げており、これらの頭文字をとってVRIO分析と呼び、組織（Organization）を代替困難性（Non-Substitutability）に代える場合にはVRIN分析と呼ばれる。この分析によれば、経営資源に価値があり、他社にはない希少性を有し、模倣や代替が困難であり、経営資源を活用するための組織が構築されることで、持続的な競争優位が獲得できると考えられている。

## Point ④ SWOT分析

前述の業界構造などの外部環境と経営資源などの内部環境を同時に分析する手法としてSWOT分析がある。企業の競争戦略を強み（Strength）、弱み（Weakness）、機会（Opportunity）、脅威（Threat）の4種類から分析する。企業は、SWOTの組合せを検討し、競争優位につながる戦略を策定することになる。

| | | 内部環境 | |
|---|---|---|---|
| | | 強み | 弱み |
| 外部環境 | 機会 | 強みを発揮して、機会を活かす。 | 弱みを改善して、機会に挑戦する。 |
| | 脅威 | 強みを利用して、脅威を避ける。 | 撤退や業界の移動を検討する。 |

**参考　コアコンピタンスとダイナミック・ケイパビリティ**

　企業の有する能力に注目した概念としてコアコンピタンスとダイナミック・ケイパビリティが挙げられる。

　コアコンピタンスとは、競合他社に対して競争優位をもつ企業独自の中核的な資源を意味する。これは、長期的な活動により構築され、継続的な企業努力により醸成されるため、他社には容易に模倣できない。製品やサービスといった企業の成果物による競争力だけでは説明できない競争優位の源泉を説明するものである。

　ダイナミック・ケイパビリティとは、変化する競争環境に対応するために、価値をもつ経営資源を作り出す能力を意味する。企業内外にある経営資源を再構築し、1つの競争優位の持続可能性よりは、新たな競争優位を構築し続けて、結果的に持続的な競争優位を確立することを目的としている。なお、ダイナミック・ケイパビリティは、次の3つの能力により構成される。

| 感知（Sensing） | 環境変化に伴う脅威や危機を感知する能力 |
|---|---|
| 捕捉（Seizing） | 新たな事業機会を捉えて、既存資源の組替えや活用により事業化する能力 |
| 変革（Transforming） | 競争力を維持するために経営資源や組織を再編成し、変革する能力 |

## Point ⑤ 多角化戦略

① 概要

　　企業が、単一の事業ではなく、複数の事業を営む場合、より注意深くその方向性や資源配分を検討する必要がある。このように１社で複数の事業を保有する、あるいは経営することを多角化と呼び、それに伴う戦略を多角化戦略という。

　　企業が、事業を多角化することによって得られるメリットとしては、**範囲の経済**と**リスク分散**が挙げられる。

　　範囲の経済とは、複数の事業を営むことで、個々の事業が独立して活動するよりも、売上高の増加やコストの削減が実現できることをいう。生産・販売などの活動や情報、ノウハウなどの経営資源を共有することが、範囲の経済の要因となる。

　　リスク分散とは、複数の事業を保有することで、単一事業の固有のリスクを回避できることである。この効果を得るためには、既存事業の収益変動と相関が低い事業へ進出するのが望ましい。

② 関連多角化と非関連多角化

　　企業が、事業の多角化を行う場合、事業間で共通性がある多角化を関連多角化と呼び、共通性のない多角化を非関連多角化と呼ぶ。関連多角化では、事業間での共通性により、前述の範囲の経済が発揮されやすい。一方、非関連多角化は、事業間での共通性がないことからリスク分散に適しているといえ、この非関連多角化による経営は、関連のない事業の集合体としてコングロマリット型経営と呼ばれることがある。なお、コングロマリット型経営では、リスク分散がメリットとして挙げられるが、関連性の無い事業の集合体を投資家が正確に評価しきれず、企業全体の価値が各事業を単純に合計した価値よりも低くなるコングロマリット・ディスカウントが発生する場合もある。

③ 多角化とPPM

　　企業が、多角化を行う場合の資源配分に関する分析手法として、PPM

（Product Portfolio Management）がある。この PPM では、経験曲線効果
と製品ライフサイクルを前提に事業を分類し、それに基づいて経営資源の配
分を検討する。

　経験曲線効果とは、製品の累積生産量が多くなれば、単位当たりのコスト
が下がる効果をいう。これによれば、市場シェアの高い企業ほどコストの優
位性が得られ、コスト・リーダーシップを発揮できると考えられる。PPM
分析では、この効果に着目し、相対的な市場シェアを1つの基準としている。
また、製品ライフサイクルとは、製品が市場に出回ってから衰退するまでを、
導入期、成長期、成熟期、衰退期の4つの段階に区分する考え方である。こ
れによれば、導入期から成長期にかけては開発や設備投資への資金需要が必
要となる。一方で、成熟期から衰退期にかけては成長の鈍化に対応して資金
需要は限定的となる。PPM 分析では、この考え方に着目し、市場成長率を
1つの基準としている。

　さらに、PPM では、事業を市場成長率と相対市場シェアに基づいて、金
のなる木、花形、問題児、負け犬の4つの象限に分類し、各事業の状態に応
じて戦略を見極めることになる。

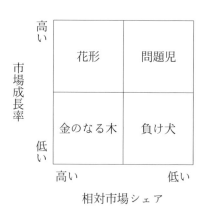

| | |
|---|---|
| 金のなる木 | 相対市場シェアは高いが、市場成長率は低い。シェアが高いため資金の流入は多く、一方で成長率が低いため必要となる投資資金は少ない。したがって、余剰資金を花形や問題児へ投入する。 |
| 花形 | 相対市場シェア、市場成長率ともに高い。シェアが高いため資金の流入が多く、また、成長率も高いため必要となる投資資金も多い。 |
| 問題児 | 相対市場シェアは低いが、市場成長率は高い。シェアが低いため資金の流入は少なく、一方で成長率が高いため必要となる投資資金は多い。 |
| 負け犬 | 相対市場シェア、市場成長率ともに低い。シェアが低いため資金の流入が少なく、また、成長率も低いため必要となる投資資金も少ない。 |

**参考　相対市場シェアとハーフィンダール・ハーシュマン指数**

① 相対市場シェア

　　相対市場シェアとは、自社の市場シェアと自社以外で最大の市場シェアを占める企業のシェアを比較した値である。例えば、自社の市場シェアが30％で業界トップの企業の市場シェアが40％の場合、相対市場シェアは30％÷40％＝0.75となり、また、自社が業界トップで40％のシェアを持っており、業界第2位の企業が30％の市場シェアを持っている場合、相対的市場シェアは、40％÷30％≒1.3となる。この相対市場シェアが1を超える場合には、業界トップのシェアを確保していることを意味する。

② ハーフィンダール・ハーシュマン指数 (Herfindahl-Hirschman Index： HHI)

　　HHIとは、ある製品市場における企業間の競争状態を測る指数で、各企業の市場シェア（％）の2乗を加算して算出する。HHIは、1社

による独占市場の場合（市場シェア100％）に、理論上の最大値をとり$(100)^2 = 10,000$となる。逆に、多数の企業が均等にシェアを獲得しているような場合には、ゼロに近づく。

| | A社 | B社 | C社 | HHI |
|---|---|---|---|---|
| 市場シェア | 80% | 15% | 5 % | $(80)^2 + (15)^2 + (5)^2 = 6,650$ |
| | 40% | 30% | 30% | $(40)^2 + (30)^2 + (30)^2 = 3,400$ |

## 参考　メイク・オア・バイ（Make or Buy）

メイク・オア・バイとは、事業活動を自社の内部で実施（内部化、垂直統合）するのか、外部の企業に依存（外部化、アウトソーシング）するのかという意思決定のことである。メイク・オア・バイでは、以下の4つの基準をもとに、自社の状況に照らして、内部化と外部化を判断することになる。

| 経営資源 | 希少で、模倣・代替が困難な経営資源が関連している活動は自社で実施する。 |
|---|---|
| 規模の経済 | 規模の経済により、生産コストの引き下げが外部の企業で可能な活動は外部に委託する。 |
| 不確実性 | 不確実性の高い活動は、リスクを回避するために外部に委託する。 |
| 取引コスト | 取引の交渉コスト、契約履行の監視コスト、特殊な契約による関係特殊投資に起因するコストがかかる活動は自社で実施する。 |

**参考　株式会社の形態の変化**

　企業の成長に伴って業務内容が多角化し、経営の仕組みが複雑になると、それに対応するように組織や形態も変化している。ここでは、代表的な事業部制、カンパニー制、持株会社を概観する。

① 事業部制

　　事業部制では、各事業部長に意思決定の権限が大幅に委譲され、環境の変化に対して迅速な対応が期待される。一方、会社全体よりも各事業部の利益が優先されやすいため、事業部間での利害対立が生じる可能性がある。なお、業務の意思決定は各事業部で行われるものの、資金調達や人材採用に関しては本社で一括して行われることが多い。

② カンパニー制

　　カンパニー制は、事業部制よりも権限委譲の程度が大きく、業務だけでなく、資金調達や人材採用に関する意思決定も行われる。各カンパニーでは、独立性が高まることから迅速な意思決定が可能となる反面、資金調達や人材採用に関する部門を抱えることになるため、事業部制に比べコストが高くなる可能性がある。

③ 持株会社

　　持株会社とは、他の株式会社の株式を保有して、支配下に置くことを目的として設立される株式会社である。事業を行わず株式保有と支配を主な目的とする持株会社を純粋持株会社、事業を行うとともに株式保有と支配を目的とする持株会社を事業持株会社と呼ぶことがある。日本では、企業の買収・合併にかかる手続きを簡素化し、産業の再編を促進するために、1997年の独占禁止法の改正により設立が認められることになった。一方、持株会社の傘下企業は、持株会社である親会社の影響下にあるため、重要な意思決定については迅速に対応できないといった問題もある。

**例題16**

競争戦略に関する次の記述のうち、正しいものはどれですか。

A　コスト・リーダーシップ戦略をとる企業は、競合他社よりも高い市場シェアの獲得を必要としない。

B　差別化戦略をとる場合、企業が他社より優位性を得るものは提供する製品に限定され、付随するアフターサービスが差別化の要因となることはない。

C　集中戦略をとる企業は、製品やサービスの提供に当たり、特定の地域、製品の種類、特定の買い手に集中し市場を細分化する必要がある。

D　企業が競争優位を得るための戦略は、業種ごとに決まっており、同一業種で差別化戦略をとる企業と集中戦略をとる企業が共存することはない。

解答　　C

**解　説**

A　正しくない。コスト・リーダーシップ戦略では、低コストで業界内の最優位の地位を占めるため、高い市場シェアの獲得が必要である。

B　正しくない。差別化戦略において、優れた製品品質、製品信頼性のみならず、顧客サービス、配送などの付随サービスも差別化要因となり得る。

C　正しい。集中戦略は、企業の経営資源を特定の製品・地域などに集中するものである。

D　正しくない。差別化要因や集中要因が異なる場合、同一業種で差別化戦略をとる企業と集中戦略をとる企業が共存することは可能である。

ポーターの競争戦略論に関する次の記述のうち、正しいものはどれですか。

A 売手の市場の集中度が進んでいる状況では、売手の脅威（交渉力）が強くなり、業界の利益は増加する。

B 買手の市場の集中度が進んでいる状況では、買手の脅威（交渉力）が強くなり、業界の利益は増加する。

C 新規参入は、供給量の増加をもたらし、既存企業の利益を減少させる。

D 代替品の存在は、市場内の競争を緩和し、既存企業の利益を増加させる。

解答 ▶ C

解 説

A 正しくない。売手の市場の集中度が進んでいる状況では、売手の脅威（交渉力）が強くなり、業界の利益は低下する。例えば、原材料や部品を高い価格で購入せざるを得ず、コストが上昇する場合が挙げられる。

B 正しくない。買手の市場の集中度が進んでいる状況では、買手の脅威（交渉力）が強くなり、業界の利益は低下する。例えば、想定した価格で販売できず、売上や利益が低下する場合が挙げられる。

C 正しい。新規参入は、供給量の増加をもたらすため、供給過多の状況になり、業界の既存企業の利益を減少させる。

D 正しくない。代替品の存在は、市場内の競争を激しくさせ、既存企業の利益を低下させる。

## 6　コーポレートガバナンス

### Point ① コーポレートガバナンス

#### ① 概要

コーポレートガバナンスとは、企業統治を意味し、企業行動ひいては経営者の行動を律する枠組みと捉えることができる。

所有と経営の分離が前提とされる株式会社では、企業の行動は、経営者が株主から委任され、経営者の策定した方針に従って従業員が働くことにより実行される。そのため、企業行動を決める根本となる経営者の行動を律するのがコーポレートガバナンスであるといえる。

#### ② プリンシパル・エージェントモデル

コーポレートガバナンスを考察するうえで基本的な考え方といえるのが、プリンシパル・エージェントモデルである。プリンシパルは仕事を依頼する人、エージェントは仕事を依頼される人で、例えば、企業経営を専門家に依頼する株主はプリンシパル、株主から企業経営を依頼される経営者はエージェントに当たる。この二者の間には情報の非対称性が存在し、これがエージェンシー・コストの発生源になる。エージェンシー・コストの発生は、企業価値を毀損させるため、エージェンシー・コストを低下させるべく、株主の経営者に対するモニタリング機能と経営者の株主に対するアカウンタビリティ（説明責任）の向上が求められる。具体的な施策としては、後述する指名委員会等設置会社などに移行することにより、経営者の行動をチェックする体制を強化することが挙げられる。また、ストックオプションを付与することで株価上昇のインセンティブを持たせ、経営者と株主の利害を一致させることが挙げられる。

---

**参考　ストックオプション**

ストックオプションとは、予め定められた期間に、予め定められた価格（権利行使価格）で自社株を購入できる権利である。ストックオプションを

---

付与された経営者等は、権利行使価格よりも高い価格で自社株を売却できれ
ば、その差額を報酬として受け取ることができる。このようにストックオプ
ションは報酬としての性質を有しているものの、権利行使者が株式の売却に
よって対価を得るため、企業にとっては現金支出を伴うわけではない。投資
資金ニーズの高い企業にとっては、有意義な報酬制度といえる。さらに、経
営者や従業員といった企業内部だけではなく、顧問弁護士や経営コンサルタ
ントなどの企業外部の関係者まで幅広く付与できるようになっている。

なお、会計上の側面からは、付与時点でオプションの価値を計算し、費用
計上することが求められる。二項モデルやブラックショールズ・モデルなど
のオプション評価モデルにより、オプションの価値を推計することが必要と
なっている。

## Point ② 株式会社の機関設計

① 株式会社の概要

株式会社とは、株式を発行して資金を集め、その資金を使って経営を行っ
ていく会社をいう。この資金の出資者を株主と呼び、株主は出資額以上に負
担を負うことのない有限責任となっている。

会社法では、会社をこの株式会社と持分会社（合名会社、合資会社、合同
会社）に分類している。なお、以前は有限会社が認められていたが、現在は
制度が廃止されて新設することはできず、既存の有限会社は特例有限会社と
して存続することとされている。このような会社の特徴としては、法人格が
認められ、契約を締結し、権利義務の主体になることが挙げられる。一方、
会社は、権利義務の主体になることができるものの、実際の意思決定は、人
により組織された機関が行うことになる。

株式会社における機関は、その種類や選択した統治制度によって様々であ
るが、最低限の機関として、株主総会と取締役の設置が義務付けられている。

② 機関設計

会社法の施行により、コーポレートガバナンスの一環として監督・監視機

能が強化された。現在、日本の上場会社は監査役会設置会社、監査等委員会設置会社、指名委員会等設置会社の選択制となっている。

　まず、監査役会設置会社は日本の従来の形態を踏襲したもので、取締役会と監査役会からなり、取締役や監査役は株主総会で選ばれる。取締役は企業経営に携わるのに対し、監査役は取締役の行動や企業会計を監査する役割を担っている。

　次に、指名委員会等設置会社は指名、監査、報酬の各委員会を設置する会社である。指名委員会等設置会社では、経営の監督と業務の執行が分離され、前者を取締役会、後者を執行役が担当することで相互牽制を図ることが期待されている。各委員会はそれぞれ取締役3名以上で、その過半数は社外取締役で構成されており、株主の利益を保護すべく厳正な監督機能を有することが求められている。各委員会の権限等は次の通りである。

| (1)　指名委員会 | 株主総会に提出する取締役の選任や解任に関する議案の内容を決定する。 |
| (2)　監査委員会 | 執行役・取締役の職務に関してその適否を監査する。 |
| (3)　報酬委員会 | 個人別の役員報酬を決定する。 |

　また、2014年の会社法改正に伴い、「監査等委員会設置会社」というガバナンス強化を目的とする新たな組織形態の設置が認められた。これにより、企業は自社に適合する監査・監督の組織形態として、監査役会設置会社、監査等委員会設置会社、指名委員会等設置会社の中から選択できるようになった。

　さらに、2019年の会社法改正により、監査役会設置会社（公開会社かつ大会社であるものに限る）であって、有価証券報告書の提出義務を負う会社は、社外取締役の選任が義務付けられることになった。

　なお、コーポレートガバナンス・コードでは、上場会社に対し、会社法の規定による社外取締役よりも要件の厳しい独立社外取締役の選任が求められている。

③　監査役会設置会社の特徴

・取締役の職務執行について、取締役会と監査役会の双方が監督。

・３名以上の監査役が必要、半数以上は社外監査役。

・監査委員会との重複設置不可。

・監査役の任期４年以内、取締役の任期２年以内　等


＜機関設計のイメージ＞

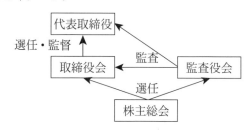

④　指名委員会等設置会社の特徴

・指名委員会（役員指名）、監査委員会（職務執行監査）、報酬委員会（報酬決定）の3委員会で構成。

・各委員会の構成員は、取締役3名以上で過半数が社外取締役。

・経営の監督は取締役会、業務の執行は執行役とする役割分担の明確化。

・監査委員会設置により、監査役（会）は不要。

・取締役の任期1年以内　等

＜機関設計のイメージ＞

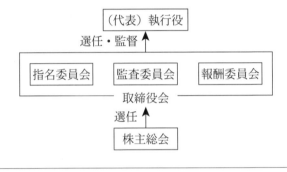

⑤　監査等委員会設置会社の特徴

・監査等委員である取締役により監査等委員会が設置、取締役3名以上で過半数が社外取締役。
・監査役、監査役会不要。
・指名委員会、報酬委員会設置不要。
・執行役不要。
・監査等委員である取締役は任期2年以内、他の取締役1年以内　等

＜機関設計のイメージ＞

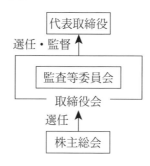

# Point ③　日本版スチュワードシップ・コード

①　日本版スチュワードシップ・コードの概要

2014年2月（2020年3月改訂）に「日本版スチュワードシップ・コード」が公表され、機関投資家に対するスチュワードシップ責任について、以下のように規定されている。

　「スチュワードシップ責任」とは、機関投資家が、投資先企業やその事業環境等に関する深い理解のほか運用戦略に応じたサステナビリティ（ESG要素を含む中長期的な持続可能性）の考慮に基づく建設的な「目的を持った対話」（エンゲージメント）などを通じて、当該企業の企業価値の向上や持続的成長を促すことにより、顧客・受益者（最終受益者

> を含む）の中長期的な投資リターンの拡大を図る責任を意味する。

　「日本版スチュワードシップ・コード」では、上記のようにスチュワードシップ責任を規定するとともに、上場企業の株式に投資する機関投資家に対して、その責任を遂行することを求めている。また、機関投資家は、「顧客・受益者から投資先企業へと向かう投資資金の流れ」である**インベストメント・チェーン**における担い手として重要な役割を果たすものと注目されている。

　さらに、前述のように企業に対しては適切なガバナンス機能の構築、運用が法規定により求められている。このように機関投資家、企業双方の役割を明確化するとともに、適切に行使されることで、コーポレートガバナンスが改善され、企業の持続的な成長と顧客・受益者の中長期的な投資リターンの確保が図られることが期待されている。

　なお、このコードでは、スチュワードシップ責任のほか、「**プリンシプルベース・アプローチ**」、「**コンプライ・オア・エクスプレイン**」といった概念が規定されているとともに、8つの原則が示されている。

② 　プリンシプルベース・アプローチ

　「プリンシプルベース・アプローチ」（原則主義）とは、機関投資家が、各々の置かれた状況に応じて、自らのスチュワードシップ責任をその実質において適切に果たすことができるとする考え方である。

③ 　コンプライ・オア・エクスプレイン

　「コンプライ・オア・エクスプレイン」とは、機関投資家が、自らの個別事情に照らして実施することが適切でないと考える原則があれば、それを「実施しない理由」を十分に説明することにより、一部の原則を実施しないとする考え方である。

④ 　8つの原則

> 1 ．機関投資家は、スチュワードシップ責任を果たすための明確な方針を策定し、これを公表すべきである。
> 2 ．機関投資家は、スチュワードシップ責任を果たす上で管理すべき利益相

反について、明確な方針を策定し、これを公表すべきである。

3．機関投資家は、投資先企業の持続的成長に向けてスチュワードシップ責任を適切に果たすため、当該企業の状況を的確に把握すべきである。

4．機関投資家は、投資先企業との建設的な「目的を持った対話」を通じて、投資先企業と認識の共有を図るとともに、問題の改善に努めるべきである。

5．機関投資家は、議決権の行使と行使結果の公表について明確な方針を持つとともに、議決権行使の方針については、単に形式的な判断基準にとどまるのではなく、投資先企業の持続的成長に資するものとなるよう工夫すべきである。

6．機関投資家は、議決権の行使も含め、スチュワードシップ責任をどのように果たしているのかについて、原則として、顧客・受益者に対して定期的に報告を行うべきである。

7．機関投資家は、投資先企業の持続的成長に資するよう、投資先企業やその事業環境等に関する深い理解に基づき、当該企業との対話やスチュワードシップ活動に伴う判断を適切に行うための実力を備えるべきである。

8．機関投資家向けサービス提供者は、機関投資家がスチュワードシップ責任を果たすに当たり、適切にサービスを提供し、インベストメント・チェーン全体の機能向上に資するものとなるよう努めるべきである。

---

**参考　ESG 投資（サステナブル投資）**

　ESG 投資とは、企業業績等の財務情報に加え、環境問題（Environment）、社会問題（Social）、ガバナンス問題（Governance）という、非財務情報が資産運用におけるパフォーマンスに与える影響に配慮した投資を行うことである。ESG の内容としては、環境問題では気候変動対策、社会問題では人権保護、ガバナンス問題では法令順守といったものが挙げられる。

　投資家にとって、企業の長期的な業績予想を行う場合、過去の実績としての財務情報だけではなく、将来の財務情報に影響を与える ESG を含む非財務情報が重要となる。このような情報を活用することで、将来のリス

クや収益機会を把握するとともに、環境や社会に貢献する持続可能性の高い企業へ投資することによって長期的なリターンが期待できる。また、企業にとっても、ESGを意識することで、事業投資からの長期安定的なリターンの獲得、投資家からの資金調達の容易化、労働環境の改善による生産性の向上といったメリットが期待できる。

## Point ④　コーポレートガバナンス・コード

① コーポレートガバナンス・コードの概要

　2015年6月1日（2021年6月改訂）より、東京証券取引所の上場規則として「コーポレートガバナンス・コード」の適用が開始された。前述の日本版スチュワードシップ・コードが投資する側としての機関投資家の責任を規定しているのに対し、このコーポレートガバナンス・コードは投資される側としての企業の責任を規定したものとなっている。また、「プリンシプルベース・アプローチ」や「コンプライ・オア・エクスプレイン」といった考え方が、このコードにおいても取り入れられている。

　コーポレートガバナンス・コードでは、コーポレートガバナンスについて、以下のように規定されている。

　本コードにおいて、「コーポレートガバナンス」とは、会社が株主をはじめ顧客・従業員・地域社会等の立場を踏まえた上で、透明・公正かつ迅速・果断な意思決定を行うための仕組みを意味する。

　本コードは、実効的なコーポレートガバナンスの実現に資する主要な原則を取りまとめたものであり、これらが適切に実践されることは、それぞれの会社において持続的な成長と中長期的な企業価値の向上のための自律的な対応が図られることを通じて、会社、投資家、ひいては経済全体の発展にも寄与することとなるものと考えられる。

② 5つの基本原則

　コーポレートガバナンス・コードは、5つの基本原則をベースとして、基

本原則を支える原則、補充原則により構成されている。ここでは、5つの基本原則のみを挙げておく。

【基本原則1　株主の権利・平等性の確保】
　上場会社は、株主の権利が実質的に確保されるよう適切な対応を行うとともに、株主がその権利を適切に行使することができる環境の整備を行うべきである。
　また、上場会社は、株主の実質的な平等性を確保すべきである。
　少数株主や外国人株主については、株主の権利の実質的な確保、権利行使に係る環境や実質的な平等性の確保に課題や懸念が生じやすい面があることから、十分に配慮を行うべきである。

【基本原則2　株主以外のステークホルダーとの適切な協働】
　上場会社は、会社の持続的な成長と中長期的な企業価値の創出は、従業員、顧客、取引先、債権者、地域社会をはじめとする様々なステークホルダーによるリソースの提供や貢献の結果であることを十分に認識し、これらのステークホルダーとの適切な協働に努めるべきである。
　取締役会・経営陣は、これらのステークホルダーの権利・立場や健全な事業活動倫理を尊重する企業文化・風土の醸成に向けてリーダーシップを発揮すべきである。

【基本原則3　適切な情報開示と透明性の確保】
　上場会社は、会社の財政状態・経営成績等の財務情報や、経営戦略・経営課題、リスクやガバナンスに係る情報等の非財務情報について、法令に基づく開示を適切に行うとともに、法令に基づく開示以外の情報提供にも主体的に取り組むべきである。
　その際、取締役会は、開示・提供される情報が株主との間で建設的な対話を行う上での基盤となることも踏まえ、そうした情報（とりわけ非財務情報）が、正確で利用者にとって分かりやすく、情報として有用性の高いものとなるようにすべきである。

【基本原則 4　取締役会等の責務】

　上場会社の取締役会は、株主に対する受託者責任・説明責任を踏まえ、会社の持続的成長と中長期的な企業価値の向上を促し、収益力・資本効率等の改善を図るべく、

(1)　企業戦略等の大きな方向性を示すこと

(2)　経営陣幹部による適切なリスクテイクを支える環境整備を行うこと

(3)　独立した客観的な立場から、経営陣（執行役及びいわゆる執行役員を含む）・取締役に対する実効性の高い監督を行うこと

をはじめとする役割・責務を適切に果たすべきである。

　こうした役割・責務は、監査役会設置会社（その役割・責務の一部は監査役及び監査役会が担うこととなる）、指名委員会等設置会社、監査等委員会設置会社など、いずれの機関設計を採用する場合にも、等しく適切に果たされるべきである。

【基本原則 5　株主との対話】

　上場会社は、その持続的な成長と中長期的な企業価値の向上に資するため、株主総会の場以外においても、株主との間で建設的な対話を行うべきである。

　経営陣幹部・取締役（社外取締役を含む）は、こうした対話を通じて株主の声に耳を傾け、その関心・懸念に正当な関心を払うとともに、自らの経営方針を株主に分かりやすい形で明確に説明しその理解を得る努力を行い、株主を含むステークホルダーの立場に関するバランスのとれた理解と、そうした理解を踏まえた適切な対応に努めるべきである。

---

**例題18**　上場企業の機関設計に関する次の記述のうち、正しいものはどれですか。

A　会社法では、すべての企業は監査役設置会社、指名委員会等設置会社、監査等委員会設置会社の 3 つから選択する必要がある。

B 監査役会設置会社では、監査役会が取締役を選任する。

C 指名委員会等設置会社では、指名委員会、報酬委員会という2つの委員会が設置される。

D 監査等委員会設置会社では、監査等委員会が取締役の業務執行を監督するため、その過半数は社外取締役で構成される。

解答 ▶ D

## 解 説

A 正しくない。会社法は、上場企業に対して監査役会設置会社、指名委員会等設置会社、監査等委員会設置会社の3つから選択することを求めている。

B 正しくない。取締役の選任は株主総会における株主の役割・権利である。

C 正しくない。指名委員会等設置会社では、指名委員会、監査委員会、報酬委員会という3つの委員会が設置される。

D 正しい。監査等委員会設置会社では、監査等委員会が取締役の業務執行を監督するため、その過半数は社外取締役で構成される。

例題19 上場企業の機関設計に関する次の記述のうち、正しいものはどれですか。

A 指名委員会等設置会社の報酬委員会は、取締役全員の報酬総額を定めるが、個人別の報酬額までは定めない。

B 監査等委員会設置会社の取締役の任期は、監査等委員である取締役は1年、それ以外の取締役は2年である。

C 上場企業は、監査等委員会設置会社の形態を選択できる。

D 指名委員会等設置会社の監査委員会は、2名以上の社外監査役が必要である。

解答　▶　　　C

## 解　説

A　正しくない。指名委員会等設置会社の報酬委員会は、取締役や執行役に対する個人別の報酬額を決定する。

B　正しくない。監査等委員会設置会社の取締役の任期は、監査等委員である取締役は 2 年、それ以外の取締役は 1 年である。監査等委員である取締役は、長期間安定した立場から監査および監督の職務を行うことが期待されているため、それ以外の取締役よりも任期が長く設定されている。

C　正しい。上場企業は、監査役会設置会社、監査等委員会設置会社、指名委員会等設置会社の 3 つから選択できる。

D　正しくない。指名委員会等設置会社の監査委員会は、2 名以上の社外取締役が必要である。

**例題20**　　　コーポレートガバナンスに関する次の記述のうち、正しいものはどれですか。

A　コーポレートガバナンス・コードでは、ルールベース・アプローチ（細則主義）を採用している。

B　コーポレートガバナンス・コードでは、コンプライ・オア・エクスプレインの手法を採用している。

C　コーポレートガバナンス・コードでは、企業が関わるステークホルダーを株主と従業員に限定している。

D　コーポレートガバナンス・コードは、上場企業に対してすべての原則の遵守を義務付けている。

解答 ▶ B

**解 説**

A　正しくない。コーポレートガバナンス・コードでは、プリンシプルベース・アプローチ（原則主義）を採用している。

B　正しい。コーポレートガバナンス・コードでは、コンプライ・オア・エクスプレイン（原則を実施するか、実施しない場合は、その理由を説明するか）の手法を採用している。

C　正しくない。コーポレートガバナンス・コードでは、「コーポレートガバナンスとは、会社が、株主をはじめ顧客・従業員・地域社会等の立場を踏まえた上で、透明・公正かつ迅速・果断な意思決定を行う仕組みを意味する。」として、企業が関わるステークホルダーを株主と従業員に限定せず、地域社会等も含めて広く捉えている。

D　正しくない。コーポレートガバナンス・コードは、金融商品取引法のような法的拘束力を持たない規範である。原則を実施できない場合には、その理由を説明する「コンプライ・オア・エクスプレイン」の手法が採用されている。

# 附 属 資 料

## 財務諸表分析の指標

☑（1）総資本事業利益率（％）

$$= \frac{\text{事業利益}}{（\text{期首総資本}＋\text{期末総資本}）÷2} ×100$$

※　事業利益＝営業利益＋持分法による投資損益＋受取利息・配当金
　　　　＋有価証券利息

☑（2）経営資本営業利益率（％）$= \dfrac{\text{営業利益}＋\text{持分法による投資損益}}{（\text{期首経営資本}＋\text{期末経営資本}）÷2} ×100$

※　経営資本＝総資本－余剰資金運用資本

☑（3）自己資本純利益率（％）$= \dfrac{\text{親会社株主に帰属する当期純利益}}{（\text{期首自己資本}＋\text{期末自己資本}）÷2} ×100$

※　自己資本＝株主資本＋その他の包括利益累計額

☑（4）売上高総利益率（％）$= \dfrac{\text{売上総利益}}{\text{売上高}} ×100$

☑（5）売上高営業利益率（％）$= \dfrac{\text{営業利益}}{\text{売上高}} ×100$

☑（6）売上高事業利益率（％）$= \dfrac{\text{事業利益}}{\text{売上高}} ×100$

☑（7）売上高経常利益率（％）$= \dfrac{\text{経常利益}}{\text{売上高}} ×100$

☑（8）売上高純利益率（％）$= \dfrac{\text{親会社株主に帰属する当期純利益}}{\text{売上高}} ×100$

☑（9）売上原価率$= \dfrac{\text{売上原価}}{\text{売上高}} ×100$

☑（10）売上高販管費比率$= \dfrac{\text{販売費及び一般管理費}}{\text{売上高}} ×100$

☑（11）売上高金融費用比率$= \dfrac{\text{金融費用}}{\text{売上高}} ×100$

☑（12）総資本回転率（回）$= \dfrac{\text{売上高}}{（\text{期首総資本}＋\text{期末総資本}）÷2}$

(13) 経営資本回転率（回）$= \dfrac{売上高}{（期首経営資本＋期末経営資本）÷ 2}$

(14) 売上債権回転率（回）$= \dfrac{売上高}{（期首売上債権＋期末売上債権）÷ 2}$

(15) 売上債権回転期間（日）$= \dfrac{（期首売上債権＋期末売上債権）÷ 2}{売上高÷365日}$

(16) 棚卸資産回転率（回）$= \dfrac{売上高}{（期首棚卸資産＋期末棚卸資産）÷ 2}$

(17) 棚卸資産回転期間（日）$= \dfrac{（期首棚卸資産＋期末棚卸資産）÷ 2}{売上高÷365日}$

(18) 有形固定資産回転率（回）$= \dfrac{売上高}{（期首有形固定資産＋期末有形固定資産）÷ 2}$

(19) 手元流動性回転率（回）$= \dfrac{売上高}{（期首手元流動性＋期末手元流動性）÷ 2}$

※ 手元流動性＝現金預金＋有価証券

(20) 手元流動性比率（月）$= \dfrac{（期首手元流動性＋期末手元流動性）÷ 2}{月平均売上高(売上高÷12)}$

(21) 付加価値（円）＝人件費＋賃借料＋税金＋他人資本利子＋親会社株主に帰属する当期純利益

※ 他人資本利子には、非支配株主に帰属する当期純損益が含まれる。

(22) 労働生産性（円）$= \dfrac{付加価値}{従業員数}$

(23) 労働生産性（円）$= \underset{（付加価値率）}{\dfrac{付加価値}{売上高}} \times \underset{（1人当たり売上高）}{\dfrac{売上高}{従業員数}}$

(24) 労働生産性（円）$= \underset{（労働装備率）}{\dfrac{有形固定資産}{従業員数}} \times \underset{（設備生産性）}{\dfrac{付加価値}{有形固定資産}}$

(25) 1人当たり人件費$= \underset{（労働分配率）}{\dfrac{人件費}{付加価値}} \times \underset{（労働生産性）}{\dfrac{付加価値}{従業員数}}$

(26) 流動比率（％）＝$\dfrac{流動資産}{流動負債}\times 100$

(27) 当座比率（％）＝$\dfrac{当座資産}{流動負債}\times 100$

※ 当座資産＝現金預金＋売上債権＋有価証券－貸倒引当金

(28) 負債比率（％）＝$\dfrac{他人資本}{自己資本}\times 100$

(29) 自己資本比率（％）＝$\dfrac{自己資本}{他人資本＋自己資本（＝総資本）}\times 100$

(30) インタレスト・カバレッジ・レシオ（倍）＝$\dfrac{事業利益}{金融費用}$

$＝\dfrac{営業利益＋持分法による投資損益＋受取利息・配当金＋有価証券利息}{支払利息＋社債利息等}$

(31) 損益分岐点売上高（円）＝$\dfrac{固定費}{1-\dfrac{変動費}{売上高}}＝\dfrac{固定費}{1-変動費率}＝\dfrac{固定費}{限界利益率}$

(32) 損益分岐点比率（％）＝$\dfrac{損益分岐点売上高}{実際売上高}\times 100$

(33) 安全余裕度（％）＝$\dfrac{実際売上高－損益分岐点売上高}{実際売上高}\times 100$

$＝1-損益分岐点比率$

(34) 営業レバレッジ（倍）＝$\dfrac{限界利益}{営業利益}＝\dfrac{1}{1-損益分岐点比率}＝\dfrac{1}{安全余裕度}$

(35) サステイナブル成長率（％）＝ROE×（1－配当性向）

※ ROE＝$\dfrac{当期純利益}{期首自己資本}$

（36）1株当たり当期純利益（円）

$$=\frac{\text{損益計算書上の当期純利益－普通株主に帰属しない金額}}{\text{普通株式の期中平均発行済株式数－普通株式の期中平均自己株式数}}$$

（37）潜在株式調整後1株当たり当期純利益（円）

$$=\frac{\text{普通株式に係る当期純利益＋当期純利益調整額}}{\text{普通株式の期中平均株式数＋普通株式増加数}}$$

# 索 引

## 英字

DDM …………………327
EDINET …………………21
EPS …………………290
FCF …………………345
IFRS …………………27
IRR …………………369
KAM …………………25
NPV …………………365
PI …………………371
ROA …………………266
ROE …………………267
ROI …………………265
SWOT分析 …………………396
TDnet …………………21
VRIO分析 …………………396

## ア行

アップストリーム …………………226
後入先出法 …………………55
洗替法 …………………43, 57
安全余裕度 …………………283
意見不表明 …………………25
委託販売契約 …………………168
一時差異 …………………233
一取引基準 …………………182
一年基準 …………………7
5つのステップ …………………160
5つの要因 …………………393
一般原則 …………………4
一般債権 …………………36
移動平均法 …………………55
インタレスト・カバレッジ・レシオ …281
インベストメント・チェーン …………………411
売上原価率 …………………271

## 売上債権回転期間 …………………271
売上債権回転率 …………………271
売上高営業利益率 …………………267, 270
売上高金融費用比率 …………………271
売上高経常利益率 …………………270
売上高事業利益率 …………………266, 270
売上高純利益率 …………………267, 270
売上高総利益率 …………………270
売上高販管費比率 …………………271
売上高利益率 …………………265
永久差異 …………………237
営業活動によるキャッシュ・フロー …249
影響力基準 …………………228
営業レバレッジ …………………284
オプションの付与 …………………167
オペレーティング・リース取引…………85

## カ行

外貨建有価証券 …………………184
開業費 …………………102
会計及び利益情報 …………………28
会計上の収益率 …………………372
会計上の変更 …………………16
会社法 …………………18
回収可能価額 …………………97
回収期間 …………………371
開発費 …………………102
過去勤務費用 …………………118
加算法 …………………275
貸倒懸念債権 …………………36
貸倒実績率法 …………………36
貸倒引当金 …………………114
貸倒見積高 …………………36
加重平均資本コスト …………………342
課税所得 …………………231

合併 ……………………………198
株式会社 …………………………406
株式交付費 ………………………102
株式引受権 ………………………144
株主資本 …………………………131
株主資本等変動計算書……………13
貨幣の時間価値 …………………325
貨幣・非貨幣法 …………………183
為替換算調整勘定 …………143, 190
為替差損益 ………………………182
関係会社株式……………………40
監査等委員会設置会社 …………410
監査役会設置会社 ………………408
間接法（キャッシュ・フロー計算書）…15
間接法（連結キャッシュ・フロー計算書）
……………………………213, 251
関連会社の範囲 …………………228
期間定額基準 ……………………116
期間的対応 ………………………158
企業間信用 ………………………388
企業結合 …………………………198
期待運用収益 ……………………118
キャッシュ・コンバージョン・サイクル
……………………………………385
キャッシュ・フロー計算書………14
キャッシュ・フロー見積法………36
キャッチ・アップ方式……………74
吸収合併 …………………………198
級数法 ……………………………68
給付算定式基準 …………………116
強制評価減………………………43
切放法 ……………………………43, 57
金銭債務 …………………………110
勤務費用 …………………………117
金融資産…………………………35
金融商品取引法…………………18
金融商品取引法監査……………24
クリーン・サープラス …………148, 335
繰越利益剰余金 …………………132

繰延資産 …………………………101
繰延税金資産 ……………………234
繰延税金資産の回収可能性 ……240
繰延税金負債 ……………………236
繰延ヘッジ損益 …………………143
クロスセクション分析法 ………260
経営資本 …………………………261
経営資本営業利益率 ……………265
経営資本回転率 …………………267
経営戦略 …………………………393
経過勘定 …………………………105
経済的耐用年数基準………………83
計数の変動 ………………………137
継続価値 …………………………328
継続記録法………………………54
継続性の原則 ……………………4
契約資産 …………………………173
契約負債 …………………………173
決算短信 …………………………21
決算日レート法 …………183, 190
限界利益 …………………………283
限界利益率 ………………………283
原価回収基準 ……………………165
減価償却…………………………67
研究開発費 ………………………103
現金主義 …………………………155
現金生成単位……………………96
現在価値基準 ……………………82
検収基準 …………………………169
減損会計…………………………95
減損処理…………………………43
減損損失…………………………96
減損の兆候………………………96
限定付適正意見…………………24
減耗償却…………………………73
控除法 ……………………………276
コーポレートガバナンス ………405
コーポレートガバナンス・コード ……413
子会社株式及び関連会社株式 ………40, 42

子会社の範囲 ……………………215
顧客との契約から生じた債権 ………173
国際財務報告基準……………………27
固定性配列法 ……………………………6
固定費 ……………………………282
個別的対応 ………………………157
個別法………………………………55
コンプライ・オア・エクスプレイン …411

## サ行

在外子会社の財務諸表の換算 ………190
在外支店の財務諸表の換算 …………189
債権の評価………………………………35
最終仕入原価法………………………56
最小2乗法 ……………………………283
再調達原価………………………………57
財務活動によるキャッシュ・フロー …250
財務諸表監査……………………………24
財務内容評価法…………………………36
財務リスク ……………………………379
財務レバレッジ ………………………268
財務レバレッジ効果 …………………269
先入先出法……………………………55
サステイナブル成長率 ………………289
残余利益 ………………………………335
残余利益モデル ………………………335
自家建設………………………………66
事業利益 ………………………………261
事業リスク ……………………………377
資金の範囲 ……………………………249
時系列分析法 …………………………260
自己株式 ………………………………132
自己資本 ………………………………261
自己資本純利益率 ……………………267
自己資本比率 …………………………280
実価法………………………………43
実現主義 ………………………………155
支配力基準 ……………………………215
資本回転率 ……………………………265

資本金 …………………………………131
資本準備金 ……………………………131
資本剰余金 ……………………………131
資本的支出……………………………74
資本利益率 ……………………………265
資本連結 ………………………………218
指名委員会等設置会社 ………………409
社債発行費等 …………………………102
収益性指標 ……………………………371
収益的支出……………………………74
使用価値 ………………………………97
償却原価法……………………………41, 110
少数株主持分 …………………………262
少数株主利益 …………………………262
商品減耗損……………………………58
商品評価損……………………………58
正味現在価値 …………………………365
正味売却価額 …………………………57, 97
剰余金の配当 …………………………141
将来加算一時差異 ……………………235
将来減算一時差異 ……………………233
除外基準 ………………………………216
所有権移転条項………………………83
新株予約権 ……………………………144
新設合併 ………………………………198
数理計算上の差異 ……………………119
成果連結 ………………………………225
税効果会計 ……………………………230
生産高比例法…………………………68
正常営業循環基準 ………………………6
製造原価明細書………………………11
セグメント情報 ………………………213
設備生産性 ……………………………276
ゼロ成長モデル ………………………327
潜在株式調整後1株当たり当期純利益
　　……………………………………290
全部純資産直入法……………………42
全面時価評価法 ………………………218
総資本 …………………………………261

総資本回転率 ……………………………266
総資本事業利益率 ………………………265
総費用法 …………………………………282
総平均法……………………………………55
創立費 ……………………………………102
その他資本剰余金 ………………………131
その他の包括利益 ………………………147
その他有価証券 ………………………40, 42
その他有価証券評価差額金 ……………143
その他利益剰余金 ………………………132
損益計算書…………………………………10
損益分岐点売上高 ………………………283
損益分岐点比率 …………………………283

**タ行**

貸借対照表 …………………………………5
退職給付 …………………………………115
退職給付債務 …………………………116, 119
退職給付に係る資産 ……………………122
退職給付に係る調整累計額 ………122, 143
退職給付に係る負債 ……………………122
退職給付引当金 ………………………113, 121
退職給付費用 …………………………118, 119
退職給付見込額 …………………………116
ダウンストリーム ………………………226
多角化戦略 ………………………………398
棚卸資産回転期間 ………………………272
棚卸資産回転率 …………………………272
他人資本 …………………………………261
遅延認識 ………………………………118, 121
注記事項……………………………………15
長期期待運用収益率 ……………………118
直接法（キャッシュ・フロー計算書）…14
直接法（連結キャッシュ・フロー計算書）
　　……………………………………212, 251
賃金後払説 ………………………………115
定額法………………………………………68
定額法償却率………………………………71
定期棚卸法…………………………………54

定率成長モデル …………………………328
定率法………………………………………68
定率法償却率………………………………71
手元流動性比率 …………………………272
テンポラル法 ……………………………183
トータル・レバレッジ …………………381
当座比率 …………………………………279
投資活動によるキャッシュ・フロー …250
投資その他の資産…………………………67
投資有価証券………………………………40
特別仕様物件………………………………83
土地再評価差額金 ………………………143
取替法………………………………………73
取引動機……………………………………388

**ナ行**

内部収益率 ………………………………369
内部留保率 ………………………………289
二取引基準 ………………………………182
日本版スチュワードシップ・コード …410
任意積立金 ………………………………132
年金資産 ………………………………117, 119
のれん …………………………………200, 219
ノンキャンセラブル………………………82

**ハ行**

パーチェス法 ……………………………199
売価還元法…………………………………56
配当性向 …………………………………289
配当割引モデル …………………………327
売買目的有価証券 ……………………40, 41
破産更生債権等……………………………36
発生主義 …………………………………155
半期報告書…………………………………20
販売基準 …………………………………155
引当金 ……………………………………113
非財務情報…………………………………20
非支配株主に帰属する当期純損失 ……221
非支配株主に帰属する当期純利益 ……220

非支配株主持分 ……………………219
1株当たり当期純利益 ……………290
1人当たり売上高 …………………276
1人当たり人件費 …………………277
費目別法 ……………………………282
評価・換算差額等 …………………143
費用収益対応の原則…………68, 157
費用配分の原則………………68, 157
非連結子会社 ………………………228
ファイナンス・リース取引…………82
付加価値 ……………………………275
付加価値率 …………………………276
不確実性分析 ………………………282
負債比率 ……………………………279
不適正意見…………………………25
負ののれん…………………200, 219
部分時価評価法 ……………………218
部分純資産直入法…………………42
フリー・キャッシュフロー …………345
プリンシプルベース・アプローチ ……411
フルペイアウト………………………82
プロスペクティブ方式………………74
変動費 ………………………………282
返品権付きの販売 …………………171
包括利益 ……………………………147
法人税等調整額 …………234, 236
法定実効税率 ………………………238
保守主義の原則 ……………………5
保証サービス ………………………166
本人と代理人の区別 ………………166

## マ行

前受収益 ……………………………105
前払年金費用 ………………………121
前払費用 ……………………………105
満期保有目的の債券 ………40, 41
未実現損益の消去 …………………225
未収収益 ……………………………105
未認識過去勤務費用 ………………118

未認識数理計算上の差異 …………119
未払費用 ……………………………105
無形固定資産…………………………67
無限定適正意見………………………24
持分プーリング法 …………………201
持分法 ………………………………228
持分法による投資損失 ……………229
持分法による投資利益 ……………229

## ヤ行

役員賞与 ……………………………142
有価証券……………………………40
有価証券の評価………………………41
有価証券報告書………………………20
有形固定資産…………………………66
有形固定資産回転率 ………………272
余剰資金運用資本 …………………261
予備的動機…………………………388

## ラ行

利益準備金 …………………………132
利益剰余金 …………………………131
履行義務 ……………………………163
リサイクリング ……………………149
リスク管理 …………………………377
リソース・ベースト・ビュー ………396
利息費用 ……………………………117
流動・非流動法 ……………………183
流動性配列法 ………………………6
流動比率 ……………………………279
理論値比較法 ………………………260
臨時報告書…………………………20
連結株主資本等変動計算書 ………211
連結キャッシュ・フロー計算書 ……249
連結財務諸表 ………………………207
連結損益計算書 ……………………209
連結貸借対照表 ……………………207
連結の範囲 …………………………215
連結包括利益計算書 ………………210

労働生産性 ……………………………276
労働装備率 ……………………………276
労働分配率 ……………………………277

## ワ行

割安購入選択権………………………83

<参考文献>

公益社団法人日本証券アナリスト協会編　『証券アナリスト第1次レベル通信教育講座テキスト科目Ⅱ（財務分析、コーポレート・ファイナンス)』

公益社団法人日本証券アナリスト協会編　『証券アナリスト第1次試験　試験問題および解答例（財務分析)』

公益社団法人日本証券アナリスト協会編、阿部大輔・加藤直樹・北川哲雄　『証券アナリストのための企業分析（第4版)』　東洋経済新報社

桜井久勝『財務会計講義（第25版)』　中央経済社

桜井久勝『財務諸表分析（第9版)』　中央経済社

佐藤信彦・河﨑照行・齋藤真哉・柴健次・高須教夫・松本敏史編著『財務会計論Ⅰ基本論点編（第17版))』中央経済社

佐藤信彦・河﨑照行・齋藤真哉・柴健次・高須教夫・松本敏史編著『財務会計論Ⅱ応用論点編（第17版))』中央経済社

今野喜文・真木圭亮編著『経営戦略集中講義』中央経済社

2025年試験対策　証券アナリスト1次対策総まとめテキスト　科目II

財務分析、コーポレート・ファイナンス

（平成10年試験対策　1998年1月20日　初版発行）

2024年11月20日　初　版　第1刷発行

| | | |
|---|---|---|
| 編　著　者 | TAC株式会社 | |
| | （証券アナリスト講座） | |
| 発　行　者 | 多　田　敏　男 | |
| 発　行　所 | TAC株式会社　出版事業部 | |
| | （TAC出版） | |

〒101-8383
東京都千代田区神田三崎町3-2-18
電　話 03（5276）9492（営業）
FAX 03（5276）9674
https://shuppan.tac-school.co.jp/

| | | |
|---|---|---|
| 印　　刷 | 株式会社　ワ　コ　ー | |
| 製　　本 | 株式会社　常　川　製　本 | |

© TAC 2024　　　Printed in Japan　　　ISBN 978-4-300-11492-6

N.D.C. 338

乱丁・落丁による交換、および正誤のお問合せ対応は、該当書籍の改訂版刊行月末日までといたします。なお、交換につきましては、書籍の在庫状況等により、お受けできない場合もございます。
また、各種本試験の実施の延期、中止を理由とした本書の返品はお受けいたしません。返金もいたしかねますので、あらかじめご了承くださいますようお願い申し上げます。

# 証券アナリスト

## 2025年 1次春合格目標 直前パック 全23回

一通り学習をしたことがある方にお勧めのコースです。
アウトプットに重点を置いたカリキュラムで、実践力を磨いていきます。

### おすすめします

◎独学していても応用知識が身につかない方
◎受験経験はあるが、得点に結びつかない方
◎総復習は実践的に行いたい方

## ■■カリキュラム

2025/1 ————————————————→ 3/15

| | | 全国公開模試 | 2025年1次春試験 |
|---|---|---|---|
| 科目Ⅰ | 直前講義（8回） | | |
| 科目Ⅱ | 直前講義（7回） | | |
| 科目Ⅲ | 直前講義（8回） | | |

### 直前講義（科目Ⅰ 8回　科目Ⅱ 7回　科目Ⅲ 8回）

" 講義と表記してありますが、演習中心の実践的講義です。"

### 全国公開模試（1回）

"会場（実施校舎未定）受験・自宅受験で開催するTACの公開模試"

## ■■学習メディア・開講地区

- 教室講座　八重洲校
- ビデオブース講座
  新宿校・八重洲校・横浜校・津田沼校・梅田校
- Web通信講座
- DVD通信講座

## ■■受講料

- 教室講座　ビデオブース講座　各¥101,000
- Web通信講座　¥101,000
- DVD通信講座　¥110,000

詳細は、証券アナリストパンフレットをご覧ください。

※0から始まる会員番号をお持ちでない方は、受講料の他に別途入会金¥10,000（税込）が必要です。
　会員番号につきましては、TAC各校またはカスタマーセンター（0120-509-117）までお問い合わせください。
※上記受講料は、教材費・消費税10%が含まれます。

# 1次重要論点強化ゼミ

重要論点強化ゼミは、本試験での重要論点・頻出論点を
集中して短期間で効率的に再確認するための講座です。
直前期の学習効率を高めるためにも当ゼミの活用をオススメします。

## ＼ ここが POINT ／

**ここが POINT**

## 試験直前の総仕上げ！
## 重要論点・頻出論点を効率的に
## 総チェック！

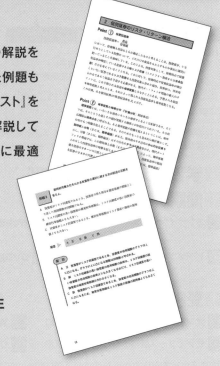

『総まとめテキスト』は、試験範囲の各テーマの解説を
コンパクトにまとめるとともに、テーマに即した例題も
掲載されています。当ゼミでは、『総まとめテキスト』を
使用して、本試験での重要論点・頻出論点を解説して
いきます。本試験直前の効率的な総チェックに最適
です。

※当ゼミの科目Ⅲには「職業倫理・行為基準」は
　含まれません。

### ● 対象者

受験経験者・学習経験者・現TAC受講生

詳細は、2025年3月刊行予定のリーフレット・ホームページをご覧ください。
※予告なく、カリキュラム等を変更する場合や開講を中止する場合があります。予めご了承ください。

# 証券アナリスト

## スーパー速修本科生 [全33回]

約5ヵ月で合格を目指す短期集中コースです。

## ■カリキュラム

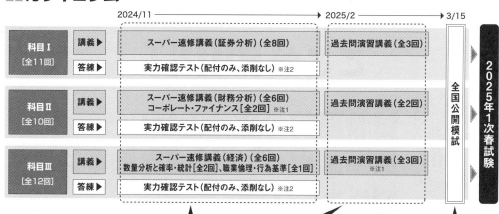

2024/11 ────────→ 2025/2 ────────→ 3/15

| 科目Ⅰ<br>[全11回] | 講義▶ | スーパー速修講義(証券分析)(全8回) | 過去問演習講義(全3回) | 全国公開模試 | 2025年1次春試験 |
| | 答練▶ | 実力確認テスト(配付のみ、添削なし)※注2 | | | |
| 科目Ⅱ<br>[全10回] | 講義▶ | スーパー速修講義(財務分析)(全6回)<br>コーポレート・ファイナンス[全2回]※注1 | 過去問演習講義(全2回) | | |
| | 答練▶ | 実力確認テスト(配付のみ、添削なし)※注2 | | | |
| 科目Ⅲ<br>[全12回] | 講義▶ | スーパー速修講義(経済)(全6回)<br>数量分析と確率・統計[全2回]、職業倫理・行為基準[全1回] | 過去問演習講義(全3回)<br>※注1 | | |
| | 答練▶ | 実力確認テスト(配付のみ、添削なし)※注2 | | | |

### スーパー速修講義

【使用教材】●基本テキスト
●実力確認テスト(自宅学習用)
●基本例題集 ●問題集(自宅学習用)

重要論点に絞って、講義を展開します。学習の途中で消化不良にならないように合格に直結する知識だけに的を絞り、丁寧に解説していきます。

### 過去問演習講義

【教材】●直前例題集

講義内で過去問のポイントを解説し、本試験で通用する実践力を磨いていきます。

### 全国公開模試

【配付物】●問題 ●解答・解説冊子

本試験の出題傾向を徹底的に分析し作成するTACの本試験予想問題。本試験と同一形式での出題のため、本試験のシミュレーションとしても活用できます。

注1)オンラインライブ通信講座・ビデオブース講座・Web通信講座の方はWeb視聴、DVD通信の方はDVDによる視聴となります。
注2)実力確認テストは配付のみで、解説講義等はございません。

## ■学習メディア・開講地区

## ■開講一覧

📡 **オンラインライブ通信講座**
　　　11/24(日)〜配信開始

📹 **ビデオブース講座(新宿校)**
　　　11/22(金)〜視聴開始

💻 **Web通信講座**　11/20(水)〜教材発送
　　　　　　　　　11/22(金)〜配信

💿 **DVD通信講座**　11/20(水)〜教材発送
　　　　　　　　　11/20(水)〜DVD発送

## ■受講料

📡 **オンラインライブ通信講座**　¥95,000

📹 **ビデオブース講座**　　　　　¥95,000

💻 **Web通信講座**　¥ 95,000

💿 **DVD通信講座**　¥115,000

詳細は、スーパー速修パンフレット、ホームページをご覧ください。※予告なくカリキュラム、受講料等を変更する場合があります。予めご了承ください。

※0から始まる会員番号をお持ちでない方は、受講料の他に別途入会金¥10,000(税込)が必要です。
　会員番号につきましては、TAC各校またはカスタマーセンター(0120-509-117)までお問い合わせください。
※上記受講料は、教材費・消費税10%が含まれます。

**2025年 1次春合格目標**

# 全国公開模試

# 2025.3/15土開催

## Web解説講義と成績表（PDF）は TAC WEB SCHOOL内マイページで配信!

※Web解説講義のご視聴、成績表PDFの閲覧には「TAC WEB SCHOOL」の「マイページ」への登録が必要です。詳細は、お申込後にお渡しする「受験上の注意」もしくは「自宅受験」の手引きをご確認ください。
※「TAC WEB SCHOOL」のご利用にはインターネット環境が必要です。お申込前に必ず動作環境をご確認ください。

TACの公開模試
3つのポイント

**Point1** 出題傾向を加味した予想問題を提供!

**Point2** 充実の成績判定により自身の実力が明確に!

**Point3** 公開模試終了後も充実の復習ツールでバックアップ!

### ■■ 受験形態・開催地区

- ●**会場受験** ※校舎未定
- ●**自宅受験**

## お申込みは2025年2月（予定）より

詳しくは、全国公開模試案内書やホームページをご覧ください。
※予告なくカリキュラム、受講料等を変更する場合があります。予めご了承ください。

# TAC出版 書籍のご案内

TAC出版では、資格の学校TAC各講座の定評ある執筆陣による資格試験の参考書をはじめ、資格取得者の開業法や仕事術、実務書、ビジネス書、一般書などを発行しています!

## TAC出版の書籍

*一部書籍は、早稲田経営出版のブランドにて刊行しております。

### 資格・検定試験の受験対策書籍

- ✪日商簿記検定
- ✪建設業経理士
- ✪全経簿記上級
- ✪税 理 士
- ✪公認会計士
- ✪社会保険労務士
- ✪中小企業診断士
- ✪証券アナリスト

- ✪ファイナンシャルプランナー(FP)
- ✪証券外務員
- ✪貸金業務取扱主任者
- ✪不動産鑑定士
- ✪宅地建物取引士
- ✪賃貸不動産経営管理士
- ✪マンション管理士
- ✪管理業務主任者

- ✪司法書士
- ✪行政書士
- ✪司法試験
- ✪弁理士
- ✪公務員試験(大卒程度・高卒者)
- ✪情報処理試験
- ✪介護福祉士
- ✪ケアマネジャー
- ✪電験三種　ほか

### 実務書・ビジネス書

- ✪会計実務、税法、税務、経理
- ✪総務、労務、人事
- ✪ビジネススキル、マナー、就職、自己啓発
- ✪資格取得者の開業法、仕事術、営業術

### 一般書・エンタメ書

- ✪ファッション
- ✪エッセイ、レシピ
- ✪スポーツ
- ✪旅行ガイド (おとな旅プレミアム/旅コン)

# 書籍の正誤に関するご確認とお問合せについて

書籍の記載内容に誤りではないかと思われる箇所がございましたら、以下の手順にてご確認とお問合せをしてくださいますよう、お願い申し上げます。

なお、正誤のお問合せ以外の**書籍内容に関する解説および受験指導などは、一切行っておりません。**
そのようなお問合せにつきましては、お答えいたしかねますので、あらかじめご了承ください。

## 1 「Cyber Book Store」にて正誤表を確認する

TAC出版書籍販売サイト「Cyber Book Store」の
トップページ内「正誤表」コーナーにて、正誤表をご確認ください。

**CYBER** TAC出版書籍販売サイト
**BOOK STORE**

### URL:https://bookstore.tac-school.co.jp/

## 2 ①の正誤表がない、あるいは正誤表に該当箇所の記載がない ⇒ 下記①、②のどちらかの方法で文書にて問合せをする

**★ご注意ください★**

**お電話でのお問合せは、お受けいたしません。**

①、②のどちらの方法でも、お問合せの際には、「お名前」とともに、
「対象の書籍名（○級・第○回対策も含む）およびその版数（第○版・○○年度版など）」
「お問合せ該当箇所の頁数と行数」
「誤りと思われる記載」
「正しいとお考えになる記載とその根拠」
を明記してください。

なお、回答までに1週間前後を要する場合もございます。あらかじめご了承ください。

① ウェブページ「Cyber Book Store」内の「お問合せフォーム」より問合せをする

【お問合せフォームアドレス】

### https://bookstore.tac-school.co.jp/inquiry/

② メールにより問合せをする

【メール宛先 TAC出版】

### syuppan-h@tac-school.co.jp

※土日祝日はお問合せ対応をおこなっておりません。
※正誤のお問合せ対応は、該当書籍の改訂版刊行月末日までといたします。

乱丁・落丁による交換は、該当書籍の改訂版刊行月末日までといたします。なお、書籍の在庫状況等により、お受けできない場合もございます。
また、各種本試験の実施の延期、中止を理由とした本書の返品はお受けいたしません。返金もいたしかねますので、あらかじめご了承くださいますようお願い申し上げます。

# ●出題傾向と対策

　1次レベルの本試験については、解答方式が全問マークシート方式となっている。2024年度（春）試験の出題形式別の問題数と配点は、次のとおりである。

| 問題 | 出題形式 | 問題数 | 配点 |
|:---:|:---|:---:|:---:|
| 1 | 正誤・適文選択問題 | 15 | 30 |
| 2 | 個別計算問題 | 5 | 10 |
| 3 | 総合計算問題 | 6 | 12 |
| 4 | 財務諸表分析の総合問題 | 24 | 24 |
| 5 | コーポレート・ファイナンス※ | 14 | 24 |

　※　コーポレート・ファイナンスでは、正誤・適文選択問題と計算問題が出題される。

　「科目Ⅱ」では、第1問から第4問が財務分析、第5問がコーポレート・ファイナンスの範囲から出題される。配点割合は、「財務分析：コーポレート・ファイナンス」で、概ね「3：1」となっている。それぞれ、正誤・適文選択問題、計算問題の形式で出題される。限られた時間の中で、効率的に合格レベルに到達するためには、出題される論点と形式の傾向を踏まえて、得点能力を高めることが重要である。

　さらに、本試験では100分間で数多くの問題（2024年度（春）試験は64問）を解かなければならないため、すべての問題に均等に時間を配分していたのでは、時間切れになってしまう可能性が高い。そのため、平易な問題、言い換えれば他の受験生も確実に得点できる問題を優先的に解いて、難易度の高い問題は後回しにする工夫が必要である。このような観点から、受験対策にあたっては、出題頻度の高く、平易な問題について重点的に学習しておくことが有効であるといえる。

　本書では、個別論点ごとに、出題形式に基づいた頻出問題を中心にポイントを解説している。形式別の傾向と対策については、概ね次のようなことがいえる。

●留意事項…以下のような場合、それまでの１次試験の合格実績はすべて無効となる。

①受講可能期間（原則、３年）に実施された第１次試験がすべて終了した時点において、第１次試験に未合格（受験しない場合を含む）の科目があり、受講申込受付期間内に再受講しなかった場合

②第１次試験で３科目の合格を達成した後、所定の期間内（その年度を含む３年以内）に第２次レベル講座の受講を開始しない場合

●近年の協会通信及び受験状況（１次レベル）

| 年　　度 | 検定試験* | | |
|---|---|---|---|
| | 受験者数（人） | 合格者数（人） | 合格率（％） |
| 2022年（春） | 7,533 | 3,663 | 48.6 |
| 2022年（秋） | 5,107 | 2,402 | 47.0 |
| 2023年（春） | 6,880 | 3,189 | 46.4 |
| 2023年（秋） | 4,826 | 2,438 | 50.5 |
| 2024年（春） | 6,567 | 3,053 | 46.5 |

＊　検定試験の受験者数・合格者数は、科目別の延べ人数

協会通信教育講座に関するお問い合わせは、日本証券アナリスト協会のホームページをご確認ください。

公益社団法人　日本証券アナリスト協会

https://www.saa.or.jp

# 証券アナリスト試験とは
## ～1次試験の概要～

> ### 本試験を受験するためには協会通信教育の申込が絶対条件！
>
> ［受験資格］
>
> 　証券アナリスト試験を受験する場合には、公益社団法人日本証券アナリスト協会の1次レベルの通信教育を受講することが条件となっています。なお、通信教育の受講に際しては、だれでも受講することができ、年齢や学歴などの制限は一切ありません。
>
> 　　＊通信教育講座受講申込期間…例年5月～
>
> 　　（詳細につきましては、日本証券アナリスト協会にお問い合わせください。）
>
> 　　＊通信講座受講期間…約8ケ月間

● 1次試験日程…毎年2回、例年4月下旬、9月下旬～10月上旬

● 出願締切…例年3月上旬、8月中旬

　　　　　　（日本証券アナリスト協会のマイページから申込）

● 合格発表…例年5月下旬、10月下旬～11月上旬

● 試験実施場所…＜国内＞札幌、仙台、東京、金沢、名古屋、大阪、広島、

　　　　　　　　　　　松山、福岡

　　　　　　　　＜国外＞ニューヨーク、ロンドン、香港

● 試験科目…科目Ⅰ「証券分析とポートフォリオ・マネジメント」

　　　　　　科目Ⅱ「財務分析」「コーポレート・ファイナンス」

　　　　　　科目Ⅲ「市場と経済の分析」「数量分析と確率・統計」

　　　　　　　　　「職業倫理・行為基準」

　　　　　　（科目合格制）

5　安全性分析／279

6　不確実性分析／282

7　成長性分析／289

## 第8章　コーポレート・ファイナンス

### 1．傾向と対策 ……………………………………… 322
### 2．ポイント整理と実戦力の養成 ……………… 325

1　株式価値評価／325

2　企業価値評価／341

3　投資決定／365

4　リスク管理／377

5　経営戦略／393

6　コーポレートガバナンス／405

## 附属資料

財務諸表分析の指標／420

◆索引／424

## 第5章 損益会計

### 1．傾向と対策 ……………………………………… 154
### 2．ポイント整理と実戦力の養成 ……………… 155

1 収益・費用の認識と測定／155

2 収益認識基準／160

3 外貨建取引の換算／182

4 外貨建財務諸表の換算／189

## 第6章 企業結合会計

### 1．傾向と対策 ……………………………………… 196
### 2．ポイント整理と実戦力の養成 ……………… 198

1 企業結合／198

2 合併会計／198

3 連結財務諸表／207

4 連結の範囲／215

5 資本連結／218

6 成果連結／225

7 持分法／228

8 税効果会計／230

9 連結キャッシュ・フロー計算書／249

## 第7章 財務諸表分析

### 1．傾向と対策 ……………………………………… 258
### 2．ポイント整理と実戦力の養成 ……………… 260

1 分析の方法／260

2 資本と利益の概念／261

3 収益性分析／265

4 生産性分析／275

5 固定資産／66

6 減価償却／67

7 リース会計／82

8 減損会計／95

9 繰延資産／101

10 経過勘定／105

## 第3章 負債会計

**1．傾向と対策** ················································· 108

**2．ポイント整理と実戦力の養成** ···················· 109

1 金融負債／109

2 社債の評価／110

3 引当金／113

4 退職給付会計／115

## 第4章 純資産会計

**1．傾向と対策** ················································· 130

**2．ポイント整理と実戦力の養成** ···················· 131

1 株主資本／131

2 計数の変動／137

3 剰余金の配当／141

4 評価・換算差額等／143

5 新株予約権・株式引受権／144

6 包括利益／147

# CONTENTS

はじめに／iii

証券アナリスト試験とは／viii

出題傾向と対策／x

本書の使用方法／xiii

過去の出題一覧及び重要度／xiv

重要論点チェックリスト／xvii

## 第1章　財務会計総論

**1．傾向と対策** ………………………………… 2

**2．ポイント整理と実戦力の養成** ………………… 4

 1 企業会計原則／4

 2 貸借対照表／5

 3 損益計算書／10

 4 その他の計算書類等／13

 5 日本の会計制度／18

 6 財務諸表の監査／24

 7 国際財務報告基準（IFRS）／27

## 第2章　資産会計

**1．傾向と対策** ………………………………… 32

**2．ポイント整理と実戦力の養成** ………………… 35

 1 金融資産／35

 2 債権の評価／35

 3 有価証券／40

 4 棚卸資産／53

# は じ め に

　証券アナリストとは、証券投資において必要な情報を収集し、分析を行い、多様な投資意思決定のプロセスに参画するプロフェッショナルな人たちをいいます。公益社団法人　日本証券アナリスト協会では、証券アナリストとしてのスタンダードを確立するため、通信教育講座を通じて教育を実施し、講座終了後の試験によって証券アナリストの専門水準の認定を行うことで、検定会員の資格を与えています。証券アナリスト試験は、公益社団法人日本証券アナリスト協会が自主的措置として行っている資格制度であり、合格していなくても、証券分析業務や投資アドバイスといった証券アナリストの業務はできます。それにもかかわらず証券アナリスト試験は、金融の自由化・国際化、資産の証券化、その他様々な要因から、金融業界を中心として非常に注目を集めており、証券アナリストの社会的役割や責任は、ますます大きくなっています。

　証券アナリストに求められる知識は極めて広範囲にわたります。そのため、よりポイントを絞った効率的な学習が必要です。本書では、1次試験対策の総まとめとして、ＴＡＣが過去の出題傾向を徹底分析した上で厳選した問題を収載しています。その問題を解きながら、証券アナリスト試験の科目Ⅱ「財務分析」「コーポレート・ファイナンス」の出題ポイントが整理できるように構成しており、併せて解答作成に必要な力を身につけることも主眼としています。したがって、必ず問題を自分の力で解き、理解が不十分であれば本文を読み直し、再度問題にチャレンジして下さい。また、十分な知識が身に付いていると思われる方は、解答作成のポイントまでしっかりと把握し、実力をより確かなものとして下さい。

　本書及びその他2科目の総まとめテキストが、皆さんの証券アナリスト試験合格のためにお役に立てることを心より願っております。

ＴＡＣ証券アナリスト講座

# 証券アナリスト

## 1次対策

総まとめ
テキスト　科目II

# 財務分析
# コーポレート・ファイナンス

TAC証券アナリスト講座

**TAC出版**
TAC PUBLISHING Group